D0493015

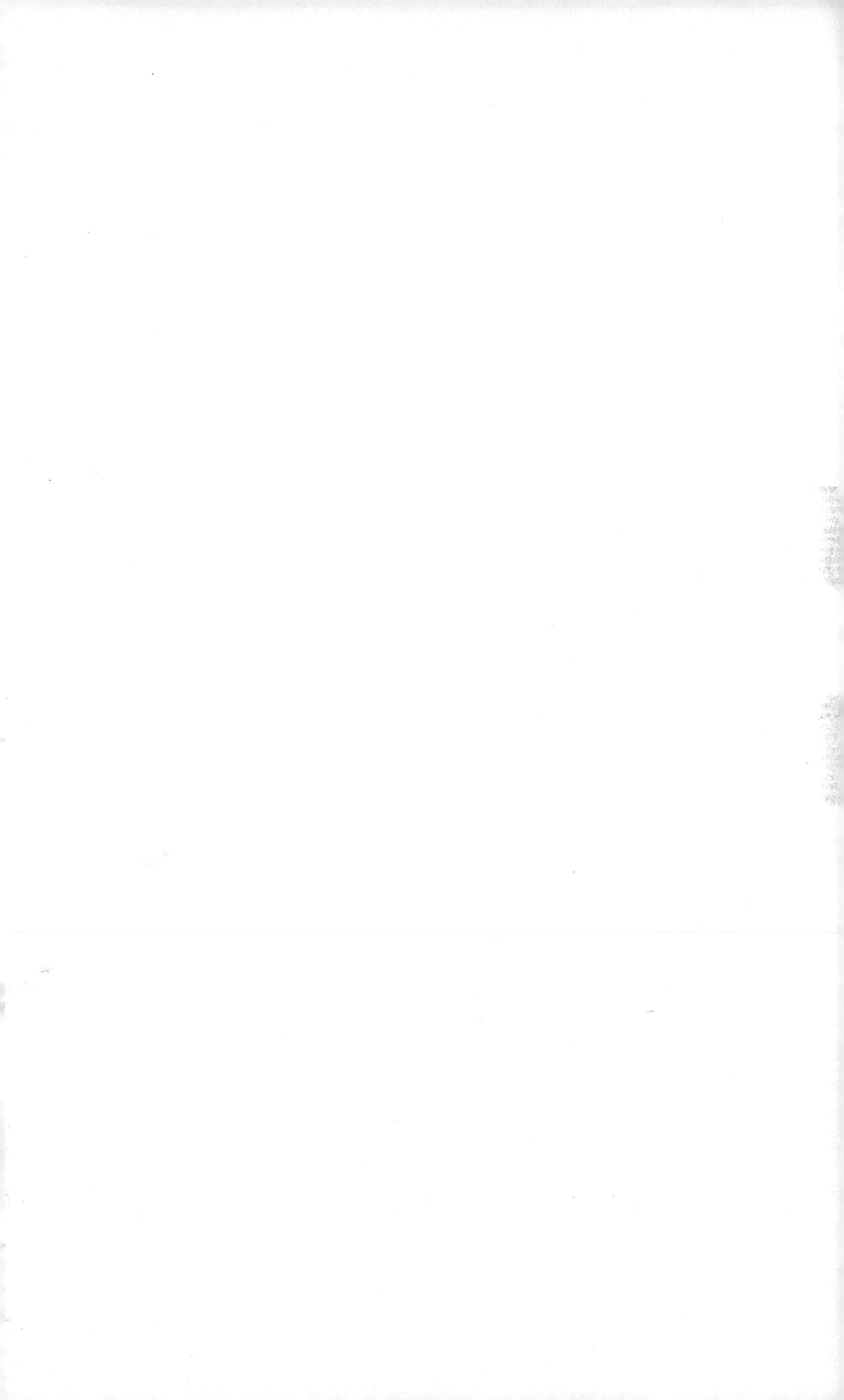

GENNIE ET PAUL LEMOINE

LE PSYCHODRAME

UNE ÉDITION SPÉCIALE DE LAFFONT CANADA LTÉE

ISBN 2-89149-210-2

SOMMAIRE

CHAPITRE PREMIER

POUR UNE THÉORIE DU PSYCHODRAME

Moreno aime à raconter comment, à quatre ans, il inventa le psychodrame. Après avoir réparti les rôles d'anges entre ses camarades de jeu, il monta sur une pile de chaises pour prendre le rôle de Dieu et en s'effondrant il se cassa le bras droit. Sans doute apprit-il là, de façon salutaire, à se conformer au principe de réalité. Sa biographie indique de quelles possibilités d'adaptation il fut capable. Mais qu'est-ce que le réel ? Né en 1892 en Roumanie, il étudia à Vienne. Ce serait faire bon marché du principe de plaisir que de ne pas reconnaître les effets du refoulé dans la réinvention de la représentation dramatique par le jeune étudiant en médecine qui entraînait dans ses jeux les enfants des jardins d'Augarten (1908-1911) et les prostituées de Vienne (1913-1914). C'est également à Vienne qu'il fonde le théâtre de spontanéité (Steigreiftheater, 1922) et qu'il découvre en 1923 avec Barbara la catharsis et le psychodrame.

Barbara était une actrice qui jouait à ravir des rôles d'ingénue. Un jeune poète qui fréquentait assidûment le premier rang du théâtre finit par l'épouser. Très vite son mari se plaignit de son caractère difficile. Quand il la grondait, elle lui lançait à la tête des injures crapuleuses et le harcelait de coups de poing. Alors cessant de lui faire interpréter des rôles d'ange, Moreno lui proposa des rôles de prostituée et de femme de bas étage. Elle les accepta avec enthousiasme. Après ces scènes elle se sentait pleine de joie. A partir de ce moment, le climat familial s'améliora. Puis Moreno en vint à lui faire représenter des scènes de son enfance et des rêves ; on passait ainsi du théâtre de spontanéité, où l'on jouait des personnages de fantaisie, au psychodrame. Quelques mois après, Barbara était guérie.

En 1925, Moreno émigre à New York. Il fonde un peu plus tard à Beacon l'Académie de Psychodrame. En 1946, il publie le volume 1 de *Psychodrama,* fruit de ses expériences autrichiennes et américaines. Le second volume de *Psychodrama* sera édité en 1959 avec la collaboration de Zerka T. Moreno, sa femme, à qui il donne un rôle de plus en plus actif dans son Académie et dans l'Académie internationale.

Sa rencontre avec la psychanalyse peut être résumée comme l'a fait lui-même Moreno lors de sa rencontre manquée avec Freud (sans doute rencontre manquée œdipienne). En 1912, comme Freud lui demandait à la fin d'un cours à la Clinique psychiatrique de Vienne ce qu'il faisait : « Je commence là où vous finissez, lui répondit-il. Vous placez les gens dans une situation artificielle dans votre bureau, moi je les rencontre dans la rue et dans leur maison, dans leur milieu naturel. Vous analysez leurs rêves, j'essaie de leur donner le courage de rêver encore. J'apprends aux gens comment on joue à Dieu. »

Sans doute Moreno n'eût-il pas découvert la sociométrie, cette science des attractions et des répulsions des individus en groupe, s'il s'était placé dans la seule perspective de l'inconscient. De même il a centré le psychodrame sur l'action et le groupe, non comme le fait l'analyste sur le discours individuel. Quand il entend libérer les sujets en leur rendant la spontanéité, il ne centre pas son effort sur l'association libre mais sur la liberté avec laquelle on devient capable d'assumer son rôle. Parce que, estime-t-il, on ne peut atteindre le fond de l'âme ni voir ce qu'un individu perçoit et sent, le psychodrame tente, avec l'aide du patient, de transporter l'âme « à l'extérieur » de l'individu... Le but est de rendre tout son comportement (behaviour) directement visible, observable et mesurable. Ainsi, bien qu'il critique le behaviourisme, c'est dans cette ligne cependant, plus que dans celle de la psychanalyse, qu'il se situe. Ce faisant, il risque de manquer l'écoute psychanalytique de l'inconscient.

L'inconscient ne l'intéresse que sous sa forme opératoire : « Les associations libres de A peuvent frayer un chemin aux états inconscients de B ; mais est-ce que le matériel inconscient de A coïncide naturellement avec le matériel inconscient de B ? » Nous devons pour cela acquérir un concept qui tienne compte de la communication entre deux ou plusieurs inconscients. Ce concept, c'est celui de *télé*. La remise en acte de la communication entre A et B ne peut se produire que si les partenaires en cause sont présents ; « la méthode logique d'une telle remise en acte, c'est le psychodrame ».

Moreno a donc créé un outil qui répondait apparemment aux besoins du moment puisqu'il a eu la fortune qu'on sait. Le psychodrame s'est répandu dans le nouveau monde et l'ancien ; il a pénétré dans l'industrie, les écoles et toutes les branches du travail. Il est même devenu un mot du langage courant qui sert à désigner toute scène de la vie un peu dramatique : c'est du psychodrame, dit-on. Mais, précisément, il a pris des formes multiples et l'on ne sait plus bien où est le psychodrame dans ces activités de groupe qui gagnent tous les domaines. Nous avons donc ressenti le besoin de mettre au point une théorie précise et de fixer des concepts que Moreno avait négligé de fonder autrement qu'en les pratiquant.

Notre travail se caractérise tout d'abord sur le plan théorique par un retour à Freud et par un recours à Lacan. La matrice de tout le psychodrame, pour nous, est le « jeu de la bobine » ou du *fort-da*, décrit par Freud. Mais, pour des raisons de méthode, nous distinguerons d'abord les catégories de l'imaginaire, du symbolique et du réel, établies par J. Lacan et pressenties par Freud.

Nous parlons de l'imaginaire, du réel et du symbolique confrontés à l'expérience psychodramatique et non du symbole. Il ne s'agit en effet ni d'images ni de symboles, communs ou même universels, comme le feu ou le serpent ; ni du dilemme de l'universalité du symbole et du caractère individuel de la fonction symbolique. Ces trois catégories se définissent l'une par rapport à l'autre. Par exemple cette table est là ; je la vois ; si un déménageur l'emporte, je pourrai toujours l'imaginer là. S'il n'y avait jamais eu de table, je pourrais encore imaginer là une table. On voit que l'imaginaire consiste à se donner un objet absent. Cela dit, il n'est pas question ici d'argumenter sur la réalité de la table en soi, ni sur la réalité du monde extérieur, mais seulement sur la relation présence-absence de la table par rapport à moi.

Et maintenant si cette table est celle autour de laquelle toute ma famille s'est réunie pour les repas, elle peut devenir le symbole des repas familiaux, puis, de métaphore en métaphore, de la famille elle-même, puis d'autres familles que la mienne ; c'est la fonction symbolique qui intervient ici.

Ces catégories, nous avons été forcés de les confronter à notre expérience psychodramatique, par les membres mêmes des groupes qui nous disaient : « Vous nous demandez de dire ce que nous ressentons, mais ce que nous ressentons est *réel* ; si nous sommes spontanés, nous sommes *vrais* forcément. Où se trouve donc la frontière entre la vie du groupe et notre vie de tous les jours ? » Si un membre du groupe tombe amoureux de la vamp du groupe — il y en a toujours une —, où l'arrêter et pourquoi ? Faut-il leur laisser consommer leur rencontre sous nos yeux ? Et sinon, en vertu de quelle morale ?

Quant à nous, nous n'avons pas manqué de noter une fois de plus l'immanquable glissement du *réel* au *vrai,* et de ce qui est — d'autre part — à ce qui doit être.

Pour des raisons de méthode donc, il semble opportun de distinguer d'abord ces deux grandes régions de l'imaginaire et du réel comme cela a été fait tout à l'heure pour la table ; quitte à préciser ensuite où se fait le clivage, où intervient le symbolique. Par rapport au réel, le psychodrame se situe tout entier en terrain imaginaire, contrairement à ce qu'a pu déclarer Moreno qui prend les hommes dans leur milieu réel[1]. C'est un jeu. On y joue, comme au théâtre, des scènes imaginées, soit parce qu'elles sont passées et revécues, soit parce qu'elles sont futures et projectives[2]. Il existe toutes sortes de groupes d'où le jeu est plus ou moins ou totalement absent. Pour nous, le jeu est essentiel.

Il comporte toutefois une partie parlée. Après une libre conversation destinée à faire sortir le plus spontanément possible les thèmes « en travail » dans le groupe qui comprend douze personnes environ, plus le thérapeute et l'observateur, le thérapeute saisit le thème au cheveu et le fait jouer. La conversation n'a donc pas de fin en soi. Elle peut même être nocive si elle est l'occasion de débordements complaisants, d'étalements narcissiques, de prises de pouvoir, d'entreprises de séductions et de rationalisations justificatrices sans issue.

Quand elle le ramène à une analyse de groupe pure et

---

1. Le danger de la confusion entre l'imaginaire et le réel est analysé plus loin à propos d'un « psychodivorce ». Cf. Psychodrame et mariage (le groupe imaginaire et le groupe réel), chap. V, p. 313.

2. Les scènes prospectives ou fabulées sont toutefois à éviter pour des raisons que nous développerons plus loin.

simple, elle peut être plus nocive encore parce que l'analyse se déroule non devant un analyste le plus muet possible et aux interventions savamment dosées, mais devant des partenaires qui *répondent*. Mais ce n'est pas le lieu ici de s'étendre sur ce point. Mettons seulement les deux éléments de conversation et de jeu chacun à leur place.

La partie jouée reproduit, en somme, le modèle enfantin que tout le monde connaît : toi, tu serais le papa, moi la maman, moi le malade, toi le médecin, moi le bon Dieu [1], toi le vilain diable, etc. Il s'y réduit même en ce qui concerne ses principaux schémas ; car si au cours des séances on joue des scènes que l'imagination enfantine ne saurait concevoir, elles se ramènent toutes cependant, comme nous le verrons, à des schémas familiaux.

Mais naturellement papa et maman ne sont pas réellement là et la scène qui se joue est seulement revécue ; elle n'est pas réelle actuellement, même si elle l'a été autrefois. C'est une évocation imaginaire et l'important n'est pas qu'elle soit historiquement exacte mais qu'elle soit fidèle au souvenir.

Il se peut d'ailleurs que la scène n'ait jamais eu lieu. Elle est alors obsessionnelle et projective. Il n'y a qu'une différence de degré, du point de vue de l'imaginaire, entre le souvenir et l'obsession ; et l'un vaut l'autre sur le plan psychodramatique.

LES SCÈNES FABULÉES

Quant aux scènes proprement projectives, que nous disons « fabulées » parce qu'elles n'ont jamais eu lieu et qu'elles sont seulement fantasmées pour la pure jouissance, nous les

1. Ce qui ne veut pas dire que nous voulons apprendre aux participants à jouer et — encore moins — à être Dieu.

écartons autant que faire se peut. Nous ne les avons pas toujours écartées. Il nous paraissait souhaitable de laisser le sujet fantasmer tout son saoul. Mais la pratique psychodramatique nous a appris qu'il n'en tirait d'autre profit qu'une immense satisfaction pour laquelle il croyait pouvoir se targuer en outre de l'autorisation ou de la complicité de l'un des thérapeutes.

Le cas de Marta

C'est ainsi que Marta, une jeune femme qui voue à sa mère une haine sans merci (pour de bonnes raisons sans doute, mais cela n'entre pas en ligne de compte), avait toujours rêvé de jeter un jour tout son venin à la tête de cette mère abhorrée, chose qu'elle n'avait jamais osé faire. Pourquoi ? Mère de famille elle-même, autonome et mûre, elle aurait pu enfin parler. Pourquoi ne parlait-elle pas ?

Ce sont les raisons de cette impuissance qu'il aurait été important de faire ressortir. Mais Marta voulait injurier, gifler sa mère, une bonne fois dans sa vie. Elle a donc choisi la thérapeute qui, pour montrer l'inanité d'un tel jeu, y est entrée totalement et s'est laissé copieusement injurier. En fait, Marta supporte mal la thérapeute et son choix est une répétition.

Il est évident aussi que, choisie comme ego auxiliaire, la thérapeute s'est trouvée privée de toute spontanéité, d'entrée de jeu. Quel rôle a-t-elle joué ? Celui — absurde — d'une mère terrifiante qui ne fait miraculeusement plus peur. Marta était épuisée et tremblante après la scène, comme si elle avait fait l'amour. Mais déçue aussi parce que la thérapeute, bien que peu aimable à ses yeux, n'était pas sa mère.

Une autre fois, un homme stérile s'est offert aussi une promenade idyllique avec le fils de son choix. Et une autre fois un analysé hargneux et revendicatif a cassé la figure de la thérapeute qu'il avait choisie étrangement pour jouer le rôle de son analyste-homme à qui il n'est jamais allé et n'ira jamais casser la figure. Le choix ici aussi était significatif et gros de conséquence pour l'acteur. Mais on voit mieux par ce dernier exemple que la scène fabulée conduit tout droit à l'*acting out*. Or, les coups et blessures, avons-nous dit, ne sont pas de jeu.

Nous faisons exception toutefois dans certains cas. Il arrive en effet qu'un participant demande avec force à jouer une scène avec un personnage important de sa vie, à qui il aurait quelque chose à dire ou de qui il voudrait entendre certaines paroles. Ce personnage n'est pas là. Personne ne peut le représenter.

L'impossibilité de choisir un protagoniste est ici tout à fait significative en elle-même et il paraît regrettable de répondre négativement. Nous mettons donc une chaise vide au milieu du cercle des participants et nous disons : « Qui est-il ? Comment est-il ? Décrivez-le. » Quand le personnage commence à être visible pour tout un chacun (tant l'appel de la personne désirante est fort !) nous lui disons : « Eh bien, que vous dit-il ? » Très vite, il apparaît que la *chaise vide* est mieux à même que quiconque de lui dire les paroles qu'elle attend ! Tel est le jeu de la chaise vide.

A propos de chaise, il est peut-être opportun de dire un mot ici de la scène dite « de la chaise retournée ». Ce n'est pas non plus une scène de la vie réelle reproduite. Mais ce n'est pas une scène fabulée. Il s'agit seulement de faire un sort à la personne qui se trouve à tel moment de la vie du groupe en butte à une telle hostilité, que tous se mettent à parler d'elle à la troisième personne, *comme si elle n'était pas là,* l'excluant donc et la supprimant de fait. Nous disons alors : X va s'asseoir hors du groupe sur une chaise retournée. Il est censé tout entendre et ne pas répondre (ce qu'il faisait effectivement sans que la chose soit prise en charge par les thérapeutes) — les membres du groupe par contre parlent comme si X n'était pas là. L'agressivité se déchaîne alors plus ou moins librement ou contagieusement. Puis X se retourne et répond s'il veut. Mais dès lors il a sa place dans le groupe.

On le voit, les thérapeutes suivent plus qu'ils ne prescrivent. Le groupe mène le jeu. C'est au point que si le groupe tient absolument à jouer une scène fabulée les thérapeutes ne s'y opposent pas, comme on l'a vu par les exemples que nous avons donnés. Car nos recommandations ne sont pas des règlements. Elles peuvent être méconnues. L'observateur relève seulement la chose après coup.

Les rêves sont considérés comme des scènes vécues (et non pas fabulées) et peuvent être représentés.

Ce jeu qu'est le psychodrame a ses règles — les règles du jeu. Elles ne sont valables qu'à l'intérieur du groupe. Essayez d'expliquer ces règles à un profane, il ne les comprendra pas. Qui manque aux règles se met automatiquement hors du jeu, sans autre sanction d'ailleurs que cette mise hors jeu, car les règles n'ont rien à voir avec les règles et les sanctions qui ont cours dans la vie « civile », si l'on peut dire. Mais cette sanction est suffisante.

Quelles sont ces règles ? La règle d'or est la spontanéité comme l'a bien vu Moreno ; mais il faut distinguer impulsivité et spontanéité. La vraie spontanéité peut jaillir difficilement à quelque profondeur comme les bonnes sources. Cette spontanéité-là, en somme, ressemble assez à la liberté bergsonienne. Ce qu'il s'agit de faire jaillir, c'est l'expression la plus originale de soi.

Toutes les autres règles se subordonnent à la première : il est recommandé de ne pas avoir de relations hors du groupe et de garder la plus grande discrétion sur ce qui s'y passe. On ne donne souvent que son prénom et il peut être faux ; car on appartient au groupe *ipso facto,* par la vertu de la seule présence.

Les hiérarchies sociales n'y ont pas de répercussion. Un employé n'est plus employé dans le groupe ni un employeur, employeur. Aussi n'est-il pas recommandé non plus aux membres, ni aux thérapeutes d'avoir des relations de travail, ou des relations sociales ou familiales entre eux. On sépare les couples et les membres d'une même famille [1].

LA RÈGLE DU JEU

Toutes les règles autres que la spontanéité : discrétion, régularité, et surtout celle qui prive les membres d'un groupe du plaisir bien naturel de se retrouver entre eux et de nouer des relations personnelles selon leur choix, toutes ces règles ne sont que corollaires. Elles sont des garde-fous qui maintiennent le groupe sur ce plan imaginaire où, précisément, en cas de manquement aux règles, il n'y a pas de suites dans la vie réelle, pas de sanctions ; on n'y compromet aucun lien sentimental ; on n'y rompt aucune attache familiale ; on n'y risque pas sa situation, son poste, sa vie. La voiture ou l'avion, ou l'ascenseur sont fictifs. La maladie, l'amour, la mort n'y sont que représentés. Les accessoires sont bannis. On peut jouer une scène de vol. On ne vole pas et donc on ne peut être arrêté et mis en prison. Si quelqu'un vole effectivement, ce ne saurait être dans le jeu, mais par un *acting out* [2] solitaire, bien réel, alors, et qui fait sortir le délinquant du groupe. *Ce n'était pas de jeu,* lui dit-on.

C'est là que l'on voit la différence entre impulsivité et spontanéité. L'*acting out* est d'ailleurs ce qui est en principe interdit mais reste la grande tentation.

En fait, il est seulement recommandé de s'en abstenir si l'on veut que le groupe reste imaginaire et que le jeu

1. Il y a toutefois des psychodrames de couples dont nous parlons plus loin, p. 303.
2. Pour la définition de ce mot cf. *Vocabulaire de la Psychanalyse* par Laplanche et Pontalis (P.U.F.).

continue. La seule sanction en cas de manquement est la précipitation du groupe dans le réel (au sens chimique du terme) autour de ce noyau de réel qu'est le vol d'un objet réel : argent, vêtement, etc., et la mort du groupe ou l'exclusion *ipso facto* du délinquant.

Si tout le groupe passe à l'acte à la suite du délinquant, s'il dénonce celui-ci à la police et le fait arrêter, il n'y a plus de groupe psychodramatique mais un groupe réel et il y a réellement sanction. Mais tout se passe alors hors du groupe imaginaire. Si le délinquant veut réintégrer le groupe, il peut y représenter le vol qu'il vient de commettre, mais avec les autres et non à l'insu ou contre, et sans accessoires, c'est-à-dire sans objet réel.

Il n'est même pas question qu'il restitue l'objet. La restitution peut avoir lieu, après la séance, comme bénéfice secondaire ; c'est une autre affaire. Si l'analyse du vol n'épuise pas le besoin de répétition du délinquant, le groupe garde une certaine méfiance à son égard et perdra de sa spontanéité ; c'est un reste de réel que le groupe sera obligé d'éliminer.

L'exemple est choisi à dessein parmi les actes de délinquance dans la vie réelle. Mais il y a toujours un reste de réel dans le groupe, reste à éliminer et dont l'élément porteur est, à bon droit, appelé délinquant dans le groupe, puisqu'il manque à la règle d'or du jeu comme jeu imaginaire. Tout *acting out* est délinquance, aussi léger et fugace soit-il : un vrai baiser, un coup bas, un regard même, ou un simple geste, suivant leur destination, peuvent être symboliques ou réels. De même, un cendrier peut servir de soupière dans un jeu. Si je le mets dans ma poche, comme cendrier, ou si je le casse exprès, je passe dans le réel, c'est le jeu que je casse. Si la pièce où le groupe se réunit, au lieu de devenir la chambre des parents, la nursery d'autrefois, une salle de classe ou une bibliothèque, reste le salon ou la salle à manger de M. X, et que je les utilise comme tels, refusant de les couper de leur destination habituelle, alors je fais infraction à la règle du jeu, ce qui peut m'amener à fuir hors de ce lieu trop réel qui m'emprisonne. C'est pourquoi aussi les noms propres sont volontairement omis. C'est aussi une recommandation importante. On s'appelle par son prénom ; et l'appartement où l'on se réunit n'est pas celui du docteur X par exemple, mais celui de Pierre ou de Paul. C'est là une différence considérable avec l'analyse où il est de règle de « donner les noms », comme on dit en justice.

Il n'est pas dit qu'à un certain degré d'évolution du groupe, quand les passages à l'acte ne sont plus autant à redouter comme c'est le cas de groupes du second degré [1], cette règle ne cesse d'être justifiée et ne tombe d'elle-même. Or, on sait de quelle charge sont pleins les noms de chacun... Mais dans tous les autres groupes, cette règle est strictement maintenue. On pourrait analyser d'ailleurs pourquoi elle l'est si aisément. Il semble même qu'elle aille au-devant du désir de chacun.

Curieuse règle, direz-vous, que cette règle du jeu qui n'est assortie d'aucune sanction ; curieuse surtout pour qui confond règles et règlements ! Si l'auteur de la tragédie classique n'observe pas la règle des trois unités, eh bien, il ne s'ensuit pour lui aucune sanction autre que la conséquence même : sa tragédie n'est plus classique. Si le militaire saute le mur, par contre, il se fait mettre aux arrêts parce qu'il n'a pas observé le règlement militaire.

Ainsi donc, en psychodrame, il y a une règle du jeu et des règles corollaires ; il n'y a pas de règlements.

Il y a toutefois une règle qui paraît assortie d'une sanction, celle de l'assiduité. N'est-ce pas une sanction que de payer dans ce cas ? Non. C'est une convention, comme celle de se réunir au même endroit, à la même heure. Qui s'y soustrait est amené à analyser son comportement. Il n'est pas autrement puni. Mais, direz-vous, alors il ne paiera plus, dans aucun cas. Et pourquoi payer les séances non manquées ? — Ce

---

1. Groupes didactiques où l'on devient (?) thérapeute.

n'est pas si facile que de ne pas payer. Le mode d'être du « hors-la-loi » alors, dans le groupe et vis-à-vis des thérapeutes, signifie une rupture de contrat que thérapeutes et membres du groupe peuvent entériner. Le délinquant est alors invité à ne plus venir. Ou bien il accepte d'être dans le groupe au titre d'anarchiste, de hippy, de voleur, de parasite, de tyran ou autre, de « hors-la-loi » en un mot, et il est tenu d'en répondre. A vrai dire, ce cas ne s'est jamais produit. Le délinquant est seulement amené à analyser son comportement. S'il se refuse à analyser sa défection, son départ, son retour, etc., il se met hors du groupe. Il peut s'y maintenir physiquement un certain temps. Mais le groupe n'a de cesse qu'il s'explique. Alors départ, défection, retour, manquement deviennent objet commun au groupe et le délinquant est réintégré : il cesse d'être délinquant. Et il paie...

Certes, par son seul retour, sa seule présence, le délinquant disait déjà quelque chose que le groupe entendait et à quoi il répondait. La mise hors jeu totale est donc le départ effectif et l'oubli du groupe. L'expérience prouve que rares sont les personnes qui se font ainsi totalement oublier et qui oublient totalement le groupe. L'appartenance au groupe est extraordinairement prégnante. Elle laisse des traces. Les rappels du groupe et les retours après des mois ou même des années en sont la preuve.

Les séances ont une durée limitée (une heure et demie), une cadence régulière (hebdomadaire). Elles sont payantes et les séances manquées sont dues. Pourquoi cette rigidité ? Pourquoi l'argent ?

Si les participants venaient uniquement parce qu'ils ont besoin de parler et si les thérapeutes étaient considérés et se considéraient comme voués à l'écoute, nous ne voyons pas au nom de quoi ils interrompraient la séance à tel moment plutôt qu'à un autre. La séance ne pourrait finir en toute légitimité qu'avec le besoin des participants. Il leur appartiendrait de déclarer qu'ils en ont enfin assez, signifiant par là même aux thérapeutes qu'ils n'ont plus besoin d'eux. Etre psychodramatiste, comme être analyste, témoignerait alors d'une disposition toute particulière à répondre à la demande. Ce faisant — nous voulons dire : s'ils répondaient —, l'un comme l'autre deviendraient esclaves à vie. Cette relation maître-esclave inversée est précisément celle que tout membre de groupe psychodramatique (mais tout particulièrement s'il a fait un stage, auparavant, de dynamique de groupe) essaie d'instaurer d'entrée de jeu.

Les plus gentils admettent qu'il faut tout de même laisser aux thérapeutes le temps de manger et de dormir. Ils vont même jusqu'à reconnaître qu'il faut bien aussi leur donner quelque argent pour vivre. Mais, disent-ils, nous payons trop cher. Et pourquoi, par exemple, payer les séances manquées ?

Voici, à titre d'illustration, une séquence psychodramatique portant sur ce thème :

JOSÉPHINE : Je regrette qu'il n'y ait plus ici de contestataire. Le départ de Jean est bien ennuyeux !

LA THÉRAPEUTE : Qui vous empêche d'être, *vous*, la contestataire ?

JOSÉPHINE : Mais je n'en ai pas envie ! Je n'ai rien, moi, à reprocher aux thérapeutes. Je trouve seulement que chaque fois que quelqu'un conteste, il en sort quelque chose de vrai.

LA THÉRAPEUTE : Vous placez donc cette fonction en dehors de vous. Cherchez un peu. Il n'y a rien qui vous déplaise ?

JOSÉPHINE : Mais non ! Il y aurait peut-être cette histoire des séances manquées.. et encore ! C'est vrai tout de même que lorsque je ne viens pas, c'est parce que mon travail, ma profession m'appelle en province. Or, je viens au psychodrame pour m'aider dans ma profession qui me passionne.

LA THÉRAPEUTE : Ce n'est pas le psychodrame qui vous passionne ?

JOSÉPHINE : Mais si ! Indirectement !

LA THÉRAPEUTE : Pourquoi : indirectement ?

NATACHA : Mais c'est comme moi. Je suis toujours à l'étranger, ce n'est pas ma faute ! Je suis hôtesse traductrice.

LA THÉRAPEUTE : Cela a été accepté au départ d'un commun accord.

NATACHA : Oui, mais la dernière fois je ne suis pas venue et vous m'avez fait payer.

LA THÉRAPEUTE : Pourquoi n'êtes-vous pas venue ?

NATACHA : Mais parce que j'ai dû faire du recyclage. Je ne peux pas me permettre de me laisser distancer. Si je ne vais pas à ces cours... les chefs n'ont pas du tout des critères objectifs. La lutte est serrée.

LA THÉRAPEUTE : Vous vivez en effet vos relations de travail comme des relations de rivalité. Vous nous en avez parlé souvent.

NATACHA : Ben oui ! C'est comme ça !

LA THÉRAPEUTE : Donc vous vous battez sur votre lieu de travail et votre présence au groupe vous démobilise.

MICHELINE : Peut-être bien que Joséphine et Natacha ont une façon de participer au groupe qui fait problème... En tout cas, il est bien vrai que l'argent c'est un scandale et que la psychanalyse est un truc de riche. Vous travaillez à rendre la société encore plus malade, alors que vous prétendez la guérir.

LA THÉRAPEUTE : Vous êtes psychologue, où travaillez-vous ?

MICHELINE : Pour une société américaine.. mais c'est un pis-aller et il faut vivre la contradiction puisque c'est la contradiction même de notre société.

LA THÉRAPEUTE : Nous vivons peut-être nous aussi cette contradiction...

MICHELINE : Mais dès que je pourrai en partir, j'en partirai.

NATACHA : Oh zut ! On n'est pas là pour discuter de la société. Chacun vient pour soi. Bon ! Moi c'est vrai que le psychodrame et mon métier ça se contrarie.

JOSÉPHINE : Moi pas, au contraire !

La Thérapeute : Mais vous ne pouvez pas, tout de même, être aux deux endroits en même temps. Il y a peut-être là une certaine dissociation... comme dans votre attitude vis-à-vis de la contestation. Ce qui fait que, présente ou absente, vous vivez quelque chose en relation avec le groupe, comme Natacha, comme aussi sans doute Micheline qui vit difficilement une certaine contradiction dans sa profession.

Ce que dit un participant (comme ce que dit tout analysant) n'a pas de fin. Aucun discours, d'ailleurs, jamais ne finit. Mais le thérapeute ne s'intéresse pas à ce à quoi le discours se réfère. Il n'est point partie prenante dans la vie du locuteur. Il lui appartient par contre de « ponctuer » ce discours (l'expression est de Lacan), suivant une tout autre visée que le sens donné au discours par le sujet lui-même et qui va dans le sens (soit dit sans jeu de mots) de son histoire. En psychodrame, le premier signe de ponctuation, marqué par le thérapeute, intervient quand le récit devient représentation dramatique. Le point final intervient au bout de l'heure et demie (approximativement, bien sûr), quand le jeu étant déjà, depuis un laps de temps, terminé, l'envers du jeu apparaît dans le groupe.

De même le découpage d'un poème, sa forme poétique brise arbitrairement la phrase qui tendrait à exprimer un sens conforme à d'autres lois. De même le thérapeute découpe le discours qui reçoit un tempo et une durée propres dans la séance. D'où la nécessité des contraintes de temps.

Quant aux contraintes financières, elles ont une importance majeure. C'est à l'argent, en effet, que s'accroche toute contestation à l'adresse des thérapeutes. Mais il apparaît très vite, en cours de séance, que l'absence de tel ou tel a sa motivation particulière et propre au sujet. Présent ou absent, il reste lié à la vie du groupe. Quand il ne vient pas, c'est par exemple parce qu'il est profondément dissocié entre (au moins) deux activités contradictoires, l'une lui permettant de fuir l'autre. Ce peut être aussi par opposition aux thérapeutes. Il n'est pas rare qu'un participant multiplie ses absences, dans la mesure même où il ne parle pas quand il vient, etc. La séance manquée est due, disons-nous. Due chaque fois que l'absence peut être analysée comme un acte psychodramatique.

Examinons maintenant cette autre recommandation qui consiste à demander aux membres du groupe de ne pas avoir de relations entre eux.

Que peuvent faire, en effet, deux amants dans un groupe ? Ou bien ils s'abstiennent de se regarder, de se toucher, de s'asseoir côte à côte et alors ils perdent toute spontanéité. Ils deviennent des êtres factices ; tout le groupe en pâtit.

Ou bien ils se laissent aller à leurs sentiments et alors ils consomment publiquement leur union (fût-ce par un seul regard) et en jouissent. Le groupe est alors invité à les contempler, en attendant qu'ils aient fini, ou à fermer les yeux si le spectacle ne lui plaît pas. Mais il n'est pas invité de toute façon à entrer autrement dans le jeu des amoureux.

Il y a une troisième solution : faire jouer aux amoureux leur rencontre, mais en demandant à l'un d'eux de choisir dans le groupe quelqu'un qui tiendra le rôle de l'autre. C'est ce qui se passe en somme dans les séminaires de couples [1].

Le psychodrame, le jeu, la représentation exigent, on le voit, le renoncement à la satisfaction. Ils opèrent, sur cette autre scène qu'est la scène psychodramatique, *un changement dans le but*. Il y a recherche d'une autre satisfaction, celle du jeu pour le jeu. Pour expliquer ce changement de but, qui est le principe même du psychodrame, nous prendrons un exemple : *celui de l'échec de Georges*.

---

1. Voir chap. V, p. 303.

Le cas de Georges

Georges se plaint en fin de séance de n'avoir pas été choisi comme père. Il vit ce rejet comme un échec, échec d'autant plus cuisant qu'il avait eu le sentiment agréable d'avoir été dans le groupe « le bon père » jusqu'ici. Ses lamentations, ses reproches accroissent encore l'agressivité du groupe à son égard. Il se sent totalement rejeté.

Il dit : « J'ai l'impression que tout est à recommencer. »

Il explique alors qu'il lui faut, une fois de plus, reconquérir sa place. Comment faire ? Nous suggérons que, pour faire partie d'un groupe, c'est-à-dire pour ne pas faire obstacle au jeu normal des identifications, la seule voie possible est de montrer la *faille.* Il faut peut-être la laisser paraître au lieu de la camoufler. Quelle faille ? demande-t-il. On lui explique que les autres ne peuvent s'identifier à lui que s'il montre sa faille. Or, il se présente toujours comme quelqu'un qui va parfaitement bien.

Alors on cherche. Il parle d'un vague sentiment d'échec professionnel. Il n'arrive pas à s'imposer, à occuper sa vraie place. Puis, tout à coup, il parle d'un rêve récent :

— Je rêvais que je collais au bac. *Une fois de plus, tout était à recommencer.*

— Tiens, lui dit la thérapeute, il me semble avoir déjà entendu cette phrase quelque part.

C'était en effet la phrase dite quelques instants plus tôt à l'occasion de l'échec subi en groupe.

— Ah, dit-il, *je suis content, c'est le même échec.* Et tout son visage s'éclaira.

Donc ce même échec que dans la réalité, en tant que personne réelle, il subit et dont il souffre, a pris en cette minute, par une sorte de retournement, valeur de réussite sur un autre plan. A vrai dire, sur ce plan nouveau, l'événement n'a pas de qualité en soi. Il n'est plus pénible ni joyeux, il n'est ni bon ni mauvais. Coupé de la biographie du sujet, il n'est plus qualifiable dans sa catégorie primitive.

Marx dirait qu'il change de « forme » comme la marchandise dans certaines conditions. Sa valeur nouvelle dépend de ce que Georges et les autres en font dans le groupe. Que s'est-il passé ? Dans la réalité, Georges répétait un échec individuel et, puisqu'il en rêvait, on peut dire qu'il le désirait, suivant la bonne doctrine. Il le désirait d'ailleurs tellement qu'il l'a répété en groupe où l'on vit comme en rêve. Dans le rêve, l'échec est vécu en circuit fermé. Le sujet hallucine l'échec pour en jouir ; c'est, si l'on veut, de l'auto-érotisme. Mais dans le groupe, il se passe en outre quelque chose de plus : Georges *se fait* mettre en échec. Mais alors il répond par ailleurs au désir de certains membres du groupe de le mettre en échec, tandis que certains autres s'identifient à Georges dans son désir d'échec, car le groupe n'est pas unanime. Donc, l'échec devient l'événement commun du groupe. Il est vécu dans un système où il prend valeur pour autrui. Il y a donc maintenant quelque chose qui circule et dont le résultat est un langage commun : forme-langage analogue à la forme-monnaie. L'échec n'est plus objet de consommation. D'événement il est devenu symbole.

C'est là que nous rencontrons la loi, car en fait Georges n'a pas le choix — ou il s'enferme dans son auto-érotisme et se fait rejeter, ou il franchit le pas, en renonçant à son autosatisfaction et en reconnaissant le désir des autres. C'est ce qu'il fait en entrant dans le jeu d'où il avait été exclu. Au lieu de savourer son rejet sans rien dire, il y répond. C'est qu'il a un autre désir que celui d'échec qui a obnubilé tous les autres jusque-là : il a en outre le désir d'entrer dans le jeu, tout simplement ; c'est-à-dire le désir de l'autre, le désir de la jouissance de l'autre. C'est dans ce changement de visée que consiste le jeu.

Ce passage de l'échec, objet de consommation, à l'objet d'échange (linguistique en somme) ne va pas sans une modification autre que celle qui consiste à acquérir une valeur d'échange. Comme le dit Todorov : « Toute saisie de signification a pour effet de transformer les histoires en permanence ; qu'il s'agisse de l'interroger sur le sens d'une vie ou sur le sens d'une histoire (ou de l'histoire) l'interrogation, c'est-à-dire le fait qu'on se place devant une manifestation linguistique dans l'attitude du destinataire des messages, a pour conséquence ceci : que les algorithmes historiques se présentent comme des états, autrement dit comme des structures statiques[1]. »

Le propre du psychodrame est de réunir expressément les conditions propres à cette transformation de l'histoire, de fournir au sujet un destinataire qui fait de lui un émetteur susceptible de se placer en face de lui-même déjà comme destinataire, dans un lieu abstrait permanent, que nous avons qualifié d'hétérotopie. Le jeu, la représentation, malgré leur durée propre, arrachent l'histoire vécue à sa propre temporalité et à sa fuite. « Au niveau syntaxique, dit encore Todorov, l'énoncé se présente toujours à nous sous forme d'un petit spectacle dont le nombre d'acteurs (sujet, objet ; destinateur, destinataire) est fort limité ; du fait aussi que la signification fondamentale d'une histoire (récit, mythe, conte, etc.) se réduit à une articulation homologuée simple. » Nous avons là une description si précise et complète du jeu psychodramatique que nous ne pouvons faire autrement que de l'adopter, bien que l'auteur n'ait jamais eu la moindre visée psychodramatique.

C'est un travail inédit de Jacqueline du Pasquier[2] qui nous a mis sur la voie de ce rapprochement. Dans ce travail, intitulé « L'attente de l'auditeur », elle montre comment, « après le message, tous deux (l'émetteur et le récepteur) vont se trouver différents », ce qu'ils perdent sur le plan de la satisfaction immédiate du désir (castration), ils le gagnent au niveau symbolique de la rencontre.

Si nous prenons la parabole bien connue du pain, nous

1. Todorov, *Du sens*, Ed. du Seuil, pp. 104 et 105.
2. Psychanalyste de l'Ecole freudienne.

pouvons dire que chacun peut le consommer seul pour apaiser sa faim, mais qu'il est alors aussitôt déçu. Il n'a plus ensuite faim ni pain et, par contre, il garde un désir plus profond inapaisable, indéfinissable, au point que certains en perdent l'appétit ; d'autres font du pain une drogue (les obèses). L'échange du type : je te donne un quignon de pain, tu me donnes ton amour — car c'est le désir d'amour qui est au fond de tout désir — n'est pas satisfaisant non plus. C'est le marché enfantin du *stade anal*. A ce jeu-là, l'enfant perd son morceau de pain et ne reçoit aucun amour (sauf celui acquis, de toute éternité, de sa mère).

Par contre, si je renonce à avoir l'autre et si le pain est mis sur la table, non pas comme l'équivalent de mon amour mais comme un symbole qui exprime mon désir (positif ou négatif), mais aussi le désir des autres, l'important devient non pas de le consommer — et à la limite il n'est plus question de le manger — mais de le mettre en circulation, c'est-à-dire en quelque sorte de le partager et de le multiplier.

Manger et aimer sont liés, au point qu'il est parfois insupportable à un fils de regarder manger sa mère et à deux conjoints ennemis de se voir en train de manger. Certaines anorexies expriment ce lien.

La loi est inexorable : ou je mange mon pain seul et je m'enfonce dans un monde mortellement schizoïde, ou j'en fais un symbole qui me fait non pas *avoir* l'autre, mais le *rencontrer*. Seulement, dans ce jeu, je ne mange plus le pain, autrement dit chacun renonce à avoir, à posséder l'autre comme objet. Il faut bien renoncer à quelque chose ! C'est cela la loi. Chacun aura reconnu dans cette loi unique, universelle, nécessaire et pratique, comme celle de Kant, la loi de la castration sous la forme de ses deux commandements :

> Tu ne mangeras pas ta mère
> Et tu ne seras pas ton père

ou vice versa.

Elle est universelle parce qu'elle vaut pour tout le monde ; elle est impérative parce qu'on ne peut s'y soustraire et elle est pratique parce qu'elle oblige à des actes (non des *acting out*) en groupe. Certes, il n'y a pas d'acte purement conforme à la loi et de même aucun acte n'est jamais pleinement moral, ni libre, selon Kant ; c'est aussi pourquoi le psychodrame ne prend jamais fin — sinon de façon un peu arbitraire [1].

Notre parabole ne contient aucune leçon morale. Elle ne signifie aucunement qu'il ne faut pas manger le pain qu'on a pour calmer sa faim ou satisfaire sa gourmandise. Elle signifie seulement qu'il ne saurait y avoir de collusion, absolument, entre les deux ordres, celui de la nécessité naturelle et de ses lois — les lois biologiques —, et celui du désir sans nom, sous peine d'obturer l'accès au symbolique, au langage. Cette collusion opère un véritable court-circuit : plus rien ne passe du sujet à l'autre et de l'autre au sujet.

Certes les deux ordres, l'ordre naturel et celui de la loi — ici psychodramatique — ne sont pas comme deux lignes parallèles qui ne se rencontrent jamais ; il nous a fallu partir effectivement de la faim, du quignon de pain et de la modeste règle du jeu : le pain, le rejet, qui sont tour à tour consommés comme objets ou mis en circulation comme valeurs, dans l'ordre symbolique. C'est que la loi ne se conçoit pas autrement que dans cette subversion qu'elle opère dans le réel.

Voilà comment on passe de la règle du jeu à la loi. Nous allons illustrer ce passage par un nouvel exemple : celui du patient qui vient au groupe et ne peut cependant pas y entrer. Autrement dit, du patient qui n'accepte pas la castration. Ce patient-là n'est pas une exception. Chacun de nous pourra s'y reconnaître et y reconnaître sa propre résistance. Car la règle d'abord s'enfreint et la loi se nie. La

1. Le psychodrame, mais non pas la séance qui, elle, a une durée limitée.

résistance est aussi universelle que la loi elle-même. Mais, après tout, il n'est jamais question d'analyser autre chose que la résistance.

Ce patient type est aussi peu malade que possible. Il n'a pas été précipité dans le groupe par un symptôme insupportable. Il a donc le sentiment soit de se forcer, soit d'avoir été forcé à venir (pour des raisons professionnelles par exemple). Il faut donc, pour qu'il reste, qu'il y trouve un bénéfice immédiat quelconque, quelque chose à emporter : un savoir, ou bien une jouissance. Or, le jeu, pour lui, paraît futile, les propos idiots et le plaisir nul : il s'ennuie.

Il est puni par où il pèche : pour lui, il ne se passe rien puisqu'il attend tout des autres. En effet, la séance est ennuyeuse ; elle l'est d'autant plus que ce personnage est plus virulent. Il arrive parfois à paralyser et ennuyer tout le groupe, à le décourager, surtout s'il est séduisant et s'il parle bien. Or, c'est souvent un médecin, un psychiatre, un psychologue ou un professeur. Résultat : plus personne ne bouge. C'est un cercle vicieux.

Ce participant, cet opposant, n'a aucune raison de renoncer à son désir (désir de voir), car renoncer à son désir n'est pas naturel non plus. Mais c'est alors que joue la loi : notre résistant étouffe dans sa défense et étouffe le groupe. Il s'ensuit un moment de rébellion qui force l'opposant à entrer dans le jeu ou à partir. L'observateur peut alors faire opportunément remarquer qu'il demandait quelque chose au groupe : demande d'ordre anal ou oral, demande qui a reçu une réponse, car un refus est une réponse, et que, par conséquent, désormais les jeux sont faits. Il se peut qu'il continue à se débattre contre cette appartenance au groupe *ipso facto* et à la nier. Mais la loi continue à jouer inexorablement. Finalement, l'opposant est heureux de s'être pris au jeu parce qu'il n'est plus seul à consommer les autres. Il n'est plus ce loup dévorant, monstrueux, inhumain. L'homme est un loup pour l'homme, dit Freud ; oui, sauf à passer — et c'est la sublimation — sur le plan de l'échange, de l'égalité devant la loi dans l'ordre du langage. Or, il n'a pas le choix, avons-nous dit. S'il refuse, il meurt dans sa solitude comme les hommes-loups bien connus, il ne naît pas à sa propre humanité. Il meurt de solitude ; où l'on voit que cette loi est bien une loi puisqu'elle est inexorable.

Le psychodrame est donc destiné à ceux qui ont perdu ou raté l'accès au symbolique, à ceux qui répètent inlassablement leur demande — demande de nourriture, de puissance, de mère, de père, d'enfant..., demande de forcenés déçue car autrement le désir s'éteindrait dans la satisfaction. Ils continuent donc à répéter en groupe. Mais là leur demande circule. On en fait quelque chose ; plus de retour à soi mais échange.

Dans l'auto-érotisme, l'objet de la demande n'a aucune valeur appréciable ; car le désir est incommensurable : une bouchée de pain vaut de l'or pour l'affamé, rien pour le repu ; le rejet de Georges est échec pour lui. Pour un autre, ce ne serait rien, il ne serait pas ressenti. Pain et rejet ne prennent valeur que dans un système d'échange où ils deviennent symboles. Nous avons été amenés ici, comme on a pu le constater, à emprunter le vocabulaire de Marx : le rejet n'est plus objet de consommation pour le rejeté, il devient objet d'échange et prend dans ce virement une certaine valeur. Donc il n'y a de valeur que dans le monde de la loi, dans ce monde où l'on peut parler des choses, les nommer. Le rejet, l'échec de Georges a été le noyau d'un langage commun au groupe. La loi permet l'avènement d'un langage.

Donc, en psychodrame, les lois répressives sociales ne sont pas reconnues. Elles n'ont pas cours. Elles ne sont même pas transgressées. Par contre, il y a les règles et recommandations propres au psychodrame. Elles sont toujours méconnues. Mais pour être par là même analysées. Quant à la loi de changement de visée [1], principe même du psychodrame, elle joue toujours à la crête des vagues. Elle est d'abord naturellement méconnue ; elle est ensuite systématiquement trans-

1. Cf. *Change*, n° 5, J. P. Faye, « Théorie du récit ».

gressée, car on n'en finit jamais avec la castration. Il faut d'abord accepter de tuer symboliquement les thérapeutes en n'attendant plus rien d'eux. Mais ce serait tuer symboliquement père et mère et accepter sa propre castration, car il est bien entendu que chacun ne tient tant à préserver les rôles parentaux que parce qu'il y tient pour lui-même, pour plus tard.

Il les garde en puissance, comme on dit bien. Il continue donc à vouloir préserver le phallus paternel, le nom du père et à réclamer l'amour de la mère, soit auprès de certains des membres, soit auprès du groupe pris en bloc.

Disons seulement que lorsque dans un groupe personne n'attend plus rien de personne, ne formule plus de demande, le groupe connaît un creux difficile à vivre. Il n'a plus rien à dire. C'est la castration à proprement parler. Il faut en passer par là, par ce néant, pour accéder au langage. C'est un drame que connaissent tous les écrivains, mais c'est le drame de chacun de nous.

Le groupe sort de l'impasse quand le désir d'un sujet arrive à passer par le désir *de* l'autre, *de* au sens objectif et subjectif ; désir du désir de l'autre ? Le rejet de Georges exprime en fait le désir de qui ? De se mettre en échec ou d'être mis en échec par quelqu'un ? Il se trouve que quelqu'un d'autre, en effet, a aussi un désir de rejet. De rejeter ou d'être rejeté ? Qui peut le dire ? C'est ce qui circule dans le jeu du furet. On ne sait jamais dans quelle main ça se trouve, mais ça *circule*. C'est dans ce jeu de passe-passe, tour de passe-passe, que joue la loi. Il n'y a pas de désir propre qui puisse se faire droit. Il doit passer par le désir de l'autre.

La tendance naturelle serait sans doute de manger seul et de faire l'amour tout seul ; mais le fait est que, pour qu'un sujet ait envie de manger, il faut que l'autre ait aussi envie qu'il mange et que cet autre ait lui-même envie de manger. *Il faut*, disons-nous. C'est ainsi que s'exprime la loi.

Le groupe constitue une hétérotopie, c'est-à-dire un autre lieu, un lieu imaginaire, comme le sont les bateaux des aventuriers, les arbres des jeux enfantins, les repaires de certaines bandes, les châteaux ou les cellules des mystiques. En effet, le groupe se réunit toujours au même endroit qui est complètement coupé de sa destination habituelle et de simples détails peuvent y prendre valeur de rites (feu de cheminée par exemple) ; les meubles aussi y sont détournés de leur destination habituelle et doivent pouvoir être utilisés à une fin imaginaire.

Cette vertu de lieu imaginaire et de jeu hors du temps est si puissante qu'elle constitue un danger. Certains y prennent trop de plaisir, et avouent que l'essentiel de leur vie se réduit aux séances de psychodrame ; d'autres disent qu'ils attendent le mardi ou le jeudi avec impatience. C'est que le côté *jeu* du psychodrame prend toute la place, il devient alors une fuite ou une occasion de narcissisme. Les thérapeutes et les observateurs doivent savoir détecter cette sorte de plaisir et intervenir à temps pour que les groupes n'aient pas pour résultat d'alimenter la névrose au lieu de la guérir. En somme, le groupe, pas plus que l'analyse, ne doit séduire.

Qu'il n'y ait pas de sanction dans le groupe (sauf celle de se mettre hors jeu), qu'il n'y ait pas de répercussion au-dehors, que la plus grande liberté y soit permise et même recommandée, que l'imagination soit invitée à s'y donner libre cours, cela ne signifie pas qu'on peut s'y tuer ou y faire l'amour. Et même s'il ne s'agit que de manger et de boire (si le jeu consiste en un repas, par exemple), il est recommandé de ne pas manger réellement : s'il consiste à écrire une lettre, on mime seulement l'acte d'écrire. Les accessoires sont bannis, le geste suffit. C'est que toute consommation ferait immédiatement passer les « acteurs » sur le plan de la réalité au lieu de les maintenir dans l'imaginaire. Ce serait, à proprement parler, un *acting out* subtilisant le plan symbolique.

La liberté accordée à l'imaginaire, en effet, ne peut être

illimitée dans la mesure exacte où le groupe reste dans l'imaginaire. Car si on peut supposer (à tort) qu'un acte d'amour est révocable, qu'il peut se passer entièrement dans l'imaginaire, on ne peut le prétendre des coups et blessures, du meurtre ou du suicide ; enfin de ce qui est mortel à plus ou moins longue échéance. Plus moyen après la mort de repasser dans l'imaginaire.

La limite stricte que nous maintenons entre l'imaginaire et le réel préserve le réel, ce réel qu'on ne saurait définir, qui manque toujours là où il est nommé et cerné (le mot table n'est pas la table, non plus que l'image de la table) et que l'on perd irrémédiablement quand on croit le saisir. C'est ainsi que dans les groupes dits de « dynamique de groupe » où ce sont les tensions réelles entre personnes réelles — par exemple entre un homme et une femme, un chef de service et un employé, l'animateur lui-même et tel membre du groupe — qui sont analysées, les propos voguent rapidement en plein délire. Car qu'est-ce donc que la réalité de ces tensions et la réalité du chef de service, ou de Mme X ? Ça n'est bien évidemment que leur raison sociale qui s'avère bien vite appartenir au registre de l'imaginaire, comme l'a bien montré Jean Genet dans son théâtre. Appeler cela le réel, c'est confondre les ordres, nier toute loi ; c'est — disons-nous ailleurs — perversion. Le résultat le plus immédiat se traduit par une cascade d'*acting out*.

Mais alors, dira-t-on, il n'y a pas de défoulement possible. Or, certains pensent que c'est là la fonction essentielle du psychodrame ; la catharsis (qui n'est pas le défoulement) est une vertu que lui reconnaît Moreno ; mais il ne recommande pas pour cela de consommer les actes. La catharsis opère au niveau de l'action jouée, au niveau théâtral. Quant au défoulement, c'est plutôt la fonction spécifique du vaudou tel que le décrit Alfred Métraux. Il y aurait danger pour nous à confondre vaudou et psychodrame en dépit de ressemblances certaines, parce que nous ne pouvons pas nous croire possédés par les dieux. Privé de l'élément religieux, le vaudou devient un drame de la possession pure et simple, dite aliénation dans notre propre langage ; autrement dit, le psychodrame ainsi entendu devient orgiaque ; il engendre l'anarchie et la folie, c'est-à-dire la prolifération de l'imaginaire dans le réel [1].

Si, exceptionnellement, la relation nouée à l'intérieur d'un groupe se maintient dans la réalité comme un choix définitif, c'est aux thérapeutes à intervenir, comme ils le font par exemple pour les couples qu'ils séparent, ou les parents et les enfants.

Si tout le groupe quitte définitivement l'imaginaire soit à la suite de cette relation — ce qui serait bien étonnant —, soit par une évolution fatale, les sentiments étant réels comme nous l'avons dit, les membres du groupe finissent par établir des relations réelles, alors le groupe cesse d'être thérapeutique. C'est une fin comme une autre, peut-être même est-ce la fin la plus naturelle. Le groupe peut alors se transformer en un groupe de travail, comme c'est le cas pour un groupe de formation. Mais alors évidemment il est soumis à un rendement, à un bénéfice exploitable socialement. C'est donc un groupe réel.

Ce n'est pas le cas du groupe de médecins (où l'on étudie des cas [2]) qui est un groupe de travail et pourtant reste un groupe thérapeutique. C'est que, en filigrane, sous les divers cas joués et non discutés (on voit ici l'importance du jeu), se dessine le discours du groupe qui le ramène à la relation ternaire suivante : les parents du patient (ou le substitut social des parents, l'hôpital par exemple), le patient et le thérapeute. Dans ce trio, les parents et le thérapeute se trouvent dans une relation ambivalente faite de peur, de rivalité et d'identification alternée ou réciproque. C'est ce petit drame familial qui se joue dans ce groupe d'études de cas suivant la formule tout à fait classique du psychodrame.

1. Voir par contre chap. III, Le N'Doep.
2. Cf. chap. V, Etude de cas, p. 288.

Donc ce ne sont pas le contenu manifeste, la matière ni l'objet d'un groupe qui en font un groupe psychodramatique ou pas, c'est son contenu latent que contiennent les jeux.

Le groupe psychodramatique se déploie entièrement en zone imaginaire et il a une fonction de libération, de révélation et de création du sujet par rapport au réel, sans autre incident sur le plan du réel que de permettre de pouvoir l'aborder enfin. C'est pourquoi on déçoit grandement, surtout dans un premier temps, les personnes qui attendent du groupe et particulièrement du thérapeute, comme leur dû, une solution au problème qu'elles ont apporté dans le groupe, à leur difficulté du moment qui les a précisément persuadées d'y venir, comme on va chez le dentiste.

Il faut donc amener progressivement les membres à découvrir la motivation profonde d'appartenance au groupe, qui ne saurait être la difficulté précise du moment, qui n'est elle-même qu'une conséquence de la névrose et souvent un simple symptôme.

Cette fonction de libération et de recréation du sujet par l'imaginaire (même si l'on y ajoute à titre de bénéfice secondaire la catharsis) n'est pas la fonction la plus profonde ni la plus spécifique du psychodrame. Il y aurait même contradiction à la limite à le prétendre, car le moi ainsi reconstitué serait un produit imaginaire : où serait donc le bénéfice du sujet ? Maintenant que les deux plans de l'imaginaire et du réel sont clairement séparés, il est souhaitable de pousser plus loin l'analyse.

En effet, on joue un jeu imaginaire en psychodrame mais pas n'importe quel jeu. On suscite en face de soi des personnages : mais pas n'importe lesquels. La scène imaginée est toujours la reproduction d'une scène vécue dans le passé, passé lointain ou récent, et les personnages choisis ne sont que les représentants de personnages réels : père, mère, frère, collègue, mari, etc., ayant réellement vécu et qui sont évoqués. Il n'y a pas d'erreur sur la ou les personnes. Les membres du groupe se prêtent au jeu mais à travers eux l'acteur principal s'adresse à sa mère réelle, à son amant véritable. Ils sont donc des substituts provisoires que le désir inconscient investit.

Ils ont été choisis en fonction de sentiments réels qu'ils inspirent, confiance ou méfiance, peur ou sympathie. Mais ce réel permet seulement le transfert d'une personne sur son substitut. Pour que le psychodrame soit thérapeutique (comme l'analyse du reste), il faut que le substitut reste substitut et ne prenne pas la place d'une personne réelle. Nous avons vu pourquoi ; ici, nous voulons insister sur ce mécanisme de substitution que permet le jeu entendu comme jeu. Pour mieux nous expliquer, reprenons l'histoire classique du petit-fils de Freud.

LE JEU DE LA BOBINE : *FORT-DA*

L'enfant avait dix-huit mois et ne parlait quasiment pas. Quand sa mère s'absentait, il ne pleurait pas. Il avait l'habitude de jeter loin de lui toutes sortes d'objets en émettant un *o.o.o.o.o.* prolongé, plein de satisfaction. Un jour, Freud découvrit qu'il avait mis au point tout *un jeu* à partir d'une bobine à laquelle il avait attaché une ficelle. Il la rejetait par-dessus bord (il était dans son lit), en criant ce *o.o.o.* qui, selon toute la famille, signifiait *fort* (parti), puis tirait sur la ficelle en criant joyeusement *da* (voilà). « Tel était le jeu complet, dit Freud, disparition et retour ; on n'en voyait en général que le premier acte qui était inlassablement répété pour lui seul comme jeu, bien qu'il ne fût pas douteux que le plus grand plaisir s'attachât au second acte. »

Cette reprise du vécu sur le plan symbolique, c'est ce que De M'Uzan appelle la fonction de représentation. Elle permet à l'enfant d'accepter le traumatisme de la séparation sans en être détruit, sans non plus se réfugier dans l'imaginaire pur.

Il ne se donne pas une satisfaction hallucinatoire. Il n'a pas non plus recours à une pratique magique d'appropriation de la mère. Il a renoncé à la toute-puissance (appelée d'ailleurs autarcie enfantine). La représentation est une sublimation sur fond d'humour, c'est-à-dire sur la base d'une castration acceptée. Quand le père apparaîtra plus tard comme Interdicteur avec un grand I, il deviendra le symbole majeur de la loi. Mais cela ne sera possible que si l'enfant a déjà vécu, accepté et symbolisé le sevrage (et on pourrait remonter au-delà).

Que signifie exactement symboliser ? Eh bien, la bobine est l'équivalent de la mère, bien sûr, mais aussi de tout ce qui est susceptible de disparaître — personne ou objet. C'est cela précisément le symbole. Ainsi se noue une chaîne de substitutions toujours ouverte au réel et non fixée à l'événement passé.

Si l'enfant ne symbolise pas, il s'enferme dans l'imaginaire, dans un rêve qui lui rend un fantôme de mère toujours présente, sous forme d'objet, la bobine (qui n'est pas un symbole alors) qu'il prend pour sa mère et qui non seulement le fait délirer, mais a l'inconvénient de lui masquer la présence réelle de sa mère dans le cas où elle revient. Il risque en effet de ne pas la voir puisqu'elle est déjà là dans l'objet.

La fonction de représentation permet à l'enfant de maîtriser le réel, de devenir actif, de passif qu'il était. Dans la réalité l'enfant a subi la séparation. Elle l'a fait souffrir. S'il arrive à la représenter symboliquement par un jeu, c'est d'abord qu'il a pu prendre un certain recul vis-à-vis d'elle, qu'il la voit de dehors au lieu d'être dedans, qu'il la maîtrise ensuite sur un certain plan en provoquant la présence/absence du substitut, et qu'enfin il pourra interpréter pareillement des séparations comparables et ne plus être totalement surpris. Enfin ce jeu le fait jubiler par les sentiments de puissance qu'il lui procure sans doute, de liberté aussi, mais peut-être aussi, comme le dit Freud, par le plaisir même que donne la répétition sur le plan symbolique d'un fait passé, fût-il douloureux.

De même, dans le psychodrame, l'acteur parvient à se rappeler d'abord, à jouer ensuite, c'est-à-dire à représenter pour lui et pour les spectateurs un fait passé devenu enfin clair. Mais les membres du groupe n'y arrivent pas du premier coup. D'abord ils ne se rappellent rien. Ensuite le passé surgit, d'évocation en évocation et jusqu'au présent lui-même, enfin intégré. Il s'en faut encore qu'ils puissent être représentés. Ici encore nous allons donner un exemple pris dans nos groupes.

Le cas de Marie

Marie est une jeune femme de trente-huit ans immature psychiquement bien que normale sexuellement. Elle a joué plusieurs fois ses rencontres avec les hommes ; elle comprend si peu ce qui se passe chaque fois qu'elle n'arrive pas à le représenter. Son jeu est incohérent. On ne comprend bientôt plus s'il s'agit de l'homme qu'elle a rencontré il y a trois jours ou de celui dont elle a déjà parlé il y a un mois ou du fiancé perdu il y a dix ans. On ne comprend pas si elle a rompu ou non. On la sent elle-même perdue, flottante. C'est qu'elle n'a pas de fonction de représentation agissante en elle ; elle n'interprète pas à mesure ce qui lui arrive. Elle ne voit même pas, semble-t-il, les hommes qui se trouvent en face d'elle et qui lui font la cour. Elle plaque sur chaque nouveau flirt une image stéréotypée d'homme idéal (une image paternelle en fait). Plus le temps passe et plus il lui tarde de rencontrer cet homme-là, si bien qu'elle regarde de moins en moins l'homme réel qui est en face d'elle. Naturellement ça ne colle jamais — l'image et l'homme réel ne coïncident pas, l'homme prend la fuite ; il n'a pas envie de remplir un cadre et elle est déçue, blessée d'avoir été trompée une fois de plus. Si toutes ses rencontres se confondent pour nous qui la voyons jouer, c'est justement parce qu'elle les confond elle-même ; elle est victime d'un mirage. Elle vit dans l'imaginaire et elle détermine sans le savoir un certain type de rapports qui se répètent.

Ici le changement de rôles est très précieux par l'effort même qu'il exige d'*évoquer l'autre*. Il faut être capable de faire vivre l'autre pour le groupe. Il faut qu'on le voie, qu'on le sente.

Enfin la frustration acceptée, la représentation réussie et la joie obtenue ont une autre issue importante, c'est celle d'assurer une prise possible du sujet sur le réel précisément. Marie vit dans l'angoisse de la déception renouvelée ; en somme elle a peur d'un fantôme. C'est la répétition même sous forme de représentation qui l'en délivre.

La joie éprouvée dans la représentation (outre la joie de la répétition) est celle d'une décharge d'angoisse jusque-là intolérable et d'une affirmation de soi, comme être actif et disponible pour un prochain événement.

Comment s'opère cette transposition de l'imaginaire et du réel, en passant par le symbolique, dans le groupe ? Si nous reprenons le cas de Marie, elle se fait d'abord par le choix du partenaire dans le groupe ; Marie choisit toujours le playboy du groupe le plus séduisant qui joue au naturel son rôle de séducteur.

Par la répétition même de ce choix étrange et même contradictoire (puisqu'elle cherche un père), par le miroir que constitue le groupe et par la distance que Marie prend vis-à-vis de l'événement : elle ne peut manquer de voir bientôt le séducteur comme un séducteur et de voir par analogie celui qui a servi de modèle comme un séducteur. C'est la répétition, la reproduction qui projette l'autre au-dehors comme une image visible. A partir de là des séquences entières lui reviennent qu'elle avait oubliées parce qu'elles étaient positivement dépourvues pour elle de sens et elle commence à les raccorder ensemble. Le passé « prend », comme on dit d'une mayonnaise, et quand il apparaît cohérent, le passage sur le plan symbolique est assuré — l'événement est vu du dehors —, il a un sens pour le sujet et pour le groupe. Il est maîtrisé [1].

Cette recherche d'un sens ne doit pas servir de bouchon à l'insécurité ni supprimer l'angoisse. Le psychodrame n'est pas la recherche d'un certain sens ni même d'un signifiant majeur. C'est pourquoi l'interprétation qui fournit le sens est à éviter. Le psychodrame libère la possibilité d'accéder à de nouveaux signifiants et joue entre le sens et la perte du sens.

Peut-être pourrions-nous ici adopter la terminologie de Julia Kristeva et parler de sémanalyse [2]. Nous entendons en effet libérer l'opération d' « engendrement du sens ». Il ne s'agit pas de découvrir le signifiant qui représenterait la vérité du sujet, mais bien plutôt le signifiant qui fait image et par là bouchon et arrête en un point la chaîne signifiante qui devient machine à répétition à la faveur des supports offerts dans le groupe.

Il y a des transferts difficiles à décrocher ; nous avons vu combien il est difficile de faire comprendre à quelqu'un que ce qu'il éprouve, que ce qu'il répète, et qui est réel en tant que ressenti n'est pourtant pas recevable sur le plan de la vie et qu'il attribue à ses sentiments des prolongements et une sanction abusifs. Mais précisément le jeu est là pour maintenir en œuvre la fonction de représentation qui lui permet en l'occurrence d'interpréter ce nouveau fait au lieu de le subir et de voir dans l'objet du transfert le simple support de son besoin et non une personne réelle qui, d'une façon ou d'une autre (fût-ce par un refus), répondrait.

Les transferts latéraux sont dangereux en ce sens que les personnes qui en sont l'objet sont très flattées et satisfaites du choix. C'est déjà une réponse. Mais ils sont labiles parce que les membres d'un groupe imaginaire ont des relations interchangeables et aucun n'occupe une position fixe, comme les thérapeutes et l'observateur.

---

1. Voir plus haut l'histoire de Georges, p. 26.
2. Julia Kristeva Σημειωτικὴ, Ed. du Seuil, 1969.

A ce propos, il est tout à fait remarquable que les thérapeutes en psychodrame, du fait qu'ils sont, eux aussi, vus, exposés, montrent forcément leurs failles, insuffisances et maladresses, à commencer par leurs défauts physiques. Les plus faibles, ceux qui acceptent de se laisser au moins une fois « enfoncer », ne sont pas forcément moins bons thérapeutes. Les membres du groupe leur sont reconnaissants de leur faiblesse qui permet évidemment l'identification. Un thérapeute trop fort devient un maître en psychodrame et le danger est grand d'un glissement vers un tout autre groupe que thérapeutique. Toute la difficulté pour les thérapeutes psychodramatistes est donc dans ce jeu entre le transfert propre à l'analyse et l'identification propre au psychodrame. Il y a des psychodramatistes plus proches du psychanalyste et qui savent conserver cette fonction même au milieu d'un groupe et il y a les psychodramatistes qui se donnent comme objets d'identification. Nous pensons toutefois que le bénéfice que les membres du groupe tirent de cette identification comporte un danger : la chute du groupe dans le prétendu réel, pseudo-familial, d'un assemblage où chacun joue au sauve-qui-peut, à commencer par les thérapeutes. Dans un psychodrame idéal, les thérapeutes sont l'objet du transfert et les membres du groupe supports des identifications.

Plus caractéristique du psychodrame est le transfert qui porte sur le groupe tout entier. Dans le cas de Marie, il est très significatif qu'elle a abordé le groupe comme une société idéale faite de parents et d'amis parfaits, exactement de la même façon qu'elle a abordé ses amants : elle a naturellement été bientôt déçue, et de la même façon. Lors d'une séance de week-end, le groupe (qui n'était pas celui auquel elle participe habituellement), s'est révélé à elle dans toute son « horreur » et elle s'est sentie complètement à côté, étrangère. Elle a mis sa déception sur le compte de ce groupe particulier et continue à croire que le groupe hebdomadaire auquel elle appartient habituellement est idéal. C'est qu'elle n'a pas encore accepté ses parents tels qu'ils sont. Une grave maladie lui a permis de s'en délivrer à vingt ans. Mais elle ne s'est pas délivrée de l'image parentale idéale qui l'habite toujours et qu'elle projette tout autour d'elle. D'où cet air de somnambule. La déception la guette forcément, son groupe hebdomadaire actuel étant comme tous les autres, ni mieux ni plus mal car il est imaginaire, mais non idéal. Chacun y reconstitue spontanément le milieu familial et même, par l'utilisation de l'espace et du corps, y recompose les données premières de son existence. Cette hétérotopie qu'est le groupe est un lieu total.

Toutes les constructions imaginaires y sont possibles à chacun, dans toute leur extension et plus précisément celles qui datent du stade du miroir (Lacan) avec la déformation propre à chacun et consécutive au dégagement plus ou moins complet du corps maternel. Le ventre maternel et la maison paternelle s'y résument. Aussi ne saurait-on mieux faire que de reprendre l'heureuse expression de Moreno selon qui les stéréotypes familiaux et sociaux constituent « une conserve de rôles » — encore qu'il ne veuille pas y reconnaître le rôle privilégié de l'Œdipe.

La mise en œuvre de la fonction de représentation dans le psychodrame lui est propre. Elle est déjà, bien sûr, dans le simple discours. C'est cet aspect qu'exploite l'analyse et c'est cette forme de représentation qui donne naissance à la littérature écrite (roman ou poésie). Par contre, la fonction de représentation décrite ici, à partir du jeu pourtant solitaire du petit-fils de Freud, aboutit au monde du théâtre et au psychodrame. D'où l'importance primordiale du jeu en psychodrame (drame signifie ce qui agit, opère ; cf. « remède drastique »). La dynamique de groupe, sans jeu, c'est autre chose ; et le groupe analytique encore autre chose. Ils ont leur fonction propre. Mais le psychodrame « agit » par sa partie jouée. Quiconque en a l'expérience a éprouvé cette efficacité particulière du jeu au moment où l'on passe de la conversation du début de séance au jeu. Le jeu, si bref, si imparfait soit-il, est efficace. Chacun le sent. Chacun est arraché à soi et s'implique par identification ou refus d'identification. Il se passe quelque chose pour tout le monde. Le jeu est drastique.

Toutefois, dire que la représentation, la répétition en groupe sont drastiques, ne suffit pas. Le jeu du *fort-da* est la matrice du psychodrame sans doute ; mais nous n'avons jusqu'ici fait que décrire le processus — nous ne l'avons pas analysé.

LA RÉPÉTITION EN PSYCHODRAME

Nous allons démontrer par un exemple comment la répétition, pour être efficace, se *change* en représentation et comment on passe ainsi de l'imaginaire au symbolique [1]. Un autre exemple fera apercevoir comment le psychodrame reprend l'échec œdipien.

Dans une deuxième partie, nous verrons comment cet échec devient instrument thérapeutique, puisque c'est à partir de lui que tout est revécu pour aboutir au deuil de la relation infantile — laquelle est immanente à la répétition.

1. « La répétition est une rencontre manquée [2] »

Le terme de répétition est de Freud. Il nous dit que si ce que nous recherchons par-dessus tout c'est le plaisir, il existe un « au-delà du principe de plaisir » qui fait que la pulsion nous entraîne avant tout vers un recommencement ; notre

1. Cf. plus haut « La règle du jeu ».
2. L'expression est de Lacan dans son séminaire (inédit) de 1964 : Les fondements de la psychanalyse.

insistance à répéter des expériences autrefois manquées fait se poser la question de la pulsion de mort. C'est une pente si forte en effet que, le psychodrame nous l'enseigne, la conscience qu'un sujet a de répéter ne lui suffit pas pour ne pas essayer de revenir inlassablement sur ce qu'il n'a pas, une première fois, réussi.

Dans la séance qui servira d'exemple, nous verrons que Solange, malgré la notion très nette qu'elle a de le faire, n'en continue pas moins de solliciter auprès des hommes la parole de son père. Dans cette même séance, Jean-Jacques s'aperçoit, pour la première fois, qu'il attend depuis toujours que sa sœur lui réponde. C'est plus du manque que du plaisir, que la répétition prend origine : d'une relation avec des objets œdipiens perdus, avec des personnages avec qui la rencontre a été manquée.

Le psychodrame de Solange et de Jean-Jacques

La séance commence par un rêve de Solange : « Mon père, couché à l'hôpital, est aphasique. Voulait-il rentrer à la maison ou mourir à l'hôpital ? " Si tu veux rentrer, tu bats des yeux ", lui dis-je. Il battait des paupières, mais cela ne pouvait être un signe. Jamais il ne parlera. Je m'abattais sur lui en pleurant. A force de vouloir qu'il parle, je l'avais tué. »

Deux heures après, je recevais d'Alain un coup de téléphone. Il me donnait un rendez-vous auquel il n'est pas venu. J'ai vécu un deuil : il faut que je renonce à attendre qu'on me parle.

Un peu plus tard, Jean-Jacques réagit, en résonance avec ce que dit Solange au sujet de la parole.

JEAN-JACQUES : J'ai joué dernièrement trois scènes de parole :

1. Scène avec Eléna : j'ai eu une explication qui m'a beaucoup soulagé.

2. J'ai fumé du haschisch et j'ai parlé beaucoup mais mes paroles ne pouvaient être comprises. De même, je saisissais ce que les autres me disaient, sans comprendre pourquoi ils le disaient.
3. Ma sœur est revenue des Indes avec du haschisch, elle fume et elle a eu ce langage que je ne comprenais pas ; comme la veille, on ne m'avait pas compris. C'était comme le discours de la folie : une parole libérée pour rien, une dilatation du présent qui ne mène nulle part.

La thérapeute propose qu'on joue la scène. Il choisit Solange pour jouer le rôle de sa sœur.

JEAN-JACQUES : Ça se passait sur le balcon la veille au soir. Elle est grande, jolie, châtain. Mais elle s'est construit, avec la drogue, un système paranoïaque : tout un monde astrologique en dehors d'elle.

Jean-Jacques avait rêvé avant qu'elle ne revînt en Europe qu'il la serrait dans ses bras longuement. Mais elle n'a eu aucun élan de tendresse envers lui quand ils se sont revus. Peu après le début de la scène, on les fait changer de rôle.

JEAN-JACQUES (dans le personnage de sa sœur) : je suis venue vous dire que vous êtes menacés par les Indes, vous allez perdre votre culture, votre originalité. Tu comprends ?

SOLANGE : Tu es menacée comme nous.

JEAN-JACQUES : Il te faut continuer à fumer.

Jean-Jacques reprend son rôle et Solange tient celui de sa sœur.

JEAN-JACQUES (en aparté) : J'ai envie qu'elle se taise.

SOLANGE : J'ai une mission.

JEAN-JACQUES : Ta fille pleure, tu devrais lui apporter du réconfort. Eléna le fait avec la sienne.

SOLANGE : Je ne peux pas me centrer sur ce bébé. Je suis venue pour aller dans les boîtes.

Ils rentrent dans la chambre. Jean-Jacques, qui retrouve

au fur et à mesure du jeu le propos qu'ils ont tenu, demande à reprendre le rôle de sa sœur.

JEAN-JACQUES : Des ondes communiquent, des choses se passent, les forces du mal l'emportent.

SOLANGE : Ça n'a rien de magique, il vaut mieux parler des exploiteurs.

JEAN-JACQUES : Je crois aux sorts, aux gens qui en jettent. Dans la drogue, je vois la genèse du monde, tous les ancêtres sont là à travers ma personne. Pourquoi dis-tu que ce que je vois n'est pas vrai ?

SOLANGE : Tu m'as toujours parlé comme s'il y avait des choses que je ne connaissais pas.

Il reprend son rôle et répond à « sa sœur ».

JEAN-JACQUES : Ce que tu sais ne peut rien me dire à moi. (Il pleure.) J'ai perdu ma sœur.

La scène est terminée.

LA THÉRAPEUTE : Vous la pleurez et vous l'embrassiez longuement en rêve. Vous attendiez qu'elle vous parle et elle ne vous apportait qu'un discours délirant comme autrefois quand vous aviez un an et elle neuf. Elle était grande déjà et vous ne compreniez pas ses paroles. A travers le don de double vue que vous cherchez dans le haschisch, vous voulez retrouver ces épisodes de votre enfance où, trop jeune, vous ne pouviez saisir ce qu'elle vous disait.

Jean-Jacques et Solange ont évoqué leur échec œdipien. Si elle renonçait à la parole paternelle, Solange renoncerait à son identification au père idéal. Cette identification lui fait préférer l'intelligence à la féminité. Elle est ce père qui terrorise son mari au nom de valeurs intellectuelles idéales.

On verra, en effet, plus loin, que mis à la place de la castration l'idéal correspond à son refus d'être châtrée. Malgré la prise de conscience dont témoigne le rêve, Solange continue donc à attendre de son mari, comme d'Alain, la parole paternelle.

Pour Jean-Jacques, acquérir un don de double vue, ce serait enfin comprendre, c'est-à-dire rejoindre sa sœur.

Dans son explication avec Eléna, dans la drogue aussi, c'est la même difficulté qu'il cherche à vaincre : saisir enfin une parole qu'il ne comprend pas.

Dans les deux cas la répétition importe davantage, on le voit, que le plaisir, elle prend un aspect de nécessité.

2. La répétition, instrument thérapeutique

Le psychodrame fait de la répétition son instrument privilégié. Tant du fait des projections que des défenses qu'il provoque, c'est la répétition, en effet, qui est, par lui, appelée. Si la rencontre n'est pas une nouvelle fois manquée, ce sera grâce à l'effet de groupe, effet symbolique, lequel modifie le discours du sujet.

a) *Le psychodrame privilégie la répétition*

On observe sur le vif, dans le groupe, la même répétition que dans les rêves de Solange et de Jean-Jacques. Les membres sont, au début, les uns pour les autres, les supports de leurs idéaux et de leurs identifications. C'est ce qui explique les rôles que chacun tend à prendre ; les mêmes, on le sait, que ceux qui ont été les leurs dans leur famille. Que cherchent les sujets dans ces retrouvailles ? Des repères sûrs, mais ils en sont inconscients, comme des rôles qu'ils répètent.

Dans *Au-delà du principe de plaisir,* Freud se demande ce que peut bien signifier, en dernière analyse, cet éternel retour du même qui amène le sujet ailleurs qu'au plaisir. Sa réponse est qu'on veut revenir à un état antérieur. A la limite, c'est le retour à l'état d'avant la naissance qui est recherché ; Thanatos plus qu'Eros, le Nirvana étant assimilé au repos des pierres, au zéro de tension.

On ne peut dire que l'échec de la tentative de Solange et de Jean-Jacques ne comporte pas un certain plaisir ; c'est moins l'échec que la recherche qui les motive ; où l'on voit que dans la répétition il y a deux versants : c'est tantôt le plaisir, tantôt l'échec qui prédomine, mais c'est le retour qui est visé. C'est davantage du côté de l'échec qu'il faut, par contre, situer la répétition chez ce médecin que sa jeune patiente replace sans cesse dans une situation de persécution [1]. Ou encore chez le bouc émissaire [2].

Si les sujets reprennent néanmoins leurs expériences manquées, c'est pour maîtriser rétroactivement leur échec [3]. On a vu que, dans le groupe, toutes les conditions sont réunies pour qu'ils retrouvent leurs rôles. Mais c'est en privilégiant le jeu que reviennent, sans qu'ils y prennent garde, les mêmes gestes et les mêmes paroles.

L'optique du jeu devient cependant différente de celle de l'expérience première du fait des changements qui interviennent : dans le psychodrame, le patient est à la fois un acteur et son propre metteur en scène, il choisit ses egos auxiliaires et ses choix sont révélateurs de ses projections. On a vu qu'il n'a pas été indifférent que Solange soit choisie par Jean-Jacques. Mais c'est aussi la mise en mouvement de son corps qui fait retrouver à l'acteur à la fois ses gestes et ses affects, et qui les lui fait revivre dans sa chair. Souvent l'intensité du jeu dépasse celle de la scène originelle : parce qu'on se trouve en terrain imaginaire, les inhibitions qui entravaient alors une libre expression disparaissent, tout est présent et de nouveau dramatisé, donc rééprouvé et même vécu différemment. Parfois aussi le geste contredit le propos : quand une caresse devient un geste de colère, c'est le corps qu'il faut croire.

C'est ici que le *regard* des témoins prend une importance essentielle. Ce sont eux qui donnent son poids à ce non-dit.

---

1. Voir chap. V, p. 291. Un groupe de médecins.
2. Bulletin S.E.P.T., n° 17, « Etude du bouc émissaire », Dr Simone Blajan-Marcus.
3. Voir plus haut, p. 27 (Le changement de forme).

Ce qui est joué ne peut être repris. Donc, ils vont transformer un à un chaque trait perçu en discours, ils montrent la colère là où l'acteur ne voyait que tendresse et construisent ainsi le discours du groupe.

Ce discours est donc fait de traits enregistrés par le regard ; mis en circulation de séance en séance ; ce sont ces traits qui font que chaque groupe a son propre discours et ses thèmes. Mais surtout le sujet se voit lui-même comme les autres le voient, comme corps tout d'abord, puisque ses attitudes deviennent elles-mêmes des traits signifiants qui entrent tôt ou tard dans un propos collectif.

Là réside aussi le danger : de se voir morcelé dans son corps, de ne pas savoir ce qui va être fait de ces morceaux et de ces traits qui peuvent aussi bien alimenter le malentendu, au risque de provoquer chez l'acteur un sentiment de désintégration physique. C'est la crainte que certains manifestent quand ils parlent de viol. Aussi celui qui trouve en lui-même la ressource de se donner en spectacle (et l'on verra pourquoi le psychotique le fait plus difficilement) se défend-il par une attitude de prestance. Parce que le miroir rassemble les morceaux épars du corps et les unifie devant tous ces regards, le sujet, pour demeurer intact, prend un rôle, il veut suggérer à autrui un mensonge, au besoin l'imposer par la violence. Cette agressivité du moi idéal est appendue elle-même à deux identifications refoulées non spéculaires, l'une constituée par l'idéal du moi (auquel le moi idéal cherche à se conformer), l'autre par une identification inconsciente au parent de même sexe (généralement) et refusée. Donc le moi idéal vit d'emprunt : ressembler à un noble chevalier, c'est cacher, pour Bertrand, une identification bien plus secrète à un père faible et féminin. Aussi, bien qu'il en porte de nombreux traits, Bertrand refuse son père. Le noble chevalier dont il suscite l'image représente son idéal du moi. L'analyse montre que cet idéal est lui-même un paravent destiné à masquer une autre image inconsciente : celle d'une grand-mère autoritaire qui, durant sa petite enfance, a été son seul parent. C'est elle le chevalier. Ainsi parce que la puissance lui manque, Bertrand fomente la toute-puissance d'un être idéal et indemne de castration pour le petit garçon qu'il a été et qu'il restera tant que ces images ne lui auront pas révélé leurs ressorts.

Rien n'est plus imperméable au discours que la réaction de prestance, c'est une répétition qui reste longtemps inconsciente. Répétition d'un mensonge sur l'être et sur le désir, mais aussi défense contre le morcellement, c'est pourtant à elles que le psychodrame finalement s'attaque : les démasquer, c'est tout à la fois révéler au sujet en quoi consistent à la fois son propre *désir* et aussi sa *castration.*

Le premier idéal du moi, c'est la mère (ou son substitut), premier objet secourable mais aussi premier sujet hostile parce que tout-puissant. Même si plus tard le père, ou toute autre puissance, la dessaisit de ce rôle, c'est de ce désir maternel que le sujet est, quand même, à l'origine, marqué. C'est du désir de cet autre qu'il conviendra de le rendre conscient. Car plus que ses propres pulsions l'expérience du psychodrame apprend que ce qui, à son insu, fascine le plus un sujet, c'est le désir de ses parents en lui. Si ceux-ci sont névrosés, il en restera marqué : les premières années de la vie sont à cet égard décisives. C'est à ce moment-là qu'ont lieu les premières rencontres manquées, dont les effets persistent, sauf à être éclairées par une thérapeutique capable de les mettre en lumière, c'est-à-dire de les transformer.

C'est chose étrange, en effet, que de voir combien l'enfant cherche à réaliser les desseins contradictoires de ses parents.

Même dans les couples réussis, il tente de réaliser la synthèse de leurs attentes divergentes. Nous citons ailleurs [1] l'exemple de Marc qui devint, pour sa mère, le remplaçant d'une fille aînée morte. S'il devint médecin, ce fut à cause du désir de son père qu'un de ses enfants protégeât les siens de la mort. Il devint ce que son père désirait qu'il fût et

---

1. Cf. chap. V « Psychodrame et mariage », p. 312.

pas tout à fait homme, pour obéir au désir de sa mère de retrouver sa fille morte. S'il devint psychiatre, ce fut peut-être pour essayer de découvrir dans sa propre histoire le moyen de surmonter son destin — c'est ce dont le psychodrame le rendit enfin conscient. La répétition peut donc, à travers un idéal qui emprunte aux parents leurs désirs, provenir d'un avatar qui s'est produit dans la lignée.

D'ailleurs, le psychodrame de couples nous montre combien le mariage, dit préférentiel, reste lié malgré tout à l'histoire d'une lignée et combien reste inconscient le besoin d'assurer la continuité du mythe familial.

On a vu pourquoi : l'idéal du moi abrite un désir qui, n'étant pas celui du sujet, le met à l'abri de la castration et de la mort. C'est là l'autre sens du retour au parent ou à sa lignée œdipienne : demeurer sous la protection des ascendants pour masquer la menace de mort sous-jacente à son désir propre.

S'abriter derrière le désir d'un autre, ne pas prendre de risque en son nom, c'est rester au niveau de la défense en ne cédant pas à la pulsion. C'est finalement la crainte que le sujet nourrit pour son désir que le moi idéal recouvre.

Or, c'est justement devant son manque que le thérapeute, avec l'aide du groupe, doit le placer. Et, ce faisant, il démantèle la défense suscitée par le regard.

Faire apparaître la *castration,* c'est faire apparaître en même temps l'identification inconsciente aspéculaire qui se cache derrière l'idéal. Nous racontons plus loin comment, dans un jeu, Bertrand découvrit avec surprise son père, c'est-à-dire d'une certaine manière lui-même. L'ego auxiliaire ne s'était pas laissé séduire par l'image idéale qui lui avait été suggérée ; en le jouant faible et beaucoup moins prestigieux qu'il le présentait, il le lui a restitué [1].

Si c'est dans le regard de l'autre que le sujet constitue son idéal, c'est en ébranlant le moi idéal que le psychodrame

---

1. Cf. chap. II « Le moi auxiliaire », p. 105.

prend donc le risque de révéler le sujet à lui-même, lui montrant dans le même temps sa castration et son propre désir. Ce risque ne sera pris qu'avec prudence. On sait la faiblesse du moi idéal des psychotiques : ces personnalités n'ont que trop tendance à la dissociation. Chez elles, le contre-transfert du groupe peut même représenter un danger. La cure doit donc être aménagée. C'est à cette nécessité que répond, par exemple, le psychodrame individuel[1]. Le maniement du contre-transfert y est facilité du fait que l'on utilise des thérapeutes comme egos auxiliaires.

b) *De la répétition au deuil*

Cette fonction morcelante du regard du groupe — sa fonction de vérité — a aussi pour conséquence de transformer la répétition en représentation.

Un trait suffit, en effet, à l'acteur pour faire de l'autre un ego auxiliaire. Ce trait peut être une ressemblance physique — isolant un trait visuel, mais aussi tout autre trait signifiant — comme dans l'exemple cité.

Si Jean-Jacques demande à Solange de jouer le rôle de sa sœur, ce n'est pas tant à cause de la ressemblance physique que parce qu'elle a, comme cette sœur, la préoccupation d'un autre langage. C'est d'elle qu'il attend, dans le groupe. la réponse qu'il n'a pas reçue, avec elle qu'il recommence l'aventure. Il a suffi pour cela d'un *trait*.

Parce que ce trait suffit, une sorte de désagrégation du personnage de la sœur se produit. Le fait que l'acteur soit différent introduit aussi un décalage. A ceci près qu'il faut que l'ego auxiliaire possède le trait qui l'a fait choisir, on pourrait dire qu'à la limite la plus grande différence possible est préférable, elle isole le trait unaire. Aussi bien, dans les psychodrames de couples où pourtant les intéressés sont là

---

1. Cf. chap. V « Traitement d'une psychose par le psychodrame individuel », p. 279.

tous deux, c'est à un autre que le conjoint qu'on demande de jouer le rôle de l'époux. On évite ainsi la répétition de la scène de ménage et on passe au niveau de la représentation. Quand Gertrude choisit, pour jouer l'homme idéal, un participant dont la séance précédente a révélé qu'il était impuissant avec sa femme, elle isole, sans le savoir, un trait spécifique [1].

L'isolement du trait unaire prend toute son importance de ce qu'à lui seul il caractérise le besoin de répétition. A vrai dire, c'est moins de l'autre personne qu'il s'agit que de la relation. Mis en circulation dans le groupe, le trait unaire se modifie au fur et à mesure qu'on l'analyse, il cesse de faire partie massivement de la situation répétitive pour s'intégrer à un autre discours, au discours collectif. Par exemple, on a vu que le même trait caractérisait, pour Jean-Jacques, Eléna, sa sœur et Solange : la recherche d'un langage. Le rapprochement de ces trois situations a isolé un trait spécifique qui devient, de ce fait, hautement significatif pour lui, pour Solange et pour le groupe.

Mais en outre, le fait que ce trait soit perçu par l'autre, au lieu d'être, comme lors de la première rencontre, manqué, tempère pour lui l'influence morcelante du regard. Il entre dans une sphère signifiante.

Au lieu de continuer à être incompris, comme il l'est pour sa sœur, Jean-Jacques réussit à rencontrer les autres. Il accomplit ici le pas essentiel : du symbolique, le groupe, par son écoute, lui révèle son propre discours.

Ce discours, d'être différent du fait d'une autre écoute que la première, prend donc une fonction signifiante. C'est un acte de reconnaissance. Il est situé au-delà du miroir : il ne s'agit pas de la satisfaction d'avoir une sœur enfin revenue et qui, de nouveau présente, comble de bienfaits l'enfant comme en rêve. C'est, au contraire, comme pour l'enfant

1. Cf. chap. V « Psychodrame et mariage », p. 307.

à la bobine, la reconnaissance avec l'autre d'un deuil qui opère : « J'ai perdu ma sœur », dit Jean-Jacques. De même que l'enfant adresse au spectateur un « o » qui accompagne le mouvement de rejet de la bobine qui symbolise la mère absente et ainsi se récupère et retrouve son unité, *c'est l'écoute du groupe qui, au lieu de l'échec, entérine le deuil.* A la répétition, qui ne fait que refléter les mêmes faits et les mêmes paroles, s'est substituée, en raison d'une autre écoute, une autre représentation des choses. Et liée à leur absence et à la reconnaissance de cette absence ; c'est en effet Jean-Jacques, non le groupe, qui a interprété en termes de deuil son propre discours.

Le morcellement par le regard de l'autre alimente donc le discours du groupe et fait surgir une vérité qui, parce qu'elle est celle du deuil, a un effet de rassemblement et d'unification pour le sujet.

Vérité dangereuse, la représentation part donc de l'échec de la répétition pour conduire au deuil. C'est là où le psychodrame, à partir d'un échec de l'Œdipe, fait accomplir au sujet le pas décisif du symbolique.

Le psychodrame, lieu de répétition, a le jeu pour moment essentiel. Du fait d'un autre regard et d'une autre écoute, le jeu est le moment de la représentation. Non seulement le sujet est entendu là où les mêmes rencontres conduisaient aux mêmes échecs, mais il s'entend lui-même dans son propre discours réfléchi par le groupe comme celui d'un autre.

Le groupe nous a amenés à reprendre ce que Lacan dit du stade du miroir et à accentuer ce fait que, dans le moment où l'enfant constitue le regard de la mère comme idéal, il se perd comme être de désir. Le stade du miroir représente un moment de fausse sécurité, du fait que l'enfant prend appui sur le regard de sa mère. La vertu unifiante du miroir y a la même fonction que celle du moi idéal : elle sert de défense contre le morcellement.

Moment nécessaire de l'évolution mais à dépasser ensuite. Le miroir est brisé en psychodrame par les regards des autres qui transforment en traits de discours tous les morceaux signifiants qu'ils atteignent. Par contre, c'est la parole, la voix, c'est-à-dire l'expérience du manque qui restitue au sujet son unité : le discours du groupe l'aide à dépasser l'échec de la répétition œdipienne grâce à ce que le langage comporte de renoncement et d'absence. Mais il y est aidé par le transfert. Le transfert, ici, trouve sa fonction.

Qu'est-ce en effet que le transfert ? Il ressort de la répétition que Freud a découverte au-delà du principe de plaisir. L'homme est gouverné, dit Freud, par le principe de plaisir en vertu duquel il tend à résoudre toute tension excessive dans une décharge qui est le plaisir même. Mais, d'autre part, l'homme ne recule pas devant un éventuel déplaisir ou devant la répétition d'un déplaisir, parce que, au-delà du principe de plaisir, joue une compulsion de répétition qui le pousse à rechercher toujours un état antérieur. C'est là que Freud voit à l'œuvre la pulsion de mort. Il s'agit d'une répétition que Freud n'hésite pas à qualifier de démoniaque : d'une véritable possession en somme, qui n'est pas le fait des seuls névrosés, mais de tout homme. Le transfert est une répétition. Ça prend à tous les coups. Que le transfert soit positif ou négatif, le sujet tend à répéter ce qui fut son expérience primordiale et à projeter sur la personne du thérapeute, quel qu'il soit, *l'imago,* c'est-à-dire l'image parentale matrice à qui s'adresse la revendication. C'est cette universalité de la compulsion de répétition, et donc du transfert, qui fait de la cure un instrument scientifique ; mais la relation n'en est pas moins aussi particulière que l'histoire de chacun est toujours subjective. Comme on le voit, objectivité et science ne vont plus nécessairement de pair. Quand le patient a revécu son fantasme fondamental avec le thérapeute et qu'il le voit enfin tel qu'il est en lui-même — autant que faire se peut —, c'est-à-dire quand il s'adresse enfin à lui, la cure est terminée. Ce n'est pas que le thérapeute lui ait ôté ledit fantasme comme on ôte un rein malade ; au contraire, ce fantasme se trouve enfin intégré dans la conduite du sujet.

Il perd alors sa puissance, mais le patient voit la fin des symptômes qui grevaient sa conduite : timidité, impuissance et phobies, etc.

Donc compulsion de répétition et transfert sont les ressorts principaux de la cure. Faute de les avoir dégagés, la psychiatrie d'école, mais aussi la psychologie butaient contre un principe d'objectivité scientifique tout à fait mythique, sur une croyance en un sujet connaissant, tout à fait mythique également, et elles posaient une réalité distincte du sujet comme objet de connaissance, tant et si bien que les ponts étaient définitivement coupés. Il s'agit donc bien, avec Freud, d'une révolution dans le mode de penser. D'un nouveau « Discours de la méthode » en somme.

Un autre point que Lacan pose comme décisif est celui qu'il développe dans « Au-delà du principe de réalité », titre de chapitre qui paraphrase celui de Freud, « Au-delà du principe de plaisir ». Ce nouveau pas était déjà indiqué dans Freud puisque sa théorie de l'*imago* comme image motrice restituait déjà à l'image sa fonction primordiale au lieu d'en faire un reflet de la réalité, un vain écho, ce qu'elle était dans la psychologie classique.

Pour bien comprendre Lacan sur ce point, il faut le suivre dans sa description du stade du miroir qui est, par rapport à Freud, un apport original, mais conséquent à la découverte freudienne. Lacan dit que le moi est essentiellement une image qui se fonde sur l'image unificatrice, orthopédique, totalisante, que le bébé de *six* mois environ aperçoit dans le miroir et dans laquelle il se reconnaît grâce à la conjoncture du regard maternel. En effet, l'enfant, à cet âge, ne saurait se tenir seul face au miroir. Il n'a pas son autonomie motrice. Cette image aperçue anticipe sur son expérience corporelle. Le regard a donc une fonction primordiale au même titre que l'image. Ce ne sont pas des succédanés ; ils sont constitutifs. Enfin le regard de l'autre y est aussi constitutif. Si cet autre regard ne disait pas à l'enfant que cette image c'est lui, il ne se reconnaîtrait pas ; il ne se verrait même pas. Ce que chacun appréhende de soi et des autres est donc à jamais de l'ordre de l'image.

Naturellement, ce stade du miroir n'est pas un commencement absolu. L'autonomie relative, la séparation d'avec la mère, l'anticipation par le regard ont commencé bien avant. Ils étaient là de tout temps. Il ne faut voir dans ce stade du miroir aucun apparentement à la psychologie génétique. En psychanalyse, en vertu de la loi de la répétition, tout a toujours été. Le temps marche aussi bien à reculons que du passé vers l'avenir. Mais tout de même, ce stade est une date comme la naissance en est une certes. L'image dans le miroir a aussi cette caractéristique d'être symétrique au sujet, de part et d'autre d'un plan médian. Si bien que la droite du sujet devient la gauche de l'image. Toutes les affections du corps morcelé (non encore unifié par l'image du miroir) et tous les troubles de la latéralité peuvent ainsi être datés approximativement. Ce qui nous importe ici, c'est de surprendre avec Lacan ce moment essentiel où l'image supplante une réalité intime et y supplée. L'enfant s'identifie alors à l'image avantageuse et le processus d'identification gagne de proche en proche tout l'*Umwelt*, c'est-à-dire le monde qui entoure le sujet. L'*Innenwelt* noue avec ce monde une chaîne d'identifications où l'image prolifère. C'est ce qu'on nomme, à un certain degré de complications, la Science. A ce jeu, l'homme perd évidemment quelque chose de ce monde qu'il voit ; mais ce qu'il perd sur le plan du réel, il le récupère sur le plan symbolique : il voit ; puis il nomme et partage sa science avec l'autre. Où l'on aperçoit encore une fois que la science est moins objective qu'on pouvait le penser.

Ici, il faut revenir au stade du miroir, car nous y voyons s'ouvrir le hiatus qui met à distance l'image du sujet, image symétrique et inversée, que la mère connaissait déjà, que le désir de la mère isolait déjà du fond sur lequel l'enfant bougeait. Voilà ce qui fait le fond et la forme et détermine le choix de l'objet, et non une structure inhérente aux choses. Et telle est la fonction du double bien-aimé, intangible ; il formalise. Si j'y touche, il s'évanouit. Si je le concrétise, il cristallise tout autour de lui comme l'objet de Merleau-Ponty, coupé de force de moi ; et tout se fige. La maison, par exemple, est mon double, mon visage, projeté à distance, le même et un autre que celui que j'ai vu un jour dans un miroir, image que je trouvais belle de la voir déjà une. La maison prend forme et devient belle de cette beauté à laquelle, nous semble-t-il, Lacan rend tout son pouvoir.

Mais pour que je voie mon visage dans le miroir et la maison dans le ciel, il faut et il suffit que, par hasard, ils se soient trouvés être l'expression, la forme du désir d'un autre. C'est là, en ce croisement de deux désirs, que s'accroche leur peu de réalité et toute cette beauté qui me donne tant de joie. Mais je délire si je crois que cette image c'est moi. C'est alors qu'elle perd toute réalité ainsi que moi, pauvre Narcisse. Du délire à la joie, il y a ce peu de réalité à trouver.

Ainsi, non pas au-delà de la réalité de la maison, mais au-delà du principe de réalité qui réglerait ma perception de l'objet-maison, il y a l'identification et l'Eros, comme il y avait la répétition et l'instinct de mort au-delà du principe de plaisir. Où l'on voit quel est l'objet du langage qui nomme la maison, de l'art qui la construit et de la science qui la connaît. Ils sont le champ de mes identifications ; ils sont mus, non par le principe de réalité, en référence à la vérité, mais par une loi d'identification en fonction de mon désir et du désir de l'autre. Ce qu'il y a, à la place de la réalité, c'est ce hiatus qui bâille entre mon image et moi, et me force à désirer toujours cet autre, l'objet, qui m'obsède, certes, mais qui se venge cruellement si, de guerre lasse, je le pose comme déjà là.

Cet autre, de moins en moins ressemblant (mais à qui ressemblait mon image dans le miroir ?), sera, aussi bien que l'image propre, l'image de mon père et de ma mère et de mes proches, puis celle de l'inconnu et du plus lointain. C'est par ce hiatus de plus en plus dangereusement ouvert que le *je* se constitue jusqu'à consommation de notre anthropomorphisme et jusqu'à ce que mort s'ensuive. Mais nous serons aussi sages que Lacan et nous nous contenterons d'accompagner l'homme dans son voyage identificatoire terrestre, durant lequel « toute vie de la conscience tend à poser des objets », comme le dit Merleau-Ponty. Nous pouvons le suivre quand il ajoute : « Puisqu'elle n'est conscience, c'est-à-dire savoir de soi qu'en tant qu'elle se reprend et se recueille elle-même en un objet identifiable », et nous ajouterons que ce travail suppose trois termes : le sujet, mon image et l'autre.

La maison n'est donc pas un ensemble de perceptions associées par l'habitude ou l'intérêt. Tout le système associatif repose sur une pétition de principe. Pour reconnaître un objet, il faudrait déjà le connaître ou l'avoir connu. Jamais la statue de Condillac ne pourra se dire qu'elle voit une rose, si elle ne sait pas ce qu'est une rose, quand bien même on multiplierait ses expériences de rose. Reconnaître suppose l'existence d'un modèle à quoi comparer le nouvel objet perçu. C'est sans fin. Il n'y a pas de maison, de rose princeps. *La rose, la maison* sont des modèles abstraits que je n'ai jamais vus.

La maison que je vois est donc effectivement une image, mais une image présumée vraie, non hallucinée dans la mesure où je la vois dans les yeux de l'autre, par le regard de l'autre. La maison surgit de deux regards croisés. De même, enfant, je me suis vu dans le miroir par les yeux de ma mère et je suis allé me loger dans cette forme. J'y ai perdu beaucoup de sécurité, mais j'y ai gagné un contour, une unité ; je suis devenu à la fois objet vu et sujet voyant ; mais je ne me suis pas installé dans ce double statut. Ce que j'ai vécu dans la jubilation, parce qu'on jubile de voir, je l'ai payé aussi par un sentiment de tragique déportation. J'étais désormais déporté hors de moi et voué à la quête : la maison n'est jamais définitivement donnée. Est-ce qu'on peut dire que, la maison construite, le produit social maison n'est que le négatif de mon désir qui serait seul réel ?

Absolument pas. Le désir tout-puissant ne serait pas plus réel ; il serait délirant. Safouan a bien montré que le désir halluciné se suffit et apporte sa jouissance ; je peux en effet imaginer une maison et délirer et être satisfait. Mais ma satisfaction est empoisonnée par l'angoisse. J'ai besoin que la maison soit vraie pour décevoir mon désir précisément et continuer à désirer. La vie sociale n'est donc pas pure négativité de mon désir, mais le principe même du désir, par la mise à distance de l'objet, par le détour indispensable à la constitution même du désir : « Dans la mesure où le principe de réalité, dit Freud, réussit à s'imposer comme principe régulateur, la recherche de la satisfaction ne s'effectue plus par les voies les plus courtes et ajourne son résultat en fonction des conditions imposées par le monde extérieur. » La déception qui fait crier l'enfant et le force à demander, ce détour du langage, est l'expression même du désir déçu ; c'est là l'origine de tout langage, des arts, des techniques, des sciences et de la philosophie même dont on dit qu'elle est *la* perversion. Ce détour, c'est la civilisation : une « hallucination vraie », si l'on veut ; piège du désir de l'homme quand elle se referme sur lui ; image créatrice quand elle est universalisée dans le temps et l'espace, et permet un jeu d'identification toujours ouvert.

c) *Le plaisir et le désir*

Il semble que, sur ce point, Lacan fasse un pas de plus.

Freud croit que grâce à l'hallucination de l'image du souvenir *(Errinerungsbild)* nous comblons, quand nous ne collons pas avec la réalité, le hiatus qui nous en sépare, alors que pour Lacan notre détour par la parole, c'est-à-dire par un signifiant, est nécessaire. L'un croit que le plaisir consiste à coïncider avec les choses, l'autre que le passage par le désir, c'est-à-dire par l'expérience du manque, est le médiateur essentiel.

Exploration de ce hiatus : la théorie de la réalité du plaisir chez Freud et la théorie du désir chez Lacan

Freud pose dans l'Esquisse notre inadéquation au monde. Son originalité, c'est d'introduire le problème en termes d'énergétique et de situer ce monde comme radicalement inadéquat à ce que nous sommes. Nous ne saisissons en effet avec nos sens que des « morceaux choisis de réalité ». Nous tendons à halluciner le plaisir. Notre faiblesse en face du monde nous fait dépendre de l'aide et du secours d'autrui.

1. Pour Freud, dans l'Esquisse, tous les processus psychiques sont biologiques, ils se déroulent dans les neurones à partir du modèle modifié de l'arc réflexe :

La sensation devient mouvement.

Dans l'Esquisse, la sensation est une perception et le mouvement action réfléchie.

Que se passe-t-il entre la perception et le mouvement ? La continuité des forces du monde est *filtrée* par un barrage, au niveau des neurones φ des organes des sens qui jouent le rôle d'écrans de quantité *(Quantitätsschirme)* et *transformée* en une quantité nerveuse qui se décharge de manière discontinue en suivant des frayages et des circuits neuroniques entre lesquels sont intercalées des résistances (barrières de contact, *Kontaktschranken*).

A l'intérieur du système nerveux, par contre, le système neuronique interne ψ est sans défense contre l'effet des pulsions que Freud appelle, à cette époque[1], *endogene Reize* (stimuli endogènes), et des images de souvenirs *(Errinerungsbilder)* qui les suscitent, ceci explique qu'il soit chargé en permanence. Cependant cette charge ne dépasse pas un certain niveau sans devenir insupportable et douloureuse, aussi le système nerveux tend à l'équilibrer au plus bas, voire à

1. L'Esquisse est de 1895.

l'écouler. Si donc une surcharge amène du déplaisir, une décharge amènera du plaisir, la tendance finale étant celle du zéro où Freud trouvera plus tard, au-delà du principe du plaisir, la pulsion de mort. Il s'agit là d'un raisonnement, car il n'explique pas pourquoi l'hallucination qui provient d'une surcharge est annonciatrice, voire productrice de plaisir, et pourquoi la décharge tend à se produire bien que la réalité ne soit pas rencontrée (nous allons y revenir).

Mais reprenons. Si l'organisme est moins fait pour connaître les objets que pour les reconnaître, s'il recherche l'identité d'une perception primitive avec une seconde, il est nécessaire, voire vital, qu'il y ait un signe qui lui indique que c'est bien au monde extérieur et non à l'image du souvenir qu'il a affaire. Un indice de réalité lui est fourni par ce que Freud appelle, après Fliess, les périodes : les qualités qui accompagnent lors de la perception les quantités deviennent les supports de la réalité, grâce à quoi, « instruit par l'expérience biologique », l'organisme ajourne les décharges motrices qui entraîneraient l'hallucination et, par conséquent, une action inadéquate. Ce troisième système de neurones est par Freud appelé W.

2. C'est donc l'hallucination du souvenir qui menace de l'intérieur un corps inadapté à la réalité et sans écran contre les stimuli endogènes. Pour qu'elle ait lieu, il suffira que la charge (en désir) de l'image mnésique soit suffisamment intense en ψ, lorsque la décharge se produit sans avoir recontré l'objet souhaité. L'image mnésique est atteinte la première du fait que les frayages déjà établis en ψ abaissent le seuil de résistance des barrières de contact. Donc l'hallucination du plaisir résulte d'une méprise sur l'objet puisque l'image mnésique anticipe sur sa perception. Dans les cas ordinaires, par contre (entendez ceux où le désir est plus faiblement intéressé), la conscience, grâce aux indices de qualités, rectifie l'erreur.

Au lieu de réfuter l'audace d'une telle affirmation, Lacan accentue son caractère déréel ; il montre combien il est vain de faire de la perception de l'objet, l'objet de notre recherche : ce que nous recherchons, c'est non pas un leurre qui nous le fasse retrouver, mais un signe qui signifie l'absence. De même, le *o* du *fort* remplace dans le désir de l'enfant le *da* de la présence maternelle. C'est en l'absence de sa mère et non en sa présence hallucinée que se produit le procès de symbolisation. C'est une bobine qui représente la mère, c'est d'elle absente qu'il maîtrise les allées et venues en les accompagnant de ses mouvements et de ses cris.

De même, s'il arrive que la décharge sexuelle soit provoquée par une simple image mnésique hors même de la présence de l'objet désiré — en rêve par exemple —, c'est parce que son absence ravive en ψ la charge dont il est investi.

3. Si la décharge sexuelle représente l'extrême d'un processus où joue le manque, par contre, d'autres besoins — qui sont à distinguer du désir bien que celui-ci y ait encore sa part —, besoins vitaux du corps, *Not* des Lebens, la faim, la soif ne sont apaisés que par une action spécifique, manger, boire. Or, « cette action spécifique, dit Freud, le nourrisson ne peut l'accomplir lui-même, il lui faut une aide étrangère. La voie de décharge acquiert ainsi la fonction secondaire d'une extrême importance, de la compréhension : *Verständigung,* et la détresse originelle, *Hilflosigkeit,* devient ainsi la source première de tous les motifs moraux ».

« L'expérience montre », en effet, « que la première voie suivie est celle d'une modification interne : manifestations émotives, cris, innervation musculaire ». Mais les excitations internes *(endogene Reize)* qui continuent à affluer font monter la tension que les cris et l'agitation ne peuvent décharger que partiellement.

Cependant l'annonce du cri sert à caractériser l'objet : « Cette association fournit le moyen de rendre conscients des souvenirs pénibles et d'attirer sur eux l'attention : la première catégorie de souvenirs conscients se trouve par là créée. De là, il ne reste que peu de pas à faire pour découvrir le langage. » C'est donc bien du manque que s'origine le langage. Mais ce pas, Freud ne l'accomplit pas explicitement, tout occupé qu'il est à rechercher la coïncidence de la perception d'un objet sur lequel s'est portée l'attention avec une image mnésique.

Il ne suffit pas qu'un vécu soit identifié pour en détacher les signes qui le feront exister (le *o* du *fort* ne suffira pas). Il faut que ces signes soient *signifiants pour l'autre*. C'est le pas essentiel accompli par Lacan. C'est celui du symbolique. C'est l'autre qui, par son écoute, nous révèle notre propre discours. L'autre, à l'origine, nous l'avons vù, c'est la mère.

C'est sur le caractère radicalement étranger, voire hostile de l'autre, que, dans son séminaire sur l'Ethique, Lacan a porté l'accent. Du complexe du prochain qui se divise pour Freud en deux parties « dont l'une s'impose par une constellation permanente et reste rassemblée comme chose *(Ding)*, tandis que l'autre peut, grâce à un travail de remémoration, se livrer à la compréhension, c'est-à-dire être ramenée à une expérience du corps propre », il a retenu la différence radicale de *das Ding*.

Cet autre inoubliable est vécu comme étranger parce que hors signification, et, quoique central, extérieur. C'est lui que, sans jamais le rencontrer, nous recherchons dans les objets. C'est lui que nous tentons d'exprimer avec les mots du poète, lui que sans cesse nous recréons. Le maçon le modèle aussi comme un corps autour du vide central. De même, le signifiant n'englobe que le manque, mais nous le façonnons avec notre chair.

De même, c'est à partir de la chose, c'est-à-dire de l'autre préhistorique que s'édifie la structure. Ce premier objet a été vécu différemment par chacun : source de trop de plaisir chez l'obsessionnel, de trop peu chez l'hystérique (comme chez celle dont Freud parle dans la deuxième partie de l'Esquisse), il a été refusé par la paranoïaque qui perd ainsi l'appui de l'ordre symbolique. Là commence l'inconscient, c'est-à-dire l'autre.

Aucun humain, aucun objet ne nous font retrouver la chose, tout au plus la recréer ou la détruire. La destruction sadienne, par la transgression de la loi, vise à franchir la limite du prochain pour le rejoindre dans ce qu'il est essentiellement. Mais celle-ci est aussi vaine que celle qui préside au repas totémique : l'identification qui s'édifierait sur le morcellement du corps de l'autre ne permet pas, en fait, d'atteindre, même en l'incorporant, ce qui fait son pouvoir, c'est-à-dire son étrangeté radicale.

La sublimation, elle, vise à recréer la chose. Mais l'amour courtois, cet extrême de la recherche de la chose, ne recrée, ainsi que le montre Lacan, qu'un partenaire inhumain et lointain. C'est plus de la quête de la dame que de son atteinte que les chevaliers ont été préoccupés.

C'est ici qu'il faut accentuer la fonction du miroir comme limite infranchissable de l'inaccessible objet. C'est le miroir qui rassemble et unifie les morceaux épars de notre corps. Nous ne faisons que le reconnaître dans l'autre et aussi dans les objets du monde aux places que nous leur assignons. Mais la vérité qui renaît de nous comme d'un autre (là est le lieu de l'interprétation analytique) nous est plus proche que ce corps dont nous ne savons rien et sur lequel nous sommes sans empire. Seul nous est accessible le corps du plaisir [1], non le corps biologique, c'est-à-dire celui qui se façonne de nos désirs et qui ne peut être cerné que par nos signifiants.

L'énergétique de Freud répond à une question essentielle : celle de la poussée libidinale et de sa quantité de plaisir. L'Esquisse nous montre jusque dans ses développements ultimes un vain effort pour faire coïncider le monde intérieur où règne l'image mnésique avec celui de l'objet extérieur. Lacan montre que les signes sont attachés au désir, qui précisément signifie l'absence de l'objet, ou l'absence de l'autre. Si le désir prend le relais du corps, c'est parce que le plaisir ne s'atteint qu'en passant par le détour d'un acte signifiant.

---

1. Cf. Serge Leclaire, « Psychanalyser » in *Le Champ Freudien*, Ed. Le Seuil.

Car le corps n'en reste pas moins séparé de la jouissance et de son hallucination par l'inaccessibilité de la chose et par la castration du sujet. C'est d'ailleurs pour cela que le sujet n'est pas un halluciné ou un psychotique qui s'ignore, comme le serait dans les premiers mois le nourrisson de Mélanie Klein.

Tel est au contraire l'enseignement de Lacan : le plaisir, dont parle Freud, c'est la jouissance des choses. Jouissance impossible sans médiation du fait du passage nécessaire non par les choses (qui ne peuvent être qu'hallucinées), mais par le signifiant (qui ne représente que le manque) et qui se substitue à la réalité pour instaurer l'ordre symbolique. C'est l'instauration de cet ordre qui nous protège, mieux que les indices de réalité imaginés par Freud et Fliess, du surcroît de réel qui produit l'hallucination.

Si nous avons insisté si longuement sur la répétition et l'image, c'est qu'elles sont les deux chevilles du psychodrame.

Pour nous résumer, le psychodrame consiste à reprendre à l'âge adulte, et non seulement à des fins purement ludiques (à supposer que le jeu enfantin n'ait pas d'autres fins, ce qui est faux), le jeu de « papa et maman » — et non de Dieu comme y insiste Moreno. Il restaure donc pour l'individu familialement absorbé cette fonction de représentation indispensable qui est une fonction de digestion du réel par la puissance créatrice de l'imagination. C'est une opération au sens propre. Chaque société a toujours trouvé son propre instrument. Sans doute aujourd'hui le théâtre ne répond-il plus tout à fait à cet emploi. Toutes les formes de psychothérapie dramatique viennent pallier ce manque.

La fonction de représentation ainsi entendue sert de clivage entre l'imaginaire et le réel. Elle sauve littéralement l'homme du délire ou de la destruction, en lui ouvrant le champ symbolique.

Il nous reste à analyser de plus près cette fonction symbolique dont l'essentiel, nous l'avons vu par l'exemple du *fort-da,* est un jeu d'identifications et par l'exemple de Georges qui en est le prolongement.

L'IDENTIFICATION

Le psychodrame est le lieu des identifications. Les transferts que chaque membre du groupe peut faire sur les thérapeutes, sur le groupe en tant que tel, ou sur tel ou tel autre membre, jouent leur rôle essentiel. Mais c'est l'identification qui est le moteur de la vie du groupe. C'est un travail identificatoire qui dynamise et organise le groupe.

La raison en est évidente : chacun est exposé au regard de l'autre. On sait qu'en analyse, par contre, le thérapeute est assis derrière le divan d'analyse, de façon à ne pas croiser le regard de l'analysant. Il s'agit donc d'éviter l'échange du regard. Depuis Platon, la vertu particulière de la vision qui se voit elle-même, si l'on peut dire, dans la prunelle de l'autre est bien connue. C'est une question difficile, bien que le fait lui-même paraisse tomber sous le sens ! Lacan l'a reprise dans ses séminaires sur la fonction scopique (Séminaire de 1964, février et mars).

Dans le phénomène de la vision (je vois), il y a deux phénomènes qui se contrarient. Ils se résument dans les deux propositions suivantes : je me vois voir et je vois l'objet.

Il est certain que, si voir, c'est voir quelque chose de réel, dans cet acte, le sujet disparaît. Il devient *maison,* il devient l'autre, tout occupé par la vue de la maison ou de l'autre, au moment même où il regarde la maison ou l'autre. Il suffit de penser à la contemplation, au ravissement, au transport mystique, pour réaliser que la vision totale est perte du sujet dans l'objet, captation du sujet par l'objet, évanouissement du sujet. Le « je me vois voir » est donc une gageure. Il y a schize, dit Lacan, entre la vision et le regard (sujet).

Dans l'inconscient, par contre, le sujet ne se voit pas, bien qu'il se dise parfois : ceci est un rêve, je rêve. Il s'aperçoit au réveil qu'il n'y était pas au même titre qu'au moment où il dit : j'ai rêvé. Ce point extrême où la conscience se réduit presque à néant, marquant le point d'évanouissement du sujet, est l'émergence de l'inconscient. Mais à l'autre extrême, en ce point où le sujet se perd dans la contemplation d'un objet réel, il est occulté complètement par l'image. L'image est donc un « scotome », comme dit Lacan. C'est un écran qui obture les voies d'émergence du sujet. C'est aussi par conséquent un écran à l'analyse. Ce n'est pas étonnant puisque l'image est structurante, constituante. Dans le stade du miroir, Lacan analyse cette fonction orthopédique du miroir où se constitue l'image spéculaire, le moi.

Les positions respectives de l'analyste et de l'analysant signifient que ce moi est dans la mesure du possible supprimé. L'image de l'autre réel ne s'interpose pas et ne peut donc faire écran. Cet objet de la « pulsion la plus aisément satisfaite » (la pulsion scopique), qui est de voir et d'être vu, est ainsi ôté du champ analytique. L'analysant ne peut se repaître de la vue du corps réel de l'analyste et l'analyste n'est pas distrait par le détail réel de la personne qui s'analyse.

Que dire alors du psychodrame ? Qu'il travaille à la restauration des images et à une meilleure organisation des images respectives ? Le danger serait celui d'une totale occlusion. Il est tel en effet dans tous les groupes dits de dynamique de groupe. Que les images y soient le plus souvent déchirées à belles dents ne change rien à l'affaire, car elles y sont tout de même consommées.

En psychodrame le danger est écarté. Il est déclaré d'entrée de jeu ceci : ce que vous allez voir est un jeu ; ce ne sont que des images avec lesquelles *je* ne me confonds pas. C'est moi, il y a dix ans. C'est moi dans le personnage de ma mère, de ma fille, de l'autre, etc. *Je vais jouer comme on rêve, comme en rêve.*

Les images y sont donc dénoncées, comme telles, et non données comme du réel, des personnes réelles qui se rencontreraient. Il n'y a que répétition et/ou représentation, c'est-à-dire rencontre manquée (Lacan) et/ou rencontre symbolique.

Mais surtout il y a des tiers au croisement des regards des participants. Il y a le regard des thérapeutes qui réfracte les regards en leur point de croisement de façon à déjouer la rencontre. Le regard des thérapeutes, en effet, n'est pas ce regard maternel qui lors du stade du miroir authentifie l'image de l'enfant et la construit avec amour. Il regarde ailleurs et ne se laisse arrêter par aucun écran. Aussi ne renvoie-t-il aucune image.

Pourtant un danger subsiste : celui de l'hystérie collective. Le cercle des participants est en effet un cercle de regards. Il y a spectacle, il y a dévoration par le regard. Pour certains phobiques, c'est insupportable. Pour certains hystériques, c'est un lieu de satisfaction permanente.

Dans une séance menée par un psychodramatiste formé dans une autre école que la nôtre, nous avons assisté à une véritable crise d'hystérie collective. Un homme y mimait l'accouchement malheureux de sa femme. Il souffrait et suait visiblement. Et comme personne ne songeait à mettre fin au spectacle, la tension ne cessait de monter, jusqu'au moment où pleurs et soupirs ont submergé l'assistance et où quelqu'un a crié : arrêtez !

Nous savons, surtout depuis l'analyse du fantasme « On bat un enfant », que le spectacle est le fondement de la jouissance sadomasochiste. Mais il est peut-être le fondement de toute jouissance et l'on pourrait dire que la scène primitive, c'est ce que l'on a cru voir, ou pu *imaginer* à partir de bruits et d'odeurs. La perversion voyeuriste est donc ancrée dans ce fantasme fondamental. Mais l'identification y a son rôle comme on le voit dans l'analyse de Freud de « On bat un enfant ». On ne sait jamais qui bat qui et ce n'est jamais la fille (quand c'est une fille) qui parle qui a été battue, mais une sœur ou un frère. Dans une première phase, dit Freud, le fantasme se présente comme :

1) On bat un enfant.

2) Mon père bat un enfant (dont je suis jalouse parce que j'aime mon père). Je jouis donc du spectacle en même temps que je m'identifie à l'enfant (phase sadique).

3) Je suis battue par mon père (phase masochiste qui, dit Freud, ne sort qu'en analyse et amène la « convergence de la culpabilité et de l'amour sexuel ») [1].

Nous avons eu récemment un psychodrame qui répétait phase par phase cette analyse. En voici l'essentiel :

Carmen, fille de boucher, se plaint de ne plus savoir ce qu'elle pense ni ce qu'elle veut en présence de certaines personnes que pourtant elle recherche.

— Pourquoi allez-vous chez elles ? lui dit-on.

— Je ne sais pas, c'est comme chez mes parents. J'y retourne mais j'y étouffe. Mon père me fait peur. Il est pourtant doux et gentil. Mais il fait parfois des colères terribles. Il me battait. Mais surtout il battait mon jeune frère. *J'avais peur qu'il le tue.* Je comprends maman qui a voulu se suicider un jour.

Elle joue une scène où son père bat son jeune frère et choisit une jeune étrangère, Olga, pour jouer ce rôle. Celle-ci accepte aussitôt de jouer le personnage du jeune frère battu.

Elle parle ensuite de son fiancé qui lui faisait peur et avec lequel elle a rompu parce qu'il l'avait battue.

On joue la scène.

Elle explique ensuite que son père battait sa jeune sœur et que c'était pire « parce que, quand on est battu, on n'a pas vraiment peur ».

Cette séance corrobore parfaitement le fantasme analysé par Freud : c'est le spectacle de la souffrance du frère ou de la sœur haï (et aimé bien sûr) qui suscite l'émotion la

---

1. Notre numérotation ne recouvre pas exactement celle de Freud. Se reporter page 125.

plus violente, par identification avec le frère ou la sœur battu (culpabilité) et désir de l'amour du père, la souffrance étant dès lors liée au plaisir, car c'est le père bien-aimé qui bat. Mais il y a tout aussi bien identification au père, dans le désir de battre le frère ou la sœur jalousés.

Il convient de remarquer en passant que le psychodrame est tout à fait propre à l'analyse des fantasmes, bien que cela ait été contesté. Mais surtout que la pulsion scopique y est à l'œuvre, plus que toute autre pulsion.

Nous avons vu que l'identification est aussi le principe de l'hystérie collective. Elle se communique essentiellement par le regard. C'est pourquoi nous sommes opposés aux scènes dramatiques. Elles plaisent trop à tout le monde et quand tout le monde a bien pleuré, bien frissonné et bien joui, où est le bénéfice ? Dans une catharsis ? Non. Nous n'accordons pas grande vertu à l'effet cathartique en dehors du théâtre. Nous allons jusqu'à dire que cette sorte d'effet est un obstacle à l'analyse en psychodrame. Nous favorisons au contraire les scènes banales, les souvenirs quelconques, le rappel de conversations apparemment anodines, la représentation d'une vie quotidienne sans éclat, où pourtant l'étrangeté, la gêne, le grain de sable brusquement révélés apparaissent énormes sur ce fond de grisaille (alors que le drame les subtilise).

Une séance dramatique n'est pas une séance « réussie » (comme elle l'est trop souvent pour les participants) ; toutes les séances sont également réussies pour les thérapeutes qui savent voir au-delà du spectacle.

Mais, dira-t-on, même dans les séances ordinaires sans dramatisation, les participants se regardent et se constituent par conséquent comme autant de *moi*(s) et autant de miroirs, les uns pour les autres.

Oui. Seulement il y a un troisième regard, celui des thérapeutes (disons-le, pour simplifier). Ce regard-là n'est pas miroir. Il ne réfléchit rien. Les regards des autres viennent y buter et l'image, loin de s'y constituer, s'y anéantit, laissant les sujets sans support. Aussi les thérapeutes ne s'offrent-ils pas à l'identification des membres du groupe, en principe, mais au transfert, comme l'analyste, et leur regard, qui regarde au-delà, ailleurs, désorganise-t-il le réseau des identifications, à mesure qu'il se constitue. Aussi ne doit-on pas dire que l'observation ne fait que réfléchir la séance (ce qui déjà serait pourtant autre chose que des personnes) ; ni que le thérapeute doit donner, comme une mère, un regard d'amour et se donner lui-même, ce faisant, comme idéal du moi et pôle d'identification, car alors il devient un meneur.

QU'EST-CE QUE L'IDENTIFICATION ?

Le sens commun nous le dit : c'est ce qui nous permet de nous reconnaître dans l'autre. L'autre et moi, nous sommes semblables. On disait autrefois « nos semblables » en parlant de tous les autres ; ce terme a un peu vieilli, mais il disait bien ce qu'il voulait dire : à savoir que nous sommes tous semblables, c'est-à-dire substituables éventuellement ; tous, sans exception aucune ; mais nous ne sommes pas indistincts ; nous sommes même tous différents et distincts. Si nous ne faisions qu'un, l'autre et moi, il n'y aurait pas d'identification possible. Ceci veut dire que l'identification suppose toujours deux personnes, deux unités distinctes, le sujet et le modèle en quoi il se reconnaît. Si le sujet se prend pour l'autre, comme on dit, c'est qu'il déraille. Sa folie a d'ailleurs son point de départ dans un vice de la fonction d'identification. Pour qu'il puisse s'identifier donc, le sujet doit avoir sa propre identité, c'est-à-dire ne pas se confondre avec un autre. Les mots mêmes d'identité et d'identification nous mettent sur la voie ambiguë de ce processus qui est un va-et-vient de moi à l'autre et de l'autre à moi.

L'identification c'est de l'amour. Il faut partir du fait, pour comprendre ce qu'est génétiquement l'identification, que le sujet désire toujours l'autre. Quand il ne peut l'avoir, faute par exemple d'avoir les organes sexuels adéquats s'il est un enfant, ou parce que c'est interdit s'il est assez grand tout de même pour avoir des relations sexuelles, s'il ne peut donc l'avoir, il s'arrange pour l'être, par identification. C'est l'alternative de l'amour : avoir ou être. L'une et l'autre façon d'aimer peuvent être figurées par le même acte de dévoration, d'ingestion et d'assimilation. Elles paraissent complémentaires. Il n'y a pas d'amour adulte normal sans une composante d'identification : on connaît beaucoup d'époux qui finissent par se ressembler effectivement ; et il n'y a pas de relations parentales ou filiales sans une composante sexuelle. Mais avoir et être l'autre sont deux voies irréductibles l'une à l'autre et même exclusives dans l'instant où elles sont à l'œuvre.

Ainsi on peut dire grosso modo que la petite fille s'identifie au père qu'elle ne peut avoir et le petit garçon à sa mère faute également de l'avoir ; avec le risque pour l'un et l'autre de devenir homosexuels s'ils deviennent l'une, homme pour d'autres femmes, pour avoir trop ressemblé à son père ; et l'autre, femme pour d'autres hommes pour la même raison. Ils deviennent plus couramment, la fille identique à sa mère et le fils identique à son père, faute respectivement de les avoir eux, pour une raison évidente. Il y a donc toujours un éventail multiple d'identifications.

Pour en revenir aux groupes et à ce qui s'y passe, nous avons une douzaine d'individus en présence. Le groupe se présente comme ce que Freud a appelé une foule spontanée, c'est-à-dire non institutionnalisée, par opposition à l'armée par exemple. Mais tandis que la foule et l'armée sont des groupes réels, nous avons dit que le groupe thérapeutique était imaginaire. En effet, il a été réuni artificiellement, sur les vœux de chacun, par des thérapeutes qui ont une fonction dans le groupe mais non des rôles. Autrement dit, ils n'entrent pas dans le circuit libidinal du groupe. Ils ne sont donc à aucun titre (à l'inverse du leader) des chefs ou des meneurs auxquels les participants, un à un, pourraient s'identifier pour les avoir choisis comme idéal du moi extériorisé ou extrojecté.

Il y a bien un premier moment dans le développement du groupe, que Lewin a appelé l'individuation, où chacun s'adresse au thérapeute, tourne les yeux vers lui et le dos aux autres. Mais c'est un premier moment de grand malaise, d'agressivité et de peur que le groupe doit surmonter précisément pour se constituer en groupe. Chacun ignore donc l'autre lors de ce premier contact ; il refuse d'être confondu et veut avoir les parents-thérapeutes pour lui seul. Il supprimerait volontiers tous les autres. Il tient à marquer que, lui, en tout cas, n'est pas malade, qu'il vient en spectateur, par curiosité ou pour des raisons professionnelles. Tandis que, pour ce qui est des autres, il est bien évident que... En se mettant ainsi à part, il s'identifie donc justement au thérapeute qu'il fait ainsi « descendre » à son niveau de participant tandis qu'il « s'élève » à celui de thérapeute ou d'observateur. A ce stade, il donne volontiers des conseils, voire des consultations et fournit même des interprétations.

Cependant, il lance des coups d'œil complices au thérapeute qui, d'abord choisi comme support de l'idéal du moi, devient évidemment objet d'identification. Où l'on voit que le glissement est fatal, qui fait aussi des parents d'abord des objets d'amour et d'admiration, puis de concurrence et d'identification en attendant pire.

Le thérapeute se garde bien de répondre au manège des uns et des autres. S'il y répondait, il deviendrait un meneur et le groupe se transformerait en « foule » réelle. A noter que dans la foule le meneur fait l'unanimité et réprime l'agressivité (et l'angoisse) en faisant communier les membres dans un commun idéal du moi ; mais dans ce cas il y a fusion du même au même et confusion de tous, mais non communication latérale entre participants. Le thérapeute, au contraire, refuse de secourir les membres du groupe, comme de se faire le complice de tel ou tel. Il entretient ainsi l'angoisse. Il refuse de se proposer comme l'objet d'amour ou comme idéal du moi, de se constituer comme un pôle parental pour se constituer comme pôle neutre. Il joue en somme le rôle du mort dans le jeu de bridge (l'image est utilisée par Lacan, mais elle vaut pour le psychodrame). Alors les participants sont bien obligés de se débrouiller entre eux pour éviter l'anarchie. Ils se regardent les uns les autres et nouent une chaîne d'identifications latérales.

C'est ici que le regard [1] (le groupe est disposé en cercle), comme lien érotique essentiel, entre en jeu, le thérapeute peut en « jouer » lui-même en se mettant hors de portée du croisement des regards.

Grâce à cette identification, chaque membre du groupe s'identifie à l'autre parce qu'il se reconnaît en chacun (alors qu'au commencement il refusait de se reconnaître en qui que ce soit sinon dans le thérapeute), elle se produit dans le groupe, elle est actuelle et progressive. Mais pour qu'elle se produise, il faut que les membres se débrouillent entre eux. Autrement dit, il faut qu'ils jouent. Que se passe-t-il quand ils jouent ?

Nous prendrons comme exemple une scène jouée par Jeanne. Il s'agit d'une scène poétique. C'est elle qui invite. Elle fait asseoir Marc auprès d'elle, par terre ; ils sont sur une plage. « Je ne veux rien de toi ; tu n'attends rien de moi. Tendresse, présence. On est bien, là, par cette belle journée. »

Jeanne a choisi Marc qui a, dans le groupe, le rôle du fils révolté et malheureux.

Elle a choisi Marc pour ne pas choisir Pierre, explique-t-elle (peu importent ici les raisons). Il suffit de noter que Marc a été substitué à Pierre. Mais Marc refuse d'entrer dans le jeu. Lié actuellement à Pétula, il lui est difficile d'accepter de suivre Jeanne dans son rêve. Il a toutefois oublié, tout comme Jeanne, que cette scène, que nous appellerons n° 3, est la réplique exacte d'une scène n° 1 — on verra pour-

---

[1] Voir chap. VI « Le regard », p. 339.

quoi —, jouée dans ce même groupe il y a plusieurs mois et avec les mêmes personnes : Jeanne et Marc. Dans la scène n° 1, Marc a « marché », pourrait-on dire. C'est donc qu'il s'est passé quelque chose depuis. C'est là une petite différence. La répétition suppose toujours une petite différence. On ne répète jamais tout à fait de la même façon ; grâce à quoi la répétition est revécue et non pas mécanique.

Naturellement, il y a, entre les deux jeux, une scène n° 2. Elle se situe trois ou quatre jours avant la scène n° 3, au cours d'un séminaire de psychodrame de deux jours auquel participait Jeanne. Il n'y avait ni Marc ni Pierre, mais il y avait Arnold, occupant le même emploi dans le groupe (emploi au sens dramatique), à savoir le fils révolté et malheureux, séduisant d'ailleurs, peut-être un peu maudit, le type de garçon pour qui les mères se damnent. Jeanne a donc invité Arnold à sa petite partie de plage, qui était tout autre chose en l'occurrence, mais peu importe. C'est la scène n° 2. Notons qu'Arnold n'a pas plus marché que Marc dans la scène n° 3.

Dans ces divers jeux, involontairement et parfois inconsciemment répétés, ce que Jeanne croyait exprimer, c'était son désir de libération vis-à-vis d'un certain type de relation aliénante où l'on demande et où l'on donne pour recevoir. Et ce qu'elle a joué, c'est précisément cette relation elle-même car elle offrait ce qu'elle voulait recevoir : un don gratuit. Ce rêve, en effet, répète sa relation fondamentale qui est d'aller au secours de quelqu'un. Ce faisant, elle répond à la demande de l'autre, à ce qu'elle croit être sa demande. au lieu d'exprimer son propre désir, c'est-à-dire qu'elle s'identifie à ce pauvre gars qui a besoin d'elle, ou plutôt, comme on le voit, par un leurre propre à ce processus d'identification, elle ne fait que s'identifier à elle-même car c'est son propre besoin d'être secourue qu'elle exprime ainsi. Où l'on voit que ce type d'identification enferme le sujet dans l'identique au lieu de le porter vers l'autre.

La séance du groupe où Jeanne a joué la scène n° 3 a pu être appelée la séance des substitutions. En effet, Jeanne s'y substituait à Pétula, face à Marc. Marc y était mis à la place de Pierre, et à la place d'Arnold et à la place du mari. On pourrait aller plus loin et établir une chaîne Marc - Pierre - Arnold - le mari, peut-être le père, 1, 1, 1, 1 et 1 dirait Lacan, faisant le relevé du « trait unaire ».

Nous avons donc dans le développement de ce groupe un exemple presque parfait de répétition. Mais Jeanne, qui était jusque-là en dyade avec le jeune garçon malheureux, suscite de par la répétition du même jeu et la substitution des personnages de ce que le petit-fils de Freud a réussi avec son jeu du *fort-da,* une *représentation.* Dans cette représentation, avons-nous dit, il y a toujours trois personnages : l'auteur du jeu (enfant 1), l'acteur du jeu (enfant 2), et la mère-bobine (enfant 3). Si l'on imagine qu'un père retient la mère-bobine au loin, il y a un quatrième personnage actif, même mort, absent, c'est le père. Dans le jeu du *fort-da,* l'enfant-auteur se confond avec le père-privateur actif. Il n'y a donc en fait que trois personnes, et nous appellerons quatrième ce parent qui peut être remplacé par le sujet, puis par tel ou tel joueur. De même il y a Jeanne-auteur, Jeanne-actrice et l'autre, le garçon malheureux et une quatrième, Jeanne, qui est la cheville des substitutions. Le thérapeute est en plus.

Il faut noter que Jeanne est capable de s'identifier à chacun des personnages également puisqu'elle est capable de les jouer. Elle est aussi bien la personne secourue que la personne qui secourt. Dès la fin du jeu, elle a pu mesurer la distance entre ce qu'elle avait voulu exprimer (tendresse, liberté, poésie, communication spontanée) et ce qu'elle avait représenté, un appel au secours. En effet, elle s'est effondrée et a manifesté une telle détresse que la thérapeute est allée la bercer comme une enfant. Il semble donc que, en allant bercer Arnold, ce qu'elle désirait au fond, c'était être bercée, bercée par sa mère. Dans cette dyade en miroir, on offre toujours à autrui ce que l'on voudrait recevoir et le sujet y méconnaît son propre désir. Le phénomène est bien connu sous le nom de transitivisme où les modes actif et passif sont confondus [1]. D'où sa dépendance vis-à-vis de l'autre et son angoisse. Pour réamorcer une autre relation, la permutation des rôles est un outil merveilleux. Dans le rôle de l'autre, le sujet s'anime tout à coup. Il redevient vivant : c'est qu'il y retrouve son propre désir. Quand Jeanne est devenue Arnold et a reçu le don qu'elle offrait, elle est entrée dans une réelle béatitude. La permutation des rôles est en fait une identification thérapeutique qui invite le sujet à refaire le chemin d'une première identification en sens inverse. Il est constant qu'il joue toujours mieux le rôle de l'autre. Pour cause : c'est lui-même. Il s'était gommé en extrojectant son désir sur l'autre, mais ce faisant il avait aussi supprimé l'autre. Il était donc à la fois dépossédé de son propre désir et de la présence de l'autre.

Ce phénomène angoissant n'est pourtant pas décidément pathologique en ce sens qu'il n'y a pas de personne tout à fait indépendante. Il n'y a pas d'âge où l'on puisse se dire enfin indépendant. Toute identification projette toujours un peu sur l'autre le désir du sujet. Mais ce qui est vrai des identifications qui se produisent dans l'existence du sujet ne l'est pas des identifications qui se font en psychodrame. Celles-ci sont de l'ordre de celles qui se jouent au théâtre ou au cinéma. Car ici et là nous sommes dans un monde imaginaire et l'identification n'y entraîne aucune dépendance.

Voici ce qui se passe, semble-t-il. Pétula, malgré de grandes réticences, car elle n'aime pas beaucoup Jeanne, s'est immédiatement identifiée à elle pendant le jeu. Elle pourra désormais se représenter elle-même dans un jeu. Cette identification latérale est exactement celle qui permet à chaque membre du groupe d'être le thérapeute de l'autre. Le processus d'identification ne se fonde sur aucune ressemblance entre les uns et les autres. Il se fonde sur l'image, fût-elle fugitive et momentanée, que Jeanne a renvoyée à Pétula et qui était nécessaire pour qu'elle se voie. Pétula n'a pu se voir que parce

1. Cf. Lacan, *Ecrits,* pp. 180-181.

que Jeanne a été un instant son miroir. Et ceci est vrai à la lettre car on sait que l'identité du sujet se constitue au moment où l'individu se surprend dans un miroir et s'y distingue de tout ce qui n'est pas lui. Cela suppose déjà un certain travail, mené depuis longtemps, mais le miroir est un moment privilégié de l'histoire. C'est ce que Lacan a appelé « le stade du miroir ».

Toutefois, ce terme de miroir peut conduire à quelque confusion. En quoi cette identification se distingue-t-elle donc de l'identification qui a été appelée précisément l'identification en miroir ? En ce sens que Jeanne n'y est pas pur miroir. En fait, Pétula et Jeanne sont dans le même rapport réciproque. La solitude où se trouvait Pétula, du fait qu'elle ne s'était pas encore reconnue en Jeanne ou en un autre membre du groupe, faisait d'elle un objet pour elle-même. Le sujet ne supporte pas d'en rester à ce stade, et si la moindre occasion se présente pour lui de passer à l'identification progressive, il s'en saisit immédiatement avec joie. Mais on peut dire la même chose de Jeanne puisque chacun est acteur et spectateur dans le groupe. Il y a donc là deux sujets et l'identification, à ce stade, est croisée.

Cette identification est naturellement très différente de celle qui consiste à emprunter son désir à l'autre ou à lui prêter son propre désir (cf. le cas de Jeanne) et elle n'est plus régressive. Elle désangoisse parce qu'elle redonne au contraire sa place au sujet. Pour nous faire mieux comprendre, nous prendrons comme exemple type de cette identification croisée (dont l'amour est le cas majeur) l'exemple de deux enfants qui travaillent dans une même pièce. On sait qu'il suffit souvent de mettre deux enfants dans une même pièce pour qu'ils travaillent et qu'il suffit d'en mettre un tout seul dans une pièce pour qu'il ne puisse plus travailler. C'est qu'il ne s'y voit plus, à la lettre. Il se dédouble alors en un personnage-objet pour tenter de se saisir. Mais, ce faisant, il s'aliène. Dans ces conditions, il ne sait plus pourquoi il travaille puisque, le sujet gommé, il n'y a plus de désir, du moins il n'est plus agissant. Le résultat est un état d'impuissance et d'angoisse d'où l'enfant ne peut bientôt plus sortir tout seul. Mais si on lui donne un compagnon, le fait qu'ils ont la même occupation permet à chacun de récupérer son propre désir dans la présence de l'autre. Il n'a plus besoin de se dédoubler en un autre lui-même. Le compagnon fait cet office et, dès ce moment-là, chacun réintègre son propre sujet.

La théâtralité de certains névrosés vient de cet état de solitude où les a enfermés une identification régressive. Ils ne sont plus qu'objets, ils s'exposent. Mais c'est fausse théâtralité. Ils ne sauraient jouer dans aucun jeu, le jeu supposant un sujet.

Les trois personnes de la représentation

Il est nécessaire, maintenant que nous avons retracé l'identification inconsciente primitive, d'en venir à l'analyse des trois personnes, telle que l'a faite Mme Irigaray, entre autres, dans un cahier spécialisé [1]. Dans la dyade mère-enfant, il n'y a pas encore à proprement parler de dialogue puisqu'il n'y a pas choix d'objet. Pour qu'il y ait échange, dialogue, il est nécessaire qu'intervienne une troisième personne.

Le dialogue mère-enfant n'est pas, en effet, du moins dans ce tout premier stade, un dialogue parce qu'il ne comporte ni je ni tu. Puis l'enfant entend son père et sa mère parler de lui, il entend : il, bébé, lui. Il se désigne d'abord lui-même comme troisième personne : bébé veut manger, etc. Puis bientôt il s'adresse à sa mère en se substituant à son père ; c'est-à-dire directement, et c'est son père qui devient il, lui. Puis il s'adresse directement à son père (naturellement ce schéma n'est qu'un schéma et l'ordre peut être troublé) et dit : elle — permutant alors avec sa mère. Désormais,

1. *Le langage.*

il peut se mettre à la place de sa mère, en face de son père ou vice versa. C'est le premier pas de l'identification proprement dite. C'est aussi le moment où il peut être tour à tour je, tu et il. Il n'a pas pu dire : je, avant. C'est l'apparition de la troisième personne qui a déclenché le jeu des trois personnes. Cette tierce personne, quelle qu'elle soit, est nécessaire pour sortir l'enfant de la situation duelle avec la mère où il était enfermé et le fait naître au plan du langage. C'est-à-dire du symbolique.

Le jeu du *fort-da* suppose que l'enfant est passé, ou passe (toujours ce mystère du présent-passé) sur le plan symbolique du jeu ternaire où il peut être l'une des trois personnes successivement, sans pour cela perdre son poste à la première puisque c'est son identité propre qui lui permet le jeu des identifications.

Dans l'identification régressive, l'identification au père *ou* à la mère (identification inconsciente) rive l'enfant à l'un des pôles parentaux ; il ne parvient pas à passer du père à la mère et vice versa ; il devient alors le jouet de l'identification au lieu d'en être le maître. Il s'identifie par exemple au père privateur-privé (celui du jeu du *fort-da* qui enlève la mère à l'enfant) et oublie, ce faisant, son propre désir qui était de s'identifier au père pour avoir la mère. Dans cet oubli, le sujet s'efface. Cette perte se traduit par l'angoisse. Il est incapable désormais de se représenter lui-même, puisqu'il est gommé ; il ne peut plus entrer dans un jeu quel qu'il soit, autre que ce rapport à deux qui se réduit au même, infiniment répété. Dans ce jeu, le tiers est toujours exclu. Chacun reconnaît la personne prisonnière de cette relation à ce qu'elle ne peut avoir de rapport, rapport de type homosexuel d'ailleurs, qu'avec une seule personne à la fois (l'homme ou la femme d'un couple, l'un de ses frères, etc.). C'est éternellement la personne qui veut prendre son père à sa mère, sa mère à son père, le mari à la femme et la femme au mari.

Nous avons eu en groupe un jeu de ce type à peu près

exemplaire : Christine rêvait (tout éveillée bien sûr) la mort de son père et elle prenait auprès de lui la place de sa mère. Ce jeu a d'ailleurs déclenché toute une série d'identifications progressives, ce qui prouve bien qu'il était exemplaire.

L'identification par analogie dans le groupe

Nous avons dit que l'identification régressive en miroir constituait le champ opératoire du groupe. Cela ne signifie pas que l'identification par analogie n'y a aucune place puisque, précisément, elle se déclenche au même moment. Reprenons l'exemple de Christine.

Toutes les femmes du groupe se sont identifiées à Christine de proche en proche, mais tous les hommes aussi ; ce qui prouve bien que chacun n'est pour l'autre que l'occasion, qu'il attend, de l'identification et que son caractère propre n'entre pas en jeu. A ce stade, tous les membres du groupe deviennent des unités substituables les unes aux autres, comme des pions. Désormais le thérapeute est tout à fait mort. Il n'est vraiment là que pour permettre, comme aux dames, le déplacement des pions. Des unités semblables et distinctes, tels sont désormais, à l'occasion de chaque jeu, les participants. Pour chacun, le sujet se situe au point d'émergence de chaque unité substituable. A ce stade, le groupe peut être assez bien figuré par une ronde d'enfants qui jouent au furet [1] : il s'agit de faire circuler un objet, peu importe l'objet, et l'on ne sait jamais où il est. Mais chaque sujet n'en continue pas moins d'exister ; et même il existe d'autant plus qu'il est plus capable de faire circuler le furet.

Pour nous résumer, nous dirons qu'il y a deux identifications simultanées : l'une répétée et représentée ; l'autre actuelle et nouvelle. Que chacun joue ou s'identifie à la personne qui

1. L'image est de Lacan, mais ne se réfère pas chez lui au psychodrame. Cf. p. 33. Le jeu de Georges.

joue, il renonce à avoir ou être l'autre (Christine renonce à prendre sa mère à son père, c'est-à-dire à être son père pour sa mère), il se le donne en imagination dans un jeu ; pour ce faire, il crée un symbole qui, comme la bobine ou une personne ou une simple chaise vide, est mis à la place du père, mais peut être mis également à la place du fiancé ou de l'ami perdu. Le sujet renonce donc à l'autre, mais le récupère sur le plan symbolique où une part de réel est toujours gagnée et une part perdue. Au prix de ce passage sur le plan symbolique, le sujet se récupère lui-même comme sujet intermittent. S'il accepte de perdre une part de réel, c'est par la grâce de la présence de l'autre car il se récupère pour et par un autre sujet en qui il s'identifie. Il est donc arraché à sa relation ancienne et libre pour de nouveaux jeux d'identification multiple ; c'est en quoi le psychodrame opère. Dans ce passage au symbolique, il y a donc virement au plan social de la valeur et changement de but, autrement dit si l'on suit Lacan et Freud, sublimation.

Mais nous avons l'expérience dans ce même groupe d'un cas d'identification aberrante. Thérèse, elle, continue à s' « identifier » à tout le monde, c'est-à-dire à personne. « C'est comme moi », dit-elle, quoi que Pierre ou Jacques avance de plus particulier, de plus surprenant et même de plus monstrueux. Elle se reconnaît dans n'importe quoi et n'importe qui. Certes, on doit arriver à un moment de sa vie à se reconnaître dans n'importe qui. Mais c'est par un progrès ultérieur. Thérèse, elle, s'identifie faute d'avoir trouvé sa propre identité. Elle compense par un désir têtu de « promotion » (c'est son terme). Aussi bien dans le groupe que dans son milieu professionnel. Cette promotion lui donnerait une certaine *valeur,* faute d'une existence certaine : valoir faute d'être.

Comment sortir Thérèse de sa confusion ? Certes il y a le frottement tout bête des autres membres du groupe, son « c'est comme moi », n'a pas manqué de sonner comme un refrain dont on rit gentiment. Mais ce n'est pas assez. Il faut que Thérèse retrouve par le jeu, dans le groupe, la relation fondamentale où l'identification enfantine inconsciente a raté — c'est-à-dire n'a pu passer sur le plan de la représentation au sens théâtral du terme où se fait l'identification toujours double à l'autre. Il faut qu'elle retrouve sa faille. Mais l'image parfaitement lisse et cohérente qu'elle donne d'elle-même ne laisse transparaître aucune fêlure, ou du moins pas la vraie... Nous sommes bien forcés d'attendre alors que l'inconscient se regimbe et se manifeste...

Analyse et psychodrame

Le psychodrame n'a donc pas d'autres fins que l'analyse mais, tandis qu'en analyse le sujet bute dans sa demande sur la personne frustrante de l'analyste, objet du transfert occupant la place du mort, le psychodrame confronte l'objet d'identification qu'on croyait intérieur à la personne extérieure qui en est le support et l'origine : père, mère, frère, etc., représentée par son rôle dans le groupe. En un mot, en analyse, le sujet bute sur le mort et en psychodrame sur l'autre. C'est la différence qu'il y a entre le transfert, qui est en quelque sorte le cran d'arrêt des identifications et l'identification elle-même. Mais, naturellement, on ne peut pas faire que parfois, en analyse, le patient ne s'identifie à l'analyste ; et par ailleurs le transfert joue dans tous les sens en psychodrame. Mais ce qui opère en analyse, c'est le transfert, et en psychodrame c'est, outre le transfert, l'identification, et celle-ci opère dans la représentation symbolique.

Est-ce à dire que le psychodrame ne remonte jamais au-delà du stade du miroir, seuil des identifications ? Est-ce à dire qu'il ne touche jamais au fantasme ? Non, car le fantasme, comme nous l'expliquons [1], pousse ses rejetons dans toute

1. Voir plus haut p. 72 et plus loin chap. VI « L'optique psychanalytique ».

la vie psychique et si les thérapeutes ont l'écoute analytique, ils les perçoivent à tous les moments du discours psychodramatique, pour chacun. Mais il y a plus. Si la position couchée analytique favorise la régression et l'apparition du fantasme, le groupe qui recompose autour de chacun le corps maternel, recompose aussi spontanément la scène fantasmatique. En entrant dans le groupe — immédiatement et dramatiquement — le sujet y incorpore son fantasme propre dans un mouvement brutal de régression. La démarche, le regard, le geste, la voix, le silence ou l'irruption, tout exprime le fantasme, dans sa totalité, son irréductibilité et sa singularité. Et le thérapeute n'oubliera pas ce premier moment, ni le premier mot prononcé. Et si rien n'est dit par le nouveau venu, son regard et son geste disent du moins comment il a été délivré ou non délivré à sa naissance et quel regard sa mère lui accorda. Sans doute le groupe ainsi conçu est-il l'instrument le plus précieux qui soit. Si l'identification en est la clé ou le moteur, elle ouvre surtout l'accès au trou fantasmatique. L'analyse individuelle et le psychodrame sont le lieu du même travail, mais, certes, le groupe reste le lieu du fantasme, par excellence ; la scène où, d'entrée de jeu, il reste pris et comme matérialisé.

L'OBSERVATION

Il nous reste à définir l'observation qui ponctue chaque séance. Nous prendrons comme point de départ une séance de psychodrame qui nous a paru se dérouler précisément de façon à nous permettre de la définir.

Il s'agit d'une séance double.

Première moitié

Une jeune femme, Dorothée, abandonnée plus ou moins par son mari qui toutefois n'arrive pas à couper, est retournée vivre dans sa ville natale où sa mère la libère un peu de la charge que représente sa petite fille (environ trois ans). Dorothée parle dans cette séance de la dépression de sa mère qui refuse de s'occuper de sa petite-fille, refuse de préparer les repas, enfin fait opposition à son rôle de mère et de grand-mère. Le jeu montre que la mère refuse de voir que sa fille est malade et qu'elle a mal aux jambes, pour ne pas avoir à faire les courses elle-même et préparer les repas. Immédiatement Dorothée sent comme « une agressivité dans sa jambe ». Il y a donc un lien entre cette coxalgie que la mère refuse de voir et la relation mère-fille. La mère se veut faible, épuisée, pour obliger Dorothée à faire le dîner, bien qu'elle rentre tard le soir de son travail. La mère se veut donc malade à la place de sa fille qui est alors forcée d'être solide au poste. Il est aisé de voir que les rôles sont inversés. C'est Dorothée qui est raisonnable, qui « comprend », qui « prend sur elle » (et qui s'enfonce un peu plus dans la maladie) et c'est la mère qui fait de l'opposition, qui geint, qui tape du pied, qui exige et joue la comédie. En un mot, Dorothée devient la mère et sa mère l'enfant. D'où son refus massif, son impossibilité radicale à servir de mère à sa petite-fille, bien sûr, elle qui ne peut même pas assumer la maladie de sa propre fille (dont on voit la valeur d'enjeu). C'est l'une *ou* l'autre qui est malade. En forçant les choses, on peut dire que la mère rend sa fille malade pour ne pas l'être elle-même. Elle refuse donc la vie (= la santé) à sa fille. C'est le contraire d'une attitude maternelle.

Le jeu a vraiment déployé sur la scène psychodramatique, cet acte d'inversion maternelle que la vie de tous les jours noie sous des occupations et des incidents divers, comme on dit : sous des faits divers.

Deuxième moitié

Pendant la seconde séance de psychodrame, le groupe interroge Thérèse sur son métier et sa vocation d'assistante sociale. Sa mère est aveugle, son père sourd, elle a une petite sœur et un petit frère. Elle s'est toujours vue comme la « sœur », celle qui remplace les parents. Tout naturellement la conversation aboutit à un jeu = Thérèse et sa mère. Thérèse choisit Véronique, une jeune femme coquette et séduisante, plus jeune qu'elle. En outre Véronique a de grands yeux noirs bien ouverts. Pourquoi ce choix étrange ? Thérèse explique que sa mère est bien plus mince qu'elle-même et que personne ne lui donnerait son âge. — Je lui fais ses robes, dit-elle. Elles paraissent être des sœurs plutôt que mère et fille.

— Quand j'étais petite, dit Thérèse à sa mère au cours du dialogue, je voulais donner mes yeux pour toi.

Puis il s'agit d'un fiancé auquel sa mère lui demande de renoncer, ce qu'elle fait.

On voit bien que d'une séance à l'autre le thème insiste : c'est donc que l'inconscient est à l'œuvre. Ici encore la mère empêche sa fille de vivre, à la lettre. Mais c'est la mère qui est infirme. Cette infirmité fait que Thérèse ne peut pas se révolter contre sa mère et *s'englue*. (C'est le terme employé déjà dans la première séance par Dorothée.) Ici, le jeu représenté met en scène une jeune mère séduisante à qui sa fille fait des robes (pour qu'elle aille au bal ?) et une fille, Thérèse, déjà *mère* et *veuve* en somme. Ce jeu, comme le premier, se passe de commentaire. Il est en lui-même une analyse et une représentation schématique, extrêmement significative de tout ce que la mère et la fille ont vécu en trente ans de vie. Dans le jeu, la fille donne littéralement de beaux yeux à sa mère. A la fin de la double séance, le groupe s'est interrogé sur le thème. Il s'agissait en somme de faire l'évaluation, rôle dévolu dans les groupes ordinaires à l'observateur (mais il s'agit d'un groupe du second degré. c'est-à-dire d'un groupe où l'on apprend le métier de psychodramatiste).

Certains ont avancé que ces jeux féminins, d'où les hommes étaient exclus, trahissaient des tendances homosexuelles et que par conséquent le thème était l'homosexualité. D'autres ont relevé la fréquence des mots : étouffer, glu, engluer, etc., et ont soutenu que le thème c'était tout simplement l'amour maternel, c'est-à-dire la glu. D'autres ont parlé d'agressivité. D'autres ont été surtout frappés par les infirmités des protagonistes réels ou représentés et ont parlé de castration.

A notre avis on peut tout dire. Tout est également vrai. Mais l'observateur doit s'attacher, nous semble-t-il, à autre chose. Il s'agit de relever, comme dans une sorte de radiographie, l'acte unique, effectivement représenté dans les divers jeux. Ici, c'est l'*Œdipe renversé.* Tel pourrait être en somme le titre des jeux et aussi de l'ensemble de la séance : la mère de Dorothée s'arrange pour devenir sa fille et la mère de Thérèse l'est effectivement devenue, l'une et l'autre au détriment du bonheur, de la santé, de la vie de leur fille. Elles font donc ce que les filles jalouses de leur mère font à la puberté : elles leur refusent le droit à la vie. La raison en est toujours une castration réelle, qui empêche la castration symbolique de jouer. La mère de Dorothée ne veut pas reconnaître que sa fille ne peut pas marcher parce que ce serait porter atteinte à son propre narcissisme. Thérèse ne peut se révolter contre sa mère aveugle parce qu'elle l'est réellement et qu'elle ne peut, de surcroît, la castrer de son rôle de mère. Tout cela est dit et joué tout au long des conversations et des jeux. Les jeux ne font que ramasser le drame, le projeter sur une scène et révéler le prétexte. C'est à l'observateur à le renvoyer aux protagonistes et au « chœur ». Ce faisant il ne répond pas à la demande (pas d'interprétation, pas de consolation, pas de satisfactions narcissiques, ni d'attaques, pas de réduction d'aucune sorte). Il renvoie seulement une image analysée « linguistiquement » en somme.

Ce n'est pas, on le voit, un thème, c'est un *scénario* ou hypogramme (écrit sous les mots) appelé aussi mot-thème chez Starobinsky et Saussure. Il se trouvait réellement dans le « texte » des *deux* séances, dont la seconde peut être considérée comme une répétition dans le groupe, parce qu'il a été dit à propos de Dorothée qu'elle était la mère de sa mère — et dans la seconde séance, Thérèse a effectivement choisi une jeune fille, Dominique, jolie de surcroît, pour le rôle de sa mère. La Chose a donc été figurée scéniquement. C'est le *locus princeps* de l'Hypogramme, le lieu où se condense le renversement œdipien. Ailleurs, il est dispersé comme dans un poème saturnien [1]. En outre, la mère de Thérèse (qui a en fait soixante ans), aveugle, veut que sa fille lui donne ses yeux, soit son regard, surveille ses frères et sœurs, renonce à son fiancé, c'est-à-dire à vivre ; autrement dit, elle la tue, cette adulte ayant à mener sa vie propre, elle la maintient dans la fonction qu'elle lui assigne et la tue dans sa fonction d'adulte : meurtre symbolique. La mère, de son côté, refuse de préparer le dîner, de donner à manger, elle refuse donc sa fonction de mère nourricière et elle se dit malade, épuisée, réclame des soins alors que Dorothée est coxalgique, infirme. Elle fait donc de Dorothée *une mère* forte : meurtre symbolique de la fille et renversement de l'Œdipe.

C'est pourquoi nous disons que le renversement de l'Œdipe avec meurtre symbolique de la fille par la mère (meurtre symbolique pouvant à longue échéance entraîner la mort réelle et — en attendant — la maladie) est le scénario des deux séances — scénario original —, alors que les analyses donnant l'homosexualité ou le désir de la mère, ou la non-communication, s'en tenaient à des généralités ou à des interprétations restrictives. L'homosexualité n'a pas été jouée, elle n'a pas été représentée ; on n'a pas à en parler dans une observation. C'est une interprétation.

Nous avons appelé ce « scénario » hypogramme, texte sous le texte, il n'est pas vrai qu'il soit écrit dessous, c'est encore un texte au sens saussurien — joué, représenté. On

1. Cf. « Les analyses », de De Saussure, dans *Tel Quel,* n° 37.

pourrait l'appeler comme Starobinsky prétexte, mais dans un sens que ce mot n'a pas dans le langage courant.

L'observation est donc un miroir analyseur qui renvoie ce qui est inscrit partout, aussi bien dans les parties parlées que dans les parties jouées et se condense précisément dans le jeu. A cet égard le choix même de la partenaire — choix étrange, surprenant dans le cas de Thérèse — est le révélateur de l'hypogramme. Si l'on considère que le second jeu est la répétition du premier, il contient toutefois cet élément nouveau (le choix étrange de Thérèse) qui motive *a posteriori* la répétition.

Où l'on voit qu'il ne s'agit pas d'une réduction à une unité que l'esprit systématique de l'observateur pourrait opérer par tendance propre ; mais un travail suffisamment objectif. Il n'est pas dit que *toutes* les séances se laissent aussi aisément analyser. Loin de là. Mais l'écart entre ce qu'il apparaît de l'hypogramme et ce qui demeure confus est déjà significatif et il fait déjà l'objet d'une évaluation qui ne se veut ni moralisante, ni didactique, ni interprétative, mais pure intervention.

CHAPITRE II

LES RÔLES

LES RÔLES FAMILIAUX (l'Œdipe)

Je vous parle : c'est un rôle. Rôle étrange et qui ne va pas de soi. Il y a aussi en psychodrame ceux qui parlent et ceux qui ne parlent pas, avant même que l'on puisse distinguer ceux qui jouent et ceux qui ne jouent pas. Qu'est-ce donc qu'un rôle ?

C'est une notion pourtant familière à tout un chacun. Au théâtre l'acteur joue un rôle. C'est l'emploi le plus propre de ce mot et le plus courant aussi. Il signifie que l'acteur est une personne comme vous et moi, mais qu'au théâtre il emprunte un autre personnage. Il y a donc une certaine distance entre le sujet et le rôle qu'il tient. Il peut d'ailleurs tenir plusieurs rôles, bien que le registre d'un acteur ne soit pas toujours illimité et même qu'il soit généralement limité. Le sujet a donc par rapport au rôle une certaine permanence et une certaine unicité et le rôle par rapport au sujet une certaine mobilité et une possible pluralité. Ces remarques montrent à quel point le théâtre est lié à notre thérapie.

Pourtant ce mot de rôle, si simple, si clair, se heurte en psychodrame à toutes sortes de complications. Qu'entend-on par rôle en psychodrame ? Le thérapeute a-t-il un rôle ? Le moi auxiliaire est-il un rôle ? Mais alors le « bouc émissaire » ou la « vedette » sont-ils des rôles au même titre ? Quand le patient joue le rôle de son père ou le sien propre, pouvons-nous encore dire qu'il s'agit de la même conception du rôle ? Enfin, dans le role-playing [1], que signifie le mot rôle ?

Ce sont toutes ces confusions que nous voudrions tenter de démêler. Il ne s'agit pas ici d'un exposé théorique, mais d'une réflexion sur notre expérience immédiate et d'un effort pour y voir clair.

1. Thérapeute, observateur et moi auxiliaire

Il faut, pensons-nous, d'abord exclure d'un éventuel éventail des rôles le thérapeute, l'observateur et l'ego auxiliaire, dont nous avons dit déjà qu'ils ont une *fonction* dans le groupe, mais non pas un rôle parce qu'ils n'entrent pas dans le circuit libidinal. Il s'agit de s'entendre : quand un membre du groupe s'identifie au thérapeute, il prend alors un rôle vis-à-vis du groupe ; il se met dans une certaine position vis-à-vis des autres ou contre eux. Il n'est pas à proprement parler thérapeute ; il en prend le rôle.

Au contraire, le thérapeute, l'observateur et le moi auxiliaire (dans la mesure où l'un et l'autre font fonction de moi auxiliaire) ont, dans le groupe, des fonctions fixes de fondation, d'institution. En effet, ils préexistent au groupe. En quoi consistent leurs fonctions ? Elles ont ceci de commun qu'elles ne varient pas au cours du développement du groupe. On peut même dire qu'elles constituent un pôle fixe par rapport à quoi le groupe peut bouger, évoluer sans se perdre. Ils constituent même les bornes *réelles* à l'intérieur desquelles et par rapport

1. Jeu de rôle.

auxquelles le groupe imaginaire se constitue et se définit, et le jeu peut se déployer. Ils instituent la règle du jeu et en sont garants.

Nous avons dit plus haut [1] que le thérapeute et l'observateur sont les morts du jeu de bridge. Un mort, ça ne bouge pas et ça a une fonction stable, et combien ! mais pas de rôle ! Les morts n'ont pas de partenaires si les vivants ne les ressuscitent pas bien sûr (ce qu'ils font souvent), pour leur propre usage.

Ici le moi auxiliaire a l'air de faire exception. Pourtant ce que nous en avons dit montre qu'il est comme un mannequin que l'acteur habille comme il veut ou comme il peut. Il sert de révélateur mais ne se révèle pas lui-même et n'est pas affecté lui-même — du moins dans la mesure où cette fonction est assurée par un thérapeute ou par un observateur.

La fonction de ces morts, donc, consiste essentiellement en ceci qu'ils déclenchent le jeu des identifications progressives. Nous n'y insisterons pas une fois de plus, mais nous insisterons par contre sur le fait qu'ils s'opposent par là au rôle proprement dit, qui est toujours relatif à un autre rôle. Un rôle tout seul c'est quelque chose d'inconcevable. Qu'est-ce qu'un père s'il n'y a pas de fils ? Un chef sans subordonné ? Un persécuteur sans persécuté, un amant sans maîtresse, etc. ? C'est pourquoi, pensons-nous, il faut rayer le titre de leader quand il s'agit de désigner le thérapeute. En effet, le leader conduit quelqu'un qui se laisse conduire ; c'est donc bien un rôle. Mais le thérapeute ne conduit personne nulle part ; ce n'est pas un chef. A la limite, il n'a même pas de caractère distinctif. En principe il est neutre, il ne répond pas. Une fonction, toutefois, peut devenir un rôle quand elle entraîne un certain type de relations. C'est aux thérapeutes à veiller à ce que cela ne se produise pas dans le groupe, faute de quoi il se transformerait, comme nous avons déjà eu l'occasion de le dire, en une petite foule menée par un chef incarnant

1. Voir chap. I, p. 84.

l'idéal du moi et tout serait à recommencer. Pour nous résumer, disons que précisément la fonction des thérapeutes se maintient hors du groupe en quelque sorte, tandis que le rôle, c'est ce qui définit la relation d'un individu dans un groupe. La fonction se définit donc par opposition au rôle.

L'examen de ce premier groupe de fonctions, que nous n'avons fait que pour les distinguer des rôles, montre que les rôles sont intersubjectifs et constituent le tissu même du groupe.

Nous abandonnons maintenant définitivement les fonctions pour aborder les rôles proprement dits, qui sont de trois sortes :

1. Les rôles du jeu de rôles (ou role-playing). Ce sont, soit des rôles imaginaires, soit des rôles réels, quand le role-playing est utilisé en institution ou *in situ* dans une usine par exemple. (Mais ceux-ci ne nous concernent pas.)

2. Les rôles clés du groupe, qui sont :

— le leader (à ne pas confondre avec le thérapeute),
— le voyeur (à ne pas confondre avec l'observateur),
— le saint-bernard (à ne pas confondre avec l'ego auxiliaire),
— la vedette et l'exclu,
— le bouc émissaire,
— l'opposant et le saboteur (ce n'est pas la même chose),
— le double et le tiers exclus (qu'il ne faut pas confondre avec l'exclu tout court).

Il y en a d'autres, mais ce sont, croyons-nous, les principaux.

3. Enfin, dans un troisième groupe, il y a les rôles familiaux, propres à chaque membre. La nomenclature est ici illimitée ; elle contient non seulement le père, la fille, la cousine, le neveu, l'ancêtre, mais aussi l'ami ou le patron qui ne font, dans ce registre, que répéter le frère ou le père. Ces rôles toutefois peuvent se ramener à trois suivant les trois relations de parenté relevées par Lévi-Strauss : la filiation, le lien conjugal et le lien de frère à sœur.

2. Role-playing

Du premier groupe nous ne retiendrons que le jeu projectif imaginaire tel que nous l'utilisons éventuellement dans nos groupes puisque nous sommes partis de l'hypothèse que le groupe est imaginaire. En effet, les jeux de rôles que l'on peut faire en institution ou *in situ* mettent aux prises un médecin et une infirmière, un chef et son assistant, etc., dans leur emploi réel, emploi qu'ils assument dans leur groupe de travail réel [1]. Nous les laisserons de côté, bien qu'ils ne soient pas sans rapport avec notre propos puisqu'ils peuvent, eux aussi, utiliser le changement de rôles. Nous aborderons donc immédiatement le jeu de rôle projectif dont Moreno a fait beaucoup usage comme test de spontanéité ; il l'appelle alors le role-playing test. Il consiste à demander à un membre de jouer différents rôles : celui de la petite fille modèle, de la délinquante, de la bonne camarade ou de juge. On lui donne un partenaire ; puis un autre ; on intervertit les rôles. Puis on analyse les résultats. Nous n'analysons pas quant à nous les résultats puisque nous n'utilisons pas le role-playing comme test. Mais nous faisons ainsi ressortir une attitude répétitive, un rôle répétitif que, faute de cette occasion, l'individu aurait pu ne pas manifester. Ainsi il laisse tomber comme malgré lui, et sans trop de douleur, son masque. Autrement dit, ce jeu permet de faire tomber les défenses les plus superficielles ; il prendra donc place normalement lors du premier stade de la vie d'un groupe.

Voici ce que dit Moreno à ce sujet : « On exige de chacun de nous qu'il vive selon son rôle officiel dans la vie : un professeur doit agir en professeur, un élève en élève, etc. Mais chaque individu souhaiterait incarner beaucoup plus de rôles qu'il ne lui est permis d'en jouer dans la vie, ou tout

1. Nous ne parlons pas ici du groupe d'études du cas qui est *ex situ*.

au moins, s'il doit s'en tenir à un rôle, d'en jouer toutes les variantes. Au cours de son développement, chaque individu est sollicité par plusieurs rôles qu'il voudrait traduire en actes. Et c'est la pression active qu'exerce cette pluralité de rôles secrets sur le rôle manifeste et officiel de l'individu qui donne souvent naissance à un sentiment d'anxiété. »

Donc première libération par cette invitation à jouer n'importe quel rôle dans le groupe.

Venons-en maintenant aux rôles relativement fixes qui apparaissent assez régulièrement dans les groupes où chacun se glisse, autant par nécessité intérieure qu'en raison de l'action que les autres membres exercent sur lui.

3. Les rôles clés

Nous avons déjà parlé du rôle de leader. Ce rôle est permanent dans un groupe ; nous voulons dire qu'il apparaît dans tout groupe, bien que le titulaire du rôle ne soit pas toujours la même personne.

Ce rôle, comme tous les autres, définit à la fois une vocation particulière chez la personne qui l'assume et une nécessité du groupe.

Comme nous l'avons déjà dit, il y a un premier stade de la vie du groupe, où les membres ont peur en quelque sorte de se perdre dans le groupe. Freud a écrit : « Le fantasme de l'existence du groupe est étayé par le fait que la régression entraîne pour l'individu une perte de son individualité [1]. » En effet, toute entrée dans le groupe est comme l'entrée dans le milieu familial du bébé : elle est aussi difficile et exige les mêmes efforts ; elle exige, en particulier, que l'enfant abandonne une partie de ses exigences envers la mère, la jouissance exclusive de la mère. Il en est de même de chaque membre qui répète cet épisode de sa vie. Pour échapper à son absorption

---

1. *Psychologie des masses et analyse du moi.*

par le groupe, il s'identifie au thérapeute, c'est-à-dire à celui dont la fonction est justement de ne pas entrer dans le groupe, comme il s'est identifié autrefois à celui de ses parents qui lui a paru garder une certaine souveraineté. Mais tandis que le thérapeute refuse, le leader, lui, essaie de jouer son rôle à l'égard des autres membres. Il pose à celui qui sait, qui interprète, qui donne des solutions. Il ne tarde pas d'ailleurs à jouer ce rôle contre le thérapeute et devient son rival. Dans cette agressivité déclarée à l'égard du thérapeute, il cherche à entraîner tout le monde et à faire l'unanimité contre lui. En un mot il cherche à séduire. Ce rôle a très bien été décrit par le Dr Bion dans *Petits Groupes*. Ce leader est, en général, quelqu'un qui a la parole facile et qui pour cela en impose aisément aux autres, la plupart du temps très embarrassés ; c'est celui qui « fait avancer la discussion », ce dont on lui sait d'abord gré parce qu'il comble les silences et réduit l'angoisse. C'est en général aussi quelqu'un qui rationalise, développe devant son auditoire des rêves d'entente et d'amour quasi religieux. Ce côté délirant met parfois le groupe en danger de s'égarer vers le rêve collectif ; ce n'est pas autrement que les grands chefs séduisent leurs peuples. Mais, dans le groupe, il est bien rare qu'il n'y ait qu'un candidat leader ; il y a donc rivalité entre eux ; bientôt le groupe tout entier réagit. C'est la grande période d'agressivité du groupe et celui-ci se déferait si un élément opposé ne jouait contre cette désagrégation : c'est le but commun du groupe, à savoir la guérison. Le groupe, donc, qui réunit des personnes qui sont venues pour leur bien, se reforme contre le leader et le nie. Il succombe lui-même, bientôt, à leurs attaques ; le groupe sait bien d'ailleurs qu'il est venu lui aussi pour guérir et qu'il ne peut soutenir un rôle de supériorité excentrique.

Ainsi donc, après une période de panique consécutive à une agressivité généralisée (et à ce stade les défections ne sont pas rares), le groupe se resserre et se cherche un *bouc émissaire* qui paiera pour tout le monde. Ce bouc émissaire peut être l'ancien leader. Mais alors il passe d'un rôle actif à un rôle passif. Plus souvent, le bouc émissaire est quelqu'un que sa propre vocation désignerait pour cet emploi, soit que sa vie l'y ait préparé, soit que sa faiblesse l'y oblige momentanément. Ce quelqu'un est évidemment un individu qui ne fait pas peur et dont on ne craint pas des mesures de rétorsion. Ce rôle est très important pour la vie du groupe, car s'il ne se trouve personne pour le tenir, le groupe risque d'être paralysé un bout de temps après le début tumultueux dont nous venons de parler ; et c'est alors qu'il est peut-être bon d'avoir recours au jeu de rôle projectif, comme nous l'avons dit, pour libérer la spontanéité du groupe. Les autres rôles dont nous avons à parler apparaissent à des moments divers de la vie du groupe.

Par exemple, l'*observateur-voyeur* est généralement très mal supporté par les autres. Il n'est pas rare que la personne chargée de l'observation subisse les mêmes attaques ; mais comme elle ne répond pas, les attaques manquent leur but et s'annulent d'elles-mêmes. D'ailleurs l'observateur ne vient pas pour lui ; il n'a donc pas à renoncer à sa fonction ; le voyeur membre du groupe, au contraire, manque son but en restant voyeur car il ne participe pas, ou du moins il participe d'une façon qui n'est pas acceptée par le groupe et se fait attaquer. C'est alors qu'apparaît généralement un autre personnage.

C'est le *saint-bernard.* Il vole au secours du voyeur attaqué comme de toute personne attaquée, depuis le bouc émissaire jusqu'à l'exclu. Il va donc le chercher, le sollicite, l'invite à jouer et se déclare prêt à l'aider. C'est généralement quelqu'un qui a fort besoin d'aide lui-même ; mais en outre il préfère s'occuper du voisin plutôt que de lui-même dans l'espoir qu'ainsi il ne sera pas mis en cause personnellement. Enfin ce rôle est parfois une position de repli pour le leader débarqué ; il trouve là une occasion, sous forme de « paternalisme » de continuer à exercer un certain pouvoir.

On voit donc que du leader au saint-bernard, en passant par le bouc émissaire et le voyeur, il y a tout un jeu subtil qui fait qu'une même personne peut passer de l'un à l'autre, sauf si elle répète, dans ce rôle, une attitude ancienne inconsciente dont elle ne peut se délivrer. Mais chaque membre a tout de même une attitude et un rôle préférentiel dans lequel, comme on dit, « il retombe ».

Il nous reste à examiner les rôles de vedette et d'exclu, qui sont opposés et qui sont eux aussi liés ; car la vedette est parfois jetée à bas de son piédestal et se fait exclure, tandis que l'exclu est celui qui préfère s'exclure plutôt que de ne pas avoir un rôle de vedette. Ce rôle de vedette ne doit pas être assimilé à celui de leader, car il risque de n'exercer qu'une attraction en somme vide de contenu ; c'est de la séduction pour rien, à l'état pur ; la vedette n'a rien à donner ; elle donne seulement à voir et de loin. Le groupe accepte d'abord parce que c'est agréable et que cela évite de se regarder soi-même. Mais ce rôle est par nature décevant et le groupe ne tarde pas à se réveiller. L'exclu, par contre, est celui qui n'arrive pas à prendre visage, oserions-nous dire. Il n'existe pas dans le groupe. C'est infiniment rare. Le groupe ne supporte pas la non-participation et il se trouve toujours un saint-bernard pour aller chercher l'exclu. Celui-ci découvre bientôt qu'il s'exclut lui-même et répète son attitude ancienne. On a parfois du mal, alors, à l'empêcher d'occuper toute la place.

Il ne saurait être question ici d'examiner tous les rôles. Mais nous devons parler encore du double ; c'est celui qui ne peut participer en son nom propre, mais en doublant seulement. Quiconque double éventuellement n'est pas pour autant le double dont nous parlons. Le doublage est trop important pour être réduit à un rôle. Mais il devient un rôle quand il signifie l'impossibilité pour le titulaire d'avancer autrement que « dans le dos » de quelqu'un. C'est le même qui assume souvent le rôle de tierce personne dans les couples. En effet, il est l'ombre de l'un des deux et n'existe pour l'autre qu'en tant qu'ombre. Il y a peu de distance de ce rôle à celui de voyeur. Ce personnage ne s'exclut pas du groupe comme l'exclu dont nous avons parlé ; il y participe, mais pas en son nom propre. Il pousse un pion devant lui ou se met entre deux pions. Il est toujours le tiers exclu, exclu du couple mais non du groupe.

Restent les rôles importants d'*opposant* et de *saboteur*, qui sont tout de même distincts.

En effet le saboteur est celui qui étant exclu n'a de cesse qu'il n'ait démoli le groupe ; son impuissance se traduit par une rage de destruction. L'opposant, au contraire, manifeste à la fois son impossibilité d'appartenir au groupe et le désir de s'y faire admettre et même le dépit de ne pas y être naturellement admis. C'est quelquefois un trop grand désir qui fait l'opposant. Et son opposition est une demande d'amour.

Il y aurait aussi le délirant, mais à notre avis, c'est plutôt un trait psychique ou une simple attitude. Nous arrêtons ici l'examen des rôles clés pour en revenir à la quatrième catégorie : celle des rôles familiaux.

4. Rôles familiaux

Nous les appelons familiaux, mais ils sont définis car ils se répètent dans des rôles sociaux sous de multiples formes : ce sont les rôles de père, mère, grand-père, oncle, cousin, frère, etc. Ce sont ceux-là que nous avons analysés dans le chapitre Ier à propos de l'identification. Ils sont liés aux précédents parce qu'ils les déterminent. Nous voulons dire que les rôles précis décrits dans le paragraphe précédent ne sont que la solidification en quelque sorte d'un rôle familial ancien devenu attitude de base.

Nous n'y reviendrons que pour redire que l'identification inconsciente enfantine, au moment de l'Œdipe, fixe l'enfant dans une certaine relation avec le couple parental où domine l'identification avec l'un des deux. Quand le processus est névrotique (et il l'est presque toujours — qui se sort vraiment de son Œdipe ? —), il enferme le sujet dans une relation duelle dont il ne peut plus sortir puisque c'est un miroir ;

autrement dit, il s'identifie, par exemple, au père jusqu'à lui ressembler ; il en fait son idéal du moi qu'il introjecte ainsi jusqu'à ne plus savoir quel est son être véritable et son propre désir.

A partir de là il devient incapable de nouer d'autres relations, fût-ce avec les autres membres de sa famille. Et quand il aborde le groupe, tous les membres se définissent par rapport à lui, comme les membres de sa famille se sont définis par rapport à sa relation duelle avec son père. D'abord il s'identifie au leader homme, puis il devient la tierce personne entre le leader homme et le leader femme et entre tous les couples du groupe, couples fictifs bien entendu. On voit ici que ces rôles fixes correspondent tous à un rôle familial ancien.

Toutefois, si nous avons défini le rôle comme mobile et momentané, le sujet doit pouvoir se détacher de son rôle familial comme des autres. C'est ici que les thérapeutes font intervenir avec profit ce que nous avons décrit comme *changement de rôles* qui suscite l'autre en soi. Enfin, tout jeu dramatique a cette vertu de permettre à l'acteur de prendre de la distance vis-à-vis de son rôle, car il exige qu'il suscite en lui les quatre personnages du drame familial ; le père, la mère, lui-même (l'enfant) et l'autre lui-même, l'*auteur*, qui les contient tous. A partir de ce moment, l'acteur-auteur est libéré de tous ses rôles familiaux ; il ne répète plus malgré lui son rôle ancien ; il le domine : « Moi, Antonin Artaud, je suis mon fils, mon père, ma mère et moi », écrit A. Artaud dans *Ci-gît*. Il peut l'écrire parce qu'il est avant tout A. Artaud.

La plupart de nos troubles, on le sait, viennent de ce que nous avons endossé dans la vie un rôle qui nous gêne, même quand nous croyons l'avoir choisi. Il arrive même que nous ne sentons plus qu'il nous gêne, et nous attribuons nos échecs à des causes qui leur sont tout à fait étrangères. Tel s'est fait missionnaire, telle autre jardinière d'enfants, tel autre accoucheur ou dentiste ou homme d'affaires, uniquement par défense ou compensation. Ceux-là s'accrochent d'autant plus à leur rôle qu'ils ont peur qu'il les lâche. Ne peut-on aller jusqu'à dire que chacun de nous assume un rôle familial et social qui n'est qu'une défense, un paravent ?

L'individu est trop fragile, même s'il est dit sain, pour aller le visage découvert et sans signe de reconnaissance et d'appartenance. Il n'est donc pas mauvais d'adopter un rôle défensif. Mais il vaut mieux le savoir et ne pas aller jusqu'à se nier soi-même. Le psychodrame est là pour rappeler à ceux qui l'avaient trop oublié qu'il existe d'autres rôles que celui qu'ils ont endossé. Le psychodrame est là pour faire bouger les rôles. Les participants doivent arriver à adopter spontanément tel ou tel rôle sans s'y attacher indûment.

Ainsi le sujet ne se confond pas avec son rôle. Dès qu'il se laisse cataloguer, il n'est plus libre. Il lui faut réapprendre à inventer continuellement son rôle. C'est exactement ce que chacun fait en psychodrame. Nous avons dit qu'au départ les participants ont peur de se perdre dans le groupe et empruntent certains rôles qui les maintiennent en dehors : leader, exclu, saboteur, etc. Mais c'est vrai de tous les rôles. Nous arrivons ici à une compréhension plus profonde du rôle. L'individu s'attache à son rôle dans la mesure même où il craint de perdre son individualité. D'où la permanence des rôles clés dans un premier stade de la vie du groupe. Quand tous les rôles bougent librement, c'est le signe que chacun a repris son statut de sujet. Mais ce statut n'est pas aussi palpable qu'un rôle. On ne s'y installe pas ; on ne s'y cramponne pas. Il n'est pas confortable. Le psychodrame ne nous invite pas à une vie plus confortable, mais à une plus grande liberté et à une plus grande vérité. Il se trouve que l'homme ne peut faire à moins.

Il reste à dire qu'une trop grande souplesse à adopter tous les rôles répond à cette identification à tous dont nous avons parlé plus haut : ce n'est pas le signe que le sujet a été rétabli à sa place de sujet, bien au contraire. Cette trop grande souplesse est celle, non seulement des individus, mais de tout un groupe qui suit un leader délirant. C'est une fuite hors de soi. La véritable identification progressive, avons-nous dit, suppose un sujet solide qui peut tenir un rôle sans se confondre avec lui ; qui peut accepter ou refuser un rôle, parce qu'il n'y a pas en lui de vide à combler. C'est toute l'histoire de *Se trouver* de Pirandello, que notre club psychodramatique[1] a choisi pour une de ses séances (et on ne pouvait faire meilleur choix). Il s'agit d'une actrice qui ne sait plus qui elle est ; elle vit ses rôles ; elle ne s'en distingue pas en tant que sujet. L'amour la rend un moment à elle-même ; mais alors elle ne peut plus jouer.

Ce dont il s'agit en psychodrame, c'est de « se trouver » en deçà et au-delà des rôles. En ce sens il répond assez bien au théâtre de la cruauté d'Antonin Artaud, déjà nommé, et de Beckett, plus proche de nous. Cruel, il l'est parce qu'il nous arrache à nos défenses et à notre confort ; il nous somme de nous réinventer sur cette scène imaginaire et sans compromis où, de régression en régression, nous parvenons à une seconde naissance, à ce qui serait notre parole la plus authentique. Il ne s'agit pas de rôles appris par cœur, bien léchés, bien articulés et bien joués. Surtout pas. Il s'agit de tâtonnements, de murmures, de joies et de peurs. La découverte et la constitution du sujet sont au bout.

LE MOI AUXILIAIRE

Son rôle, son action

On demande à l'ego auxiliaire de *jouer le rôle d'un personnage inconnu* pour être l'antagoniste de l'acteur principal qui a suscité le jeu. Il campe le personnage en se fondant sur la description de l'acteur principal. On lui demande d'imiter ce

1. Un peu en marge des groupes de psychodrames, nous avons créé des clubs psychodramatiques où les scènes jouées sont empruntées au théâtre et au cinéma.

personnage. L'imitation consiste à cerner certains de ses traits — cerner seulement. Mon père est grand (le moi auxiliaire ne l'est pas), il a soixante ans (l'ego auxiliaire trente), il se tient un peu voûté (l'ego auxiliaire voûte ses épaules), il est l'incarnation même de ses nobles ancêtres, très viril d'allure comme le peut être un ancien officier. L'ego auxiliaire est roturier, il prend l'allure « militaire ». La disparité entre son modèle et lui n'importe guère : il suffit de quelque trait significatif pour remettre en route les automatismes de répétition du protagoniste.

On joue la scène.

Le fils, Bertrand, reproche à son père de vouloir vendre la propriété de famille à laquelle ils sont, lui et ses frères, très attachés. Le père a quitté leur mère il y a plusieurs années pour aller vivre ailleurs. Il ne revient que très rarement et il a chargé Bertrand d'administrer ce bien, ce dont ce dernier s'acquitte avec ponctualité.

L'ego auxiliaire, Paul, qui donne la réplique, a le choix entre deux attitudes. Il pourrait jouer le rôle du père tel que le fils le décrit : fier, d'allure martiale, cassant, s'exprimant au moyen de poncifs et de formules empruntées à une tradition qui honore un blason. Mais il va très vite se fonder sur les attitudes de Bertrand pour se laisser induire dans son rôle.

Dans ce dialogue étonnant, on verra le fils reproduire, sans s'en rendre compte, les attitudes familières : fuir le regard du père, la tête baissée comme un petit garçon qui craint la gifle, cette gifle libératrice qui arrêterait toute conversation. Mais, au fur et à mesure que se déroule le jeu, le père apparaît de moins en moins comme l'a décrit son fils. C'est un personnage humain, sensible, faible peut-être et finalement assez compréhensif. C'est la crainte que le fils en a qui lui a fait construire cette fausse image ; le jeu va le révéler tel qu'il est : « On dirait que vous le connaissez », s'étonne Bertrand, « où l'avez-vous rencontré ? » Il ne peut croire que l'on puisse prononcer les phrases mêmes de son père sans le connaître. L'ego auxiliaire le représente bien tel qu'il est.

Donc l'ego auxiliaire, entre les deux manières de jouer — se fonder sur la description de l'acteur principal ou vivre la relation telle qu'il la sent —, choisit la seconde ; se laissant induire, il habite son rôle ; on verra qu'il ne peut le faire que s'il est dans le même temps Bertrand, auquel il donne la réplique, et le père.

Dans le premier cas on parlera d'imitation, dans le second d'identification. Dans le premier cas il ne sait que répondre à une demande, dans le second il accouche le patient de ce qu'il est vraiment. Donc, au lieu d'obéir à ce que réclamait Bertrand, de rejouer la relation telle que celui-ci la concevait, il a représenté la situation telle qu'il la vivait. Mais la représentation a une autre vertu : du fait que ce n'était plus un père auquel il s'affrontait, mais Paul qu'il rencontrait, c'est-à-dire le troisième personnage grâce auquel à son insu il explorait d'autres possibilités que celles de la relation duelle. le psychodrame lui représente son père comme un *il*, comme quelqu'un dont il parle à un témoin et non tel qu'il se le donne à lui-même.

Quel effet thérapeutique attendre d'une pure et simple restitution ?

Il se pourrait en effet que Bertrand fût assez fixé à ce père pour halluciner son existence ; pour faire de Paul un substitut de ce personnage et, l'investissant de la même puissance illusoire, se comporter vis-à-vis de lui dans la suite des séances comme il l'a toujours fait ; se cherchant un père, il l'aurait trouvé en Paul. Il s'agirait là de pure répétition. Cela se voit. Ce n'est pas ici le cas.

Mais Bertrand reproduit la relation père-fils de son enfance, il le fait comme si une troisième personne — un spectateur, voire un metteur en scène — était présent.

Donc la différence entre la répétition de son rôle dans la vie et la répétition représentée est celle-ci : une distance est prise du fait que :

1. Il n'a pas son père en face de lui mais Paul ;
2. Il est non seulement l'acteur mais l'auteur de la scène[1].

Dès le moment où Bertrand ne prend pas le moi auxiliaire pour son père, il se trouve en présence de deux images :

— la figure paternelle ;
— celle de l'ego auxiliaire.

Il s'étonne : « Qui êtes-vous pour le connaître aussi bien ? » Paul répond : « Je me suis laissé induire par vous. » Il le renvoie à lui-même. « Vous ignorez qui vous êtes mais moi, l'étranger, le spectateur, je vous ai perçu. » « Comment puis-je me méprendre à ce point sur moi-même ? » Tel est le dialogue entre Bertrand et son *alter ego*.

On sait que Moreno considère le *renversement des rôles* comme essentiel[2].

Quand l'ego auxiliaire prend le rôle de l'acteur principal, quand Paul prend, dans le jeu, le rôle de Bertrand, leur substitution montre clairement à Bertrand comment il s'est comporté, dans la scène, vis-à-vis de son père. Il se voit en Paul quand Paul imite son attitude fuyante. Mais pour que cette imitation ne prenne pas l'aspect d'une charge grossière, il est indispensable que Paul se mette dans la peau de Bertrand, qu'il s'identifie à lui : *qu'il ressente la peur de Bertrand.*

La séance avait débuté par une conversation sur la peur. Bertrand avait confié la jouissance qu'il éprouvait à vaincre sa peur lorsqu'il sautait en parachute. S'il avait longtemps persisté dans ce sport militaire, c'est parce qu'il voulait dépasser son propre père. Dans l'affrontement du jeu, si Paul ressent la peur de Bertrand et fait effort pour la vaincre, c'est

---

1. Cf. le *fort-da*.
2. Quand l'enfant devient capable de prendre le rôle de la mère vis-à-vis de celle-ci, puis plus tard ce rôle vis-à-vis d'une autre personne, il est sauvé. Sauvé par l'action. Pour Moreno c'est, en effet, en agissant que l'on s'identifie à autrui.

parce qu'il a imité l'attitude corporelle de celui-ci, son attitude en retrait et jusqu'à son regard fuyant, jusqu'à sa respiration. Grâce à cette imitation, il a commencé d'éprouver les émotions et sentiments de son modèle, puis il a pu oublier celui-ci, être Bertrand.

Donc cette expérience d'autrui est fondée sur la capacité qu'a l'imaginaire de nous induire, jusqu'à l'éprouver, dans le rôle d'un autre. Cela étonnait Hamlet qui se demandait comment des acteurs peuvent s'attrister des malheurs d'Hécube, mais non point Pascal qui conseillait au sceptique de s'agenouiller pour croire. Il suffit donc d'imiter au début les attitudes corporelles pour les incarner à la fin.

Cette incarnation du rôle peut aller, on l'a vu, jusqu'à rectifier le portrait qui en est fait. Cela parce que l'identification, au contraire de l'imitation, suppose toujours que le moi auxiliaire soit l'un et l'autre personnage, le père *et* Bertrand. Aussi, quand au moment des renversements de rôle il joue le rôle de Bertrand, il l'incarne d'autant mieux qu'il l'incarnait déjà quand il jouait le rôle de son père. Il s'agit en somme d'une identification au second degré (en vérité, il n'y a pas de modèle princeps).

Ce qui précède nous montre que l'acteur principal et le moi auxiliaire ne vivent pas dans le jeu une expérience identique ; quand le moi auxiliaire incarnait successivement le père puis Bertrand, au moment du changement de rôle, il était l'un et l'autre.

Au contraire, Bertrand ne revivait que sa seule expérience. Il ne parvenait ni à se voir assez ni à se sentir assez l'autre pour se mettre dans sa peau, ce à quoi le moi auxiliaire parvenait.

On peut ainsi dire, pour reprendre la distinction établie dans le propos sur l'identification [1], que la dissymétrie des expériences résidait en ceci que le premier vivait une identification de type progressif, actuelle, tandis que le second répétait un

1. Cf. chap. I, p. 84.

rôle passé régressif. L'identification de l'ego auxiliaire comprenait un troisième personnage ; Bertrand, lui, ne revivait que l'expérience duelle qui lui est propre.

Les *apartés* du moi auxiliaire pendant le jeu, *ses commentaires* après le jeu (ainsi que ceux des autres participants) serviront à traduire en langage clair ce qui a pu n'être exprimé que sous forme de geste et d'intention.

L'aparté éclaire dans ce sens l'acteur sur les intentions du moi auxiliaire, mais aussi sur le personnage d'en face.

Quand Paul dit en aparté :

— Mais enfin que me veut-il ?

Bertrand répond par un autre aparté :

— Que tu me reconnaisses comme ton fils.

Lorsqu'il reprend la discussion au sujet de la vente de la propriété, le ton n'est plus le même ; la propriété apparaît pour ce qu'elle est : le sol qui porte un nom (qui n'est autre que le nom du père) et qui ne peut tomber entre des mains étrangères.

Après ce jeu, Bertrand reconnaît qu'il est toujours fuyant. Puis il enchaîne : « Je me suis souvenu, à de multiples reprises, de contacts avec mon père dont j'ai gardé un excellent souvenir : c'était lorsque nous défilions tous deux sur les Champs-Elysées en tenue. Et aussi lorsque j'avais douze ans il a décidé de ne s'adresser à moi qu'en anglais. Je tirais de ce jeu joie et fierté. Et aussi lorsque nous montions tous deux à cheval. » — Les bons souvenirs de l'enfance réapparaissent, preuve que la tension de Bertrand s'est apaisée.

Grâce à ce jeu, par-delà l'hostilité due en grande partie à la peur qu'il lui inspire, Bertrand retrouve donc son père. Pourtant il nous dit avoir été dans l'incapacité absolue de se mettre dans sa peau. Il ne pouvait imiter cette façon d'être dur, sans nuance, qui lui avait inspiré tant de terreur. Il a pu, grâce au jeu qui vient de se dérouler, reconnaître pourquoi il s'était trompé sur lui : c'est un sentimental. Alors comment jouer un rôle qui ne correspond pas à la véritable personne ? On pourrait aller plus loin et dire que le père qu'il a ne ressemble pas au père qu'il aurait voulu avoir (Bertrand est plus « culotte de peau » que son père, disait un des participants). S'il n'a pu jouer le rôle de son père, c'est parce qu'il s'est refusé à abandonner l'image du père fort, refusé à ressentir la détresse de celui-ci. Sa haine qui cache une défense contre son amour s'en serait allée et aurait fait place à la culpabilité que lui inspirait cet amour.

Nous voici arrivés au terme de l'histoire du jeu de Bertrand et de Paul.

Bertrand aura fait un progrès sensible le jour où il pourra s'identifier dans un jeu à ce père qu'il connaissait si mal. Car, ce jour-là, il aura abandonné la fausse image du père idéal et il aura compris, comme l'ont déjà fait le moi auxiliaire et le groupe, ce qu'il est vraiment.

On voit apparaître ici en quoi consiste le rôle du moi auxiliaire : il permet de faire mesurer à l'acteur principal la distance entre le personnage qu'il revit et celui que son vis-à-vis incarne. C'est lorsqu'il devient capable de ressentir — de vivre dans son corps — le rôle de l'autre que la distance qui l'en séparait s'efface et que l'angoisse d'être l'autre disparaît. Il ne s'agit de rien de moins que d'identification.

C'est dans cette distance entre l'identification et la compulsion répétitive que l'on peut trouver les germes de ce *malentendu* essentiel qui sépare souvent à leur insu moi auxiliaire et protagoniste principal : un moi auxiliaire peut se tromper ou encore donner la réplique avec une tout autre intention que celle que lui attribue l'acteur sans que pour autant le jeu dramatique soit toujours compromis. D'ailleurs, si le moi auxiliaire ne répond pas comme il convient, le changement de rôle permet de rectifier la situation.

Mais pourquoi ce malentendu n'empêche-t-il pas deux acteurs de se donner la réplique ?

Il y a à cela deux raisons qui se complètent l'une l'autre :

1. On a vu que les deux protagonistes ne parlent jamais

tout à fait le même langage du fait des deux niveaux différents auxquels ils se situent. Tandis que l'acteur répète son rôle de toujours, le moi auxiliaire conserve sa position de témoin. Le rôle qu'il joue est un rôle possible, il n'en est pas prisonnier, il n'a aucune compulsion à le revivre.

2. L'acteur peut être tellement captif de sa répétition qu'il tend à retrouver partout dans le monde extérieur des signes qui lui permettent de la recommencer : pour qui cherche un support à ses projections tout est prétexte. « Je ne voyais plus l'ego auxiliaire qui jouait mon père, tellement j'étais dans ses propres sentiments », disait, dans un autre psychodrame, un patient qui n'est pas Bertrand. Cette attitude montre qu'à la limite le moteur est assez puissant pour fonctionner sans essence. Ceci n'est pas fait pour surprendre. On le voit bien quand, dans le groupe, chacun cherche dès l'abord à nouer une relation avec les personnes avec lesquelles il ressent des affinités et les choisit pour jouer avec lui. Le choix par l'acteur du moi auxiliaire qui lui donne la réplique correspond au besoin de retrouver dans le groupe l'interlocuteur qui lui fera revivre la relation duelle de toujours.

L'exemple de Bertrand a mis en relief ce qui sépare le moi auxiliaire de l'acteur principal et montré pourquoi celui-ci avait été incapable d'indiquer à son antagoniste ce qui lui eût permis de se faire une image exacte du rôle qu'il avait à tenir.

Il arrive fréquemment aussi que lorsqu'on renverse les rôles l'acteur principal joue avec plus d'aisance le rôle de l'autre que le sien propre. Mais, ô surprise, la difficulté rencontrée dans la relation réelle de la vie ne se répète pas dans le psychodrame. Le bègue s'arrête de bégayer dès qu'il change de rôle. Quand il joue le rôle de sa fiancée, Philippe nous la rend sensible. Il nous fait comprendre pourquoi celle-ci le refuse : il ne respecte pas son autonomie, les exigences dont il l'assaille la détournent de ses propres fins (rester une femme libre, continuer ses études, trouver en elle-même une sécurité que celui-ci ne lui apporte pas) ; quand il est la fiancée il reprend à son compte sans bégayer les objections qu'il avait soufflées à l'antagoniste.

La relation psychodramatique est là pour nous révéler qu'il est autant la victime que l'agresseur. S'il ne s'éprouvait qu'en tant que victime, c'est que son angoisse prédominait, lui faisant oublier son désir, l'effaçant comme sujet. Dans le jeu, il peut s'éprouver aussi comme agresseur, mais ne fait rien d'autre que d'entrer dans un rapport à deux où il se réduit au même indéfiniment répété.

Contrairement à Bertrand, Philippe ne méconnaît nullement l'autre : sa fiancée n'est pas son image idéale. Cependant, il se perd comme sujet. Et lui permettant de représenter leur relation, le psychodrame lui en fait retrouver la trace. Philippe se voit dans le moi auxiliaire, il retrouve, en jouant le rôle de sa fiancée, ce que celle-ci ressent elle-même et les commentaires des participants et de l'animateur l'y aident de surcroît.

En aidant l'acteur principal à se détacher de son angoisse et à jouer le rôle de l'autre, le renversement des rôles lui en révèle donc l'interchangeabilité et la relativité.

Ce qui vient d'être dit du renversement des rôles montre qu'on ne peut en laisser la technique au hasard. Il faut la systématiser. Dans quelles circonstances est-il opportun au cours d'un jeu dramatique de renverser les rôles ?

1. Quand l'acteur principal n'est pas satisfait du jeu du moi auxiliaire, on renverse les rôles pour permettre à ce dernier de rectifier l'idée qu'il se fait du comportement de celui qu'il doit incarner.

Il arrive aussi — nous l'avons vu avec Bertrand — que l'acteur principal soit incapable d'imiter son antagoniste. Dans ce cas il ne reste plus au moi auxiliaire que la ressource d'inventer le rôle en se laissant induire.

2. Quand une parole importante est prononcée, le renversement de rôle peut permettre à l'acteur principal de se répondre à lui-même, d'imaginer comment son antagoniste lui répondrait ou ce qu'il désire entendre.

La question comporte en effet souvent en elle-même quelque réponse (du fait de la complémentarité des rôles). On l'a vu pour Philippe qui se répond à lui-même quand il prend le rôle de sa fiancée.

3. On peut aussi d'emblée faire jouer à l'acteur principal le rôle de l'autre, le moi auxiliaire interprétant dans ce cas le rôle principal.

Il est d'usage courant dans les groupes médicaux d'étude de cas que le médecin joue dès le début le rôle de son client [1].

4. Il est aussi des cas où le jeu languit par suite d'une baisse de tension entre les deux partenaires. Le renversement de rôle est un des moyens utilisés pour faire resurgir le drame.

Un second point de technique concerne le *choix du moi auxiliaire*. Il est indispensable que celui-ci possède un des traits qui font penser à ceux du personnage qu'il a à représenter.

Le choix est fait par l'acteur principal. Mais quand il est par trop aberrant, et si le participant qui a fait l'objet de ce choix ne refuse pas le rôle, l'animateur peut intervenir pour le modifier. Simone Blajan cite le cas d'une femme battue par son mari qui, pour rejouer la scène, choisit un moi auxiliaire doux et timide. Le choix lui-même est à analyser dans ce cas. Il n'est pas rare non plus que l'acteur choisisse une

1. Cf. chap. V, p. 288.

femme pour jouer le rôle d'un homme — il a apparemment ses raisons.

On a dit plus haut que les choix que l'acteur principal fait du moi auxiliaire sont fondés sur la ressemblance, les affinités, la sympathie ou l'antipathie. Encore faut-il distinguer les raisons qui président à ces choix dans les séminaires de deux jours[1] et dans les groupes hebdomadaires ; elles sont différentes. Dans les groupes de deux jours, le choix portera davantage sur les sujets les plus aptes à dramatiser les situations. Dans les groupes hebdomadaires[1], les choix sont plus permanents : c'est par exemple toujours la même participante qui fera la mère ; cela correspond au rôle de la personne dans le groupe. Quant à la participante, elle peut aimer ce rôle permanent. La raison en est qu'elle veut être mère parce qu'elle aurait voulu en *avoir* une. Mais un beau jour elle ne sera plus choisie et il y aura une raison.

Certains participants, enfin, ne sont jamais choisis. Les raisons en sont fort diverses et liées à leur statut sociométrique, soit qu'ils soient trop effacés, soit au contraire encombrants ou fassent peur, ou qu'ils soient incapables d'une manière générale de s'identifier à quelque rôle que ce soit, etc.

Pour nous résumer, nous dirons que lorsqu'il joue le rôle de l'autre, l'ego auxiliaire a le choix entre deux attitudes : jouer un rôle conforme à la description de l'acteur principal ou se laisser induire par lui : imiter ou s'identifier. La pierre de touche de l'identification c'est le corps, le ressenti.

On a vu qu'il n'est pas toujours nécessaire que l'identification commence par l'imitation ; en se laissant induire, le moi auxiliaire de Bertrand ne se fondait que sur l'attitude de celui-ci puisqu'il ne pouvait se fier à sa description. Cette

1. Les groupes de deux jours sont des groupes de psychodrame intensif (sept séances consécutives), les séances des groupes hebdomadaires durent une heure et demie.

induction supposait une double identification au père et à Bertrand.

L'*imitation* est l'autre voie qui mène à l'*identification* : l'adoption d'une attitude corporelle prédispose à éprouver l'affect correspondant. Quoi d'étonnant à cela puisque les traits imités sont significatifs dès l'enfance et que ce sont eux qui accompagnent la communication verbale ?

Le renversement de rôle peut servir à corriger une attitude défectueuse du moi auxiliaire et à lui faire reprendre l'attitude juste. Il offre aussi l'avantage de montrer à l'acteur principal comment il se comporte et comment on le voit. Il lui permet exactement de se reconnaître dans son antagoniste [1].

Il y a toujours un malentendu plus ou moins grand dans la relation des deux personnages antagonistes qui tient à la différence de niveau qui existe nécessairement entre l'identification de l'un (moi auxiliaire) et l'automatisme de répétition de l'autre (acteur principal).

Le but du jeu est précisément de rendre le patient apte à se mettre à la place de son interlocuteur ou, pour tout dire, apte à rejoindre ce troisième lieu dont le moi auxiliaire lui montre le chemin.

LE CAS DE BERTRAND

Les rôles familiaux, avons-nous dit à la suite de Lévi-Strauss, se réduisent à la filiation, au lien conjugal et au lien fraternel. Nous pouvons décrire ici un cas de filiation particulièrement clair. Revenons-en à Bertrand, dont le traitement remania profondément les relations qu'il avait avec autrui.

Il était, on l'a vu, de famille noble, et ceci eut son importance. Aîné d'une famille de six enfants, il était âgé de trente-

1. Voir l'exemple de Philippe.

cinq ans. Il était lui-même père de deux fillettes de trois et cinq ans. Il dirigeait le service commercial d'une grande firme. Physiquement, c'était un grand garçon de belle prestance dont les yeux bleus regardaient intensément. On s'aperçut vite que sa fière allure cachait une timidité et que l'insistance de ses yeux exprimait une demande.

On apprit un peu plus tard qu'il a été élevé par une grand-mère maternelle et non par ses parents. Elle avait elle-même, assez tard, eu un dernier fils, oncle de Bertrand de six ans son aîné. Cet oncle fut à la fois une sorte de frère et de père, et il a conservé son ascendant. Le propre père de Bertrand, officier, a toujours guerroyé de par le monde (en Indochine, puis en Algérie), ce qui a été pour cet homme un moyen de concilier les vicissitudes de sa vie conjugale et les nécessités d'une carrière. Lui et sa femme ont toujours vécu séparés, ce qui explique que Bertrand n'ait connu, dans son enfance, que le foyer de sa grand-mère.

Cette grand-mère apparaît au cours du traitement comme le personnage intérieur menaçant qui surveille ses actions ; elle lui sert de surmoi, ce qui va compliquer son identification virile.

Quant à l'idéal du moi, qu'il a fini par se constituer, c'est un ancêtre mort. Il ne l'a jamais connu puisqu'il a vécu à la fin du XVIIIe siècle. C'était un bâtard. Il s'est intéressé à lui au point de commencer à écrire sa biographie. Bertrand ne réalisa que plus tard en analyse [1] qu'il est ce « bâtard » noble qui a forcé les autres à le reconnaître.

Ce sont les traits de cet ancêtre qu'il commence à prêter à son père quand il le décrit fier et d'allure martiale. Mais un jeu décisif [2] l'amène à transformer cette image. On venait de parler de sa peur de sauter en parachute : il la distinguait de celle qu'il éprouve le matin. « Lorsque je m'éveille le matin, j'ai peur ; ce n'est pas la même peur que cette peur

1. Cf. chap. VI « Psychodrame et psychanalyse », p. 323.
2. Cf. p. 106.

animale, vitale. Quand je saute en parachute, c'est un défi que je lance à mon père. Il n'a jamais osé être parachutiste et j'ai osé. » Il n'est pas loin d'apercevoir la faille de ce père prestigieux. C'est parce qu'il y est préparé que le jeu dont il est question plus haut aura des conséquences considérables pour lui.

Après le jeu, la peur tombée, Bertrand se rappelle donc les nombreux contacts amicaux qu'il a eus avec son père et qu'il avait oubliés. Le contenu de son propos n'est plus celui de leur rivalité comme avant le psychodrame. Il vient de retrouver son identification la plus inconsciente. C'est la toute première manifestation selon Freud d'un attachement affectif à une autre personne [1].

Il a retrouvé ce jour-là son père, qu'il avait refusé de prendre pour modèle au nom d'un idéal plus conforme à son histoire et à sa névrose. Il lui avait substitué un idéal du moi mythique dont on voit bien le rôle d'écran qu'il jouait quand il s'était choisi le bâtard pour modèle.

Mais la scène eut encore un autre effet : le statut de Bertrand, sa place dans le groupe, changea. L'autorité orgueilleuse qu'il manifestait céda à la simplicité. Il ne lui était d'ailleurs plus possible de se présenter autrement : ce qu'il lisait dans le regard des autres ne le lui permettait plus. Le groupe assume l'histoire de chacun.

Cette façade qu'il interposait entre lui et autrui avait craqué, en même temps qu'il découvrait la castration de son père et acceptait de la reprendre à son compte. C'est au niveau de l'identification refusée au parent de même sexe que se situe sa castration. Mais le savoir qu'il acquiert sur lui-même prend, du fait des témoins, une dimension collective. Leur présence et leur regard l'empêchent désormais de retourner en arrière, de faire que cette scène n'ait pas eu lieu. Sa faille est entérinée par eux (chacun est un thérapeute pour l'autre).

---

1. Cf. Freud, *Psychologie des masses*, chap. VII, « L'identification ».

En groupe, assumer sa castration c'est donc déchirer le dernier voile. Parce qu'il se sent regardé, il y a toujours une limite que tout participant refuse momentanément de franchir, parce qu'elle le ferait changer de statut : celle où il accepte de se reconnaître dans le parent qui lui fait perdre la face ; c'est-à-dire que se désagrège cette défense que le moi idéal a édifiée entre lui et les autres (au nom de l'idéal du moi, cet ancêtre, chez Bertrand). Ce qu'il refusait essentiellement c'était d'abandonner son statut et de se reconnaître châtré — c'est-à-dire semblable au modèle premier auquel sa névrose a substitué un modèle second de ce qu'il voudrait être, c'est-à-dire plus fort parce que paré de vertus imaginaires, mais plus faible en vérité parce que forgé dans le mensonge.

Notons qu'on ne s'identifie pas à la totalité de la personne qui a servi de modèle, mais à un trait qui marque un désir de celle-ci ; c'est-à-dire à une faille par quoi elle est vulnérable. C'est elle qui entre en résonance avec le manque fondamental de tout être humain, qui pousse à agir ; mais aussi à dépendre d'un autre pour l'apaisement de son angoisse ou pour la satisfaction de son désir.

Le diagnostic de l'Œdipe pathologique

En possession des repères qui ont été dégagés à propos de Bertrand, le diagnostic de l'Œdipe pathologique apparaît comme étant un diagnostic de structure. L'intérêt de la méthode psychodramatique est de rendre celui-ci aussi rapide qu'aisé, souvent en une seule séance l'essentiel apparaît ; le psychodrame permet de dégager comme sur une coupe sagittale des éléments essentiels présents dans la vie d'un individu. Ce sont ces éléments qui sont ensuite repris et dénoncés sous les masques divers qu'empruntent les automatismes de répétition, puis remaniés dans le groupe.

Pour ce qui est de Bertrand, la substitution au père réel d'un père idéal mort permet de faire le diagnostic de structure obsessionnelle. Mais, dira-t-on, c'est un mauvais exemple puisque sa cure de psychodrame a duré deux ans et puisqu'il était en analyse depuis plus longtemps au moment où son thérapeute décida de le faire entrer dans un groupe pour accélérer sa prise de conscience.

Notons ici que le psychodrame exerce, principalement chez les obsessionnels, un effet accélérateur pour l'analyse.

Mais, pour tenir compte de cette objection, nous citerons un exemple de diagnostic de structure obsessionnelle fait au cours d'une session intensive, chez un médecin qui n'était pas venu pour parler de lui mais de ses cas. René, au lieu de se vouloir le fils de son père — un très modeste artisan —, se voulait le descendant d'un noble qui avait séduit son arrière-grand-mère. Et comme sa tante, la sœur de sa mère, avait épousé un noble, il se voulait le fils de cette tante. Le nouveau couple postiche était tellement vivant dans son imaginaire qu'il en faisait des erreurs de génération, dont le détail serait ici fastidieux [1].

Ce refus de filiation, typique de l'Œdipe obsessionnel, est apparu grâce à cette manœuvre du thérapeute et qui caractérise la méthode psychodramatique : référer au passé ce qui est vécu comme présent, qu'il s'agisse de ce qui est vécu dans le groupe ou dans la vie de tous les jours. La découverte de ce roman familial fut accompagnée d'une intense dramatisation : René n'aurait pu la faire dans un « groupe Balint » car les affects n'y sont pas vécus à un aussi haut degré.

Mais toutes les pièces des quatre éléments (idéal du moi, surmoi, moi idéal, identification inconsciente) ne sont pas présentes d'emblée dans le diagnostic. L'une d'elles peut, en effet, manquer.

Si on aperçoit aisément, chez René, l'idéal du moi (le comte), le moi idéal (personnalité hautaine), l'identification inconsciente au père refusé (son angoisse et son malaise

1. Cf. chap. V « Etude de cas ». Voir récit complet du cas René, p. 295.

témoignent à la fois de ce qu'il s'est identifié à ce père et de ce qu'il le condamne au nom d'un père idéal), on n'aperçoit pas dans cette séance le surmoi.

C'est le contraire qui se produit avec Maurice connu au cours d'une autre session. On aperçoit surtout comment s'est constitué son surmoi. Aîné de ses frères et sœurs, il a eu, en tant qu'aîné, à réinventer la loi. Ayant dénié à son père le droit de parler, il cherche une parole neuve, une parole à lui. Il joue l'unique scène qui date de ses seize ans, où ils parlèrent ensemble. « Est-ce que vivre c'est seulement manger et travailler, faire l'amour ? » questionnait-il. « Il doit y avoir autre chose mais je ne sais pas », répondait le père.

Ce que Maurice n'admet pas, c'est que son père ne soit qu'un fils, un fils qui recommence ce que d'autres fils ont fait avant lui. N'ayant pas trouvé la loi chez son père, il n'a pu, comme René ou Bertrand, l'attribuer à un ancêtre mort, il n'a que sa propre parole pour référence : pour faire que le commencement ne soit un recommencement il lui faut créer un ordre nouveau, un ordre qu'il veut politique et révolutionnaire qui abolisse les générations antérieures de ces fils qui ne savent pas être des pères. Cette parole nouvelle, d'un autre ordre, vient à la place du phallus qui manque au père. A la loi de cet homme, il substitue celle d'un surmoi sadique qui s'est chargé de toute l'agressivité que lui procure son sentiment d'insécurité.

Quant à la femme, comment faire l'amour avec elle sans que tout recommence ? Si, à l'inverse de René et de Bertrand, il est célibataire, c'est parce que le phallus que vainement il cherche à susciter n'a pas commencé à fonctionner. Quand on n'a pas trouvé de loi pour limiter l'angoisse de la jouissance, que faire de la relation charnelle ? Parce que son Œdipe ne lui autorise pas la sexualité, Maurice préfère la castration au fait de vivre sans loi.

Si, dans l'Œdipe obsessionnel, le père est escamoté, il est souvent, dans l'Œdipe hystérique, rendu impuissant. Celle qui est éliminée, c'est la mère. Pour l'hystérique le désir est ailleurs, il y a toujours une famille K... où fonctionne le phallus. On se souvient que dans le cas de Dora le père est impuissant et la mère terne et sans intérêt, atteinte de la « folie de la ménagère ».

Pour Rosemary, le couple des thérapeutes représente le couple des K... « Prêtez-moi votre mari, soyez certaine que je vous le rendrai », lance-t-elle à la thérapeute. Elle ne peut désirer que ce que l'autre désire, elle ne peut assumer sa propre féminité car la question reste : suis-je femme, suis-je homme ?

Son père a été non pas impuissant, comme le père de Dora, mais en faillite quand elle avait six ans. Quant à sa mère, elle est celle qui fait bouffer, et elle refuse de lui ressembler. Elle lui ressemble cependant : elle est celle qui se fait consommer par les hommes. Elle reste d'ailleurs avec John dont elle joue la rencontre, à un niveau de consommation réciproque ; le seul reproche qu'elle lui adresse est qu'il refuse de partager avec elle ses loisirs. « Je le prenais pour objet de plaisir, mais il ne voulait pas être un objet de loisir, je lui reprochais de me faire jouer un rôle de mère. » Sa plainte : « On ne m'aime pas, on ne me désire pas, je souffre » pourrait lui être retournée : tu n'aimes personne, tu ne désires personne, tu ne pèses que les mérites et les démérites de l'homme du moment, tu le considères comme un objet.

Il suffit d'une session de psychodrame pour faire un diagnostic de structure. Tout apparaît très rapidement pour qui possède les repères nécessaires. Chez Rosemary, les parents idéaux sont les thérapeutes avec lesquels elle répète inlassablement sa conduite de désir, le désir de la femme qui lui sert de modèle. Quant à l'identification maternelle, elle est, on l'a vu, refusée. Pourtant elle reconnaîtra que sa mère l'aime profondément. Mais elle veut l'ignorer et demeure au niveau de l'image qu'elle a choisi de garder de la femme. Grâce à quoi elle réitère sans arrêt sa plainte de ne pas être aimée.

LES RÔLES

Grâce à la répétition en groupe d'un rôle familial, mais aussi du fait que le thérapeute réfère au passé ce qui est vécu comme projection, le psychodrame se présente comme un moyen de diagnostic rapide et sûr. La méthode psychodramatique reste également l'instrument de choix pour démasquer ce qui se présente dans les études de cas de groupes de thérapeutes comme difficulté de relation et point aveugle : c'est toujours l'Œdipe du médecin qui est en cause.

Mais le psychodrame est surtout un outil thérapeutique : à repérer la place des différentes instances, on aboutit à dévoiler au patient son nœud névrotique majeur qui consiste dans un refus inconscient d'identification. Le parent est rejeté le plus souvent parce que l'enfant refuse sa névrose.

C'est dans le démasquage et l'épuisement des répétitions qui se superposent que réside bien souvent tout l'efficace du psychodrame : dévoiler au sujet le refus de castration qui se cache sous le refus d'identification apparaît comme une des visées les plus importantes, sinon la dernière de la cure.

LE DISCOURS DU GROUPE

A n'importe quel moment du psychodrame (conversation, jeu) un discours se noue entre les participants.

Comment naît-il ? Où va-t-il ? C'est ce qu'un exemple de séminaire de fin de semaine essaiera de montrer. Il montrera aussi comment l'écoute des thérapeutes favorisa son progrès grâce au repérage de ses moments significatifs.

1. Naissance du discours

Le discours du groupe consiste en l'articulation d'un thème ou de thèmes communs. L'élaboration en est soumise aux exigences inhérentes à tout discours ; le propos tenu dépend d'un certain nombre d'orientations et de choix qui excluent nécessairement certains dires ; il nécessite aussi que chacun, s'il parle en son nom, s'exprime en même temps pour tous. Peu de commun, on le voit, entre ce discours et le propos analytique où c'est l'individu qui prévaut. Il convient toutefois que le thérapeute entende le groupe en analyste et rétablisse par-delà les contradictions ou les ruptures la continuité du sens, donc qu'il l'aide à se construire.

Cette construction tient compte de l'existence des courants affectifs qui fusent sous les répliques et s'articulent dans les rôles ; les relations se nouent entre les membres d'un groupe en fonction des images qui sont projetées ou des identifications qui se font jour. Projection et identification fondent la dynamique. Il est curieux que celle-ci dépende du temps dont disposent les participants : l'agressivité n'a pas le même caractère s'ils ont devant eux un temps limité (groupe intensif de deux jours) ou indéfini (groupe hebdomadaire régulier).

Pour la commodité, nous prendrons pour exemple un groupe de deux jours ; nous y montrerons comment s'y développe le discours du groupe, comment de la rencontre des différents participants naît un propos unique.

Puis nous montrerons en quoi l'orientation des thèmes est différente dans le groupe hebdomadaire du fait de la prédominance de l'agressivité.

2. Un séminaire de psychodrame

Un séminaire de deux jours comporte sept séances.

Dans la *première séance,* Louis évoque son manque de calme devant l'agression, il ne sait pas, non plus que le groupe, que c'est ce que tous redoutent. Aussi le groupe cherche à l'aider. Mais Louis ne s'implique pas. Alors Colette joue cette absence d'implication et de communication en revivant la peur paralysante qu'elle éprouvait devant son grand-père, un vieillard bourru qui ne s'exprimait que par des grognements et des reproches. Le remplaçait dans son cœur un arbre qu'elle enserrait de ses petits bras, qu'elle embrassait, et dans les branches duquel elle aimait à se tenir.

C'est du *manque d'amour* que parle Mariette dans la *deuxième séance* ; elle se sent humiliée de demander l'amour du groupe. En fait elle se fait le porte-parole de chacun de ses membres. Si elle est sensible à la réserve dont il est fait preuve à son égard (mais aussi à l'égard les uns des autres), c'est parce qu'elle y revit une frustration bien plus ancienne. C'est cette frustration qui a déterminé la façon qu'elle a de se mettre en avant et son perpétuel comportement de séduction. Le narcissisme est chez elle une défense qui recouvre un masochisme profond.

Sans qu'elle le formule explicitement, ces derniers temps les racines de masochisme sont réapparues sous la forme d'un souvenir qui l'obsède et qu'elle jouera.

Elle a treize ans, elle vient de connaître sa première émotion amoureuse. Un jeune camarade lui a baisé la main. Quand elle se met au lit encore tout émue sensuellement, elle entend dans la pièce voisine une dispute entre son père et un frère mal aimé.

Le thérapeute a choisi de faire jouer cette scène et de donner la vedette à Mariette à cause de la ressemblance de cet épisode avec celui dont Freud, dans *On bat un enfant,* a démonté les trois temps comme constitutifs du fantasme originaire du masochiste [1].

Premier temps : Puisqu'il bat mon frère, c'est que mon père le déteste et donc qu'il m'aime — ce qui donne lieu chez elle à une satisfaction génitale.

Deuxième temps : (régressif) Jamais ou rarement retrouvé du passage au masochisme. « Je suis battue par mon père. »

« Ce fait d'être battue constitue une rencontre de la culpabilité et de l'érotisme : il ne constitue pas seulement la

1. Cf. chap. I, p. 69 et suiv. L'Identification.

punition pour le rapport génital censuré mais aussi sa compensation régressive, et c'est de cette dernière source qu'il tire la jouissance qui lui restera dorénavant acquise et qui se liquidera par des actes masturbatoires. Mais cela n'est encore que l'essence du masochisme. »

Troisième temps : le sujet apparaît comme spectateur *On bat un enfant.* Le père est remplacé par un professeur ou tout autre supérieur. Le sujet s'identifie à un enfant battu quelconque ; il ne peut supporter la vue d'un tel spectacle, il se met à la place de l'enfant battu.

Ainsi Mariette a retrouvé sans le nommer son fantasme fondamental, sadique dans un premier temps : mon père bat mon frère (donc il m'aime). Mais non pas celui qui y est associé au deuxième temps (mon père me bat), non plus que ses souvenirs masturbatoires.

C'est cependant sur le thème de la masturbation que prendra fin la sixième séance, la succession des séances de ce week-end ayant tourné autour du thème du sadomasochisme et de ses rapports avec la jouissance sexuelle.

A la passivité de Mariette, Florence a préféré l'action. Elle ne paraît pas la lui reprocher et cependant l'histoire qu'elle apporte est une réponse inconsciente : on touche du doigt comment se fait l'enchaînement du discours psychodramatique, l'interlocuteur suivant ne donne pas de conseil mais enchaîne sur un sujet qui a un rapport avec le précédent.

Après avoir longuement parlé de sa colère contre des grands-parents odieux, qui ont été à l'origine de l'infortune de sa famille, elle finit par dire, parce que le thérapeute qui l'a deviné l'y pousse, ce qu'elle veut cacher, ce qu'elle a envie de refouler : la culpabilité du suicide d'un frère et quel combat elle a mené contre ceux qu'elle rend responsables : son grand-père et sa grand-mère paternels.

Comme le frère de Mariette, son frère était martyrisé. Mais tandis que chez l'une à ce martyre du frère était liée une jouissance secrète originant le masochisme, chez l'autre la colère, la révolte et le désir de mort contre les grands-parents constituaient la réponse à l'agression. Il est impossible de rendre ici, dans notre transcription, la surprise et l'émotion que suscitaient ces découvertes en chaîne associative. Personne n'y était préparé et l'enchaînement, évident ici, n'est apparu qu'après coup.

Ces rêveries masturbatoires amènent Philippe, lors de la troisième séance, à parler de la souffrance de sa femme. Il sait qu'il en est la cause. Il l'aime, nous dit-il, mais il en désire d'autres à propos desquelles il se met à rêver. Alors il s'oblige à renoncer à ses rêveries sans pour autant y parvenir. Dans le jeu qu'il jouera avec l'ego auxiliaire (Fernande), il sera ému par le contact physique qu'il aura avec elle, comme s'il ne s'agissait pas d'un jeu symbolique mais d'une situation vécue effectivement.

Tout ce qui est éprouvé dans le psychodrame lui apparaît comme actuel, réel, il jouit à l'insu de l'autre et ne semble s'intéresser à sa parole que pour lui voler un contact physique.

La solitude de la femme de Philippe (qui est enceinte) amène Louis à évoquer au début de la *quatrième séance* sa réaction vis-à-vis de la récente maternité de sa femme. Elle est comblée, elle jouit d'être mère et il se sent abandonné.

Il est seul comme l'est la femme de Philippe, comme les frères de Mariette et de Florence. « Enfant, on me disait : tu en veux toujours trop, c'est ma mère qui me le reprochait. » Il se rappelle ce propos et joue la scène déchirante qu'il fit à celle-ci quand, à quatre ans, elle le mit en pension et l'y laissa. Il sera alternativement lui-même et sa mère. Quand il reprend son rôle à la fin du jeu, il s'accroche désespérément au moi auxiliaire qui lui donne la réplique. Tous, sans exception, sont fortement émus. Quant à lui, c'est un homme dans la force de l'âge, bien placé socialement et bien pourvu. Mais il sanglote comme un enfant.

Avec cette scène, l'intensité dramatique atteint son acmé. C'est non seulement la scène mais aussi la participation émotionnelle la plus intense de tout le séminaire.

Pour qui a l'habitude des groupes de deux jours, cela ne peut étonner : c'est habituellement au cours de la quatrième séance que l'intensité dramatique parvient à son point maximum. Pourtant cette quatrième séance avait débuté dans le rire et le désordre : le groupe fuyait son émotion... en vain.

Le lendemain, au début de la *cinquième séance,* l'abandon n'est pas seulement évoqué mais agi par Jean-Marie dont la femme [1], Camille, est présente. Spontanément il se lève et commence un flirt avec Marie. Le thérapeute, comme le groupe, reste immobile et silencieux. « Qu'est-ce que tu attends ? » demande Marie à Jean-Marie. « *Que tu te taises, que tu sois quelque chose par moi et que tu le saches.* » Comme il la regarde : « J'ai peur de son émotion, il me gêne », dit-elle en aparté.

JEAN-MARIE : « Dis-moi ce qui te gêne. »

MARIE : « J'ai peur que ça se termine par des coups, c'est le type de rapport que j'avais avec mon père jusqu'à dix-huit ans. »

Cette peur est à l'origine de sa défense et le thérapeute intervient alors pour qu'elle joue avec Jean-Marie une scène de son enfance [2].

« Mon père me donnait des leçons. Je m'inventais des besoins et j'ai passé une partie de mon enfance dans les cabinets. Mon père avait compris que c'était pour le fuir.

« Nous étions un jour dans le jardin. J'avais un besoin urgent réel. Mais mon père ne voulait pas me laisser partir. Il m'a battue et j'ai fait dans ma culotte. Il s'est mis dans une colère épouvantable, il m'a enlevé ma culotte et m'en a barbouillé la figure. Il m'insultait. J'apercevais sa face pleine de haine devant moi.

---

1. Nous acceptons les couples pour les séminaires de deux jours, mais non pour les groupes hebdomadaires.

2. On touche là du doigt comment l'action du thérapeute peut être déterminante.

« Maman n'intervenait jamais. Il faudrait, pour jouer son rôle, quelqu'un qui ne soit pas très sympathique, Fernande par exemple. »

On joue la scène. Jean-Marie secoue Marie, et Fernande intervient : « Arrête, c'est mon enfant. »

Cette réaction de Fernande n'était pas conforme au rôle prescrit. L'entorse était due à la spontanéité de l'ego auxiliaire. Il est intéressant que ce soit cet élan imprévu qui favorise l'enchaînement du discours et que Désirée saisisse cette occasion pour dire en écho son émotion. « Quand Jean-Marie a battu Marie, je me suis souvenue qu'un jour j'ai battu de toutes mes forces ma fille qui m'avait menti. » On apprendra bientôt pourquoi elle a été si affectée par sa propre brutalité à l'égard de son enfant. Après avoir joué la scène avec sa fille, elle en vient à un souvenir de l'âge de cinq ans. Elle avait, à cette époque, une gouvernante extrêmement rigide : « Elle battait mon petit frère comme plâtre. Elle voulait qu'on aille à la selle avant le petit déjeuner. Il ne fallait pas être égoïste, on devait aider les grandes personnes, etc.

« Un jour, en allant à la plage, dans une allée déserte, nous croisons une autre gouvernante que nous connaissions. De la voiture que poussait cette dernière, une petite fille avait laissé tomber de son berceau une poupée. Je l'ai ramassée. Ma gouvernante m'a félicitée : " Tu as enfin compris", me dit-elle. J'avais compris en effet, et j'étais fière de son approbation, mais en réalité elle m'a " cassée ", elle m'a enlevé mon narcissisme. »

C'est de ce même dressage que Marianne s'accuse envers sa fille Josette. « Josette est mignonne et Maurice est tout " tordu " (il a quatre ans et demi). Nous sommes à Grenoble, il y a des groseilles dans l'épicerie. Elle a les mains derrière le dos et elle les chipe. Je suis fort déçue et le lui manifeste avec violence. »

La deuxième scène a lieu à Paris. « Nous sommes à la fin de la guerre, Josette a quatre ans. Nous venons de recevoir un colis de victuailles de la Croix-Rouge. Et Josette les distribue à tout le monde. Je ne proteste pas et la laisse faire. Elle va d'un extrême à l'autre. Hier soir, en rentrant d'un travail où elle avait gagné pas mal d'argent, elle avait organisé, pour moi, une petite fête avec des chandeliers et des bougies et toutes sortes de cadeaux : une réception comme pour Noël. Mon autre fille m'a confié que Josette regrettait de ne s'être rien acheté pour elle. Elle veut toujours se dépasser elle-même ; elle veut réussir. » Marianne est très émue en disant cela.

Louis raconte alors brièvement comment il a sanctionné un vol de fraises chez son fils. Ce qui donne à Mariette l'occasion de raconter comment, petite fille, elle avait attiré involontairement sous un tram un petit camarade de classe du nom de Sami, avec qui elle était très amie. Ils traversaient la rue ensemble et elle était passée seule devant le tramway qui arrivait, le garçon, ne courant pas aussi vite qu'elle, avait été renversé. Elle avait menti à ses parents et à tout le monde. Quand elle se rendit compte qu'elle ne serait pas découverte et qu'au contraire elle était félicitée pour avoir échappé à l'accident, elle se sentit rassurée. Et contente d'avoir son nom dans les journaux ; elle n'en éprouva jamais de remords, dit-elle.

« Moi je suis méchante et j'en suis contente, c'est ma force. »

C'est la réponse de Mariette aux thèmes de culpabilité du groupe à propos des parents et des enfants.

C'est d'un abandon semblable que les parents sont justement incapables : Désirée relance Fernande en lui demandant pourquoi elle a été aussi émue par la scène de mise en pension que Louis a jouée à la fin de la quatrième séance. Fernande raconte une scène analogue vécue avec son fils ; elle avait dû le laisser malade chez ses parents à Nantes, et elle était partie en ayant la même attitude que la mère de Louis. « Je me suis sentie incapable d'élever ce fils. »

Peut-être Camille, la femme de Jean-Marie, lui en fournit-elle l'explication lorsqu'elle revit, en les jouant devant le groupe, les épisodes de sa seconde maternité : elle se sentait heureuse jusqu'à la visite de sa mère. Celle-ci, une petite femme brune et sèche, très active, peu affective mais d'une sensibilité qui a, en fait, été étouffée par son mari, avait exprimé sa joie de cette naissance et recherché avec sa fille un contact que Camille lui a, ce jour-là, refusé. Ce refus, qui se place au moment où elle allaite son nouveau-né, fut sans doute à l'origine de la dépression nerveuse qui suivit sa visite. « Dommage que je n'aie pas profité de l'occasion pour mieux la comprendre. Mais elle me fait peur », dit Camille en aparté.

Il s'agit là d'une tentative avortée de retourner la situation mère-fille, la peur de Camille l'a empêchée de nouer avec sa mère des liens coupés depuis l'enfance ; en abandonnant sa mère, Camille s'est revécue abandonnée. « Je m'en suis sortie par une tentative de suicide. Je n'ai pas su élever ma première fille. »

Cet abandon maternel, on le voit, est répété à la génération suivante après s'être produit à la génération précédente. Mais cette peur ? Quelle en est la cause ? La culpabilité du plaisir sensuel de l'allaitement ressentie par Camille qui a réveillé la peur d'un contact homosexuel qui eût renouvelé l'approche intime avec la mère de son enfance.

C'est à ce moment que Fernande sort, émue, dans une pièce voisine, pour pleurer.

Pendant ce temps, Colette raconte comment elle a puni sa fille aînée alors âgée de trois ans et demi (elle en a aujourd'hui dix-neuf, « n'est pas épanouie » et Colette se reproche d'en être la cause) parce qu'elle montrait à un petit garçon son postérieur.

Ce thème de la culpabilité sexuelle amène Marianne à raconter comment, à six ans, en vacances, pareille aventure lui est aussi arrivée, avec un garçon de quatorze ans qui fit sur elle quelques tentatives infructueuses de pénétration et comment elle s'en est tirée en mentant à sa tante et à sa grand-mère. Mais elle se sentit si coupable de ce secret qu'un jour, dans le métro, elle faillit tout avouer à sa mère. C'est sans doute dans ce souvenir qu'on trouve la source de sa culpabilité à l'égard de Josette, sa crainte d'avoir provoqué chez cette fille une culpabilité semblable à la sienne à l'égard de sa propre mère.

« Nous sommes arrivés à découvrir ce " petit plaisir " qui nous rend si coupables », conclut l'observatrice.

Philippe, lui, ne se reconnaît pas dans ce qui a été dit. Mais après avoir narré une tentative de séduction sur lui par une femme âgée quand il avait dix ans, il nous raconte le plaisir qu'il éprouvait, plus jeune, à lire dans la bibliothèque paternelle le martyre de ces vierges chrétiennes amenées nues aux lions.

Cela joue comme souvenir-écran de ses fantasmes masturbatoires sadiques. Ce sont eux qui probablement l'obsèdent encore et parasitent ses relations conjugales.

Bien qu'il l'ait méconnu, il était donc, lui aussi, concerné.

Enseignements de ce séminaire

1. Il est intéressant de noter en premier lieu comment les participants communiquent entre eux : chaque propos, chaque jeu relance un autre propos ou un autre jeu et la réponse est elliptique, elle arrive sans qu'il y ait intention de répondre, par le seul enchaînement du discours du groupe. Le rôle de l'animateur est de raccourcir au minimum les circuits. Il y repère les projections, les souvenirs-écrans et les fantasmes significatifs, il aide à sa construction.

On pourrait reprendre ces séances et montrer comment il est répondu au thème du début du séminaire, celui de l'angoisse devant l'agression d'autrui exprimé par Louis : Colette raconte sa peur paralysante devant une absence totale de rapport affectif avec son grand-père ; ce faisant, elle exprime la peur qu'elle éprouve devant un groupe où elle trouve des visages inconnus et fermés au lieu de l'amour qu'elle était venue y chercher. Les défenses se présentent avant la demande d'amour. A la seconde séance, Mariette enchaîne sans que cela lui soit évident sur le propos de Colette : elle se sent humiliée de demander qu'on l'aide et pose par là le problème de la sympathie, sans laquelle il n'est pas de liberté d'expression ni de structuration possible du groupe, dit-elle.

Ainsi chaque participant, qui semble parler pour son compte personnel et indépendamment de l'autre, *suit en fait un fil conducteur, reprend le propos précédent et y répond par association.*

On a vu que Mariette communique dès la seconde séance son fantasme originaire, celui que Freud a repéré comme fondant le masochisme. Elle a donné ainsi au groupe son orientation. Elle en a été la « vedette ». Elle était le personnage le plus angoissé et a fourni le thème central comme cela arrive le plus souvent. Mais aussi le choix du jeu par le thérapeute a contribué à le dégager.

Il ne sera plus question que de frères battus, d'enfants abandonnés ou « brisés » par leurs parents et, chez l'adulte, les sentiments d'amour apparaissent comme profondément marqués par les expériences infantiles : l'attitude de Philippe avec sa femme est due au profond sadisme qui alimente ses jouissances masturbatoires. La crainte que Marie a de Jean-Marie est liée au souvenir de ses relations passées avec son père.

L'attitude contraignante de Désirée, de Colette et de Marianne vis-à-vis de leurs enfants a aussi des racines infantiles, une gouvernante sadique pour l'une, la culpabilité d'avoir été séduite pour l'autre. Ne touche-t-on pas là à une structure fondamentale ? à la compulsion à répéter avec les autres ce qui nous a formés, ce qui en nous « brisant » nous a « dressés ». Parfois durement, ainsi que l'a illustré la scène de Marie et de son père.

Quant à Camille, elle évoque des émois incestueux. Mais ce thème était déjà préfiguré dans le fantasme de Mariette.

Les séances ont donc été une longue circonlocution autour de thèmes prégénitaux et œdipiens.

En résumé :

1. — Le *thème* du séminaire a été très vite donné par Mariette : le sadomasochisme ;

— *l'image* par Marie : les excréments dont son père l'a barbouillée,

— le *ressort* par le fantasme « on bat un enfant ».

La culpabilité de l'adulte à l'égard de ses propres enfants est reliée à des thèmes sadiques de l'enfance.

Ainsi la scène où Désirée a cru briser sa fille n'est que le retournement d'un souvenir-écran qu'elle évoque dans la séance et qui la représente elle-même brisée. Et les émois sexuels infantiles jouent comme exprimant dans sa racine profonde cette culpabilité contenue dans la violence du plaisir sexuel.

2. C'est aussi au niveau œdipien qu'il convient de juger l'attitude de Philippe. Quand il vient dans un groupe pour y chercher une femme, il transgresse la règle. Ce faisant, on ne peut même pas dire qu'il ne distingue pas entre l'imaginaire du jeu et le réel de la vie : il cherche dans le contact physique de Fernande un trouble qui amène une jouissance de même ordre que celle de ses rêveries (il jouit de désirer). C'est peu de dire qu'il faut lui interdire l'entrée d'un groupe de psychodrame. Il vaut mieux s'étonner de la puissance de l'interdit qui fait que de telles situations ne se rencontrent pas plus fréquemment. Car enfin les corps se touchent dans le jeu dramatique.

Pourquoi opère-t-on dans le groupe une distinction entre ce qui se joue et ce qui se vit ? Parce que du fait de la règle de liberté (de tout dire et de tout jouer) donnée au départ, la sanction est écartée ; rien de ce qu'on y dira ou jouera ne peut avoir de conséquence dommageable sur le cours de la vie. Les participants acceptent qu'on s'adresse à eux comme cela ne leur arrive jamais dans l'existence de tous les jours. Le groupe se situe en deçà de la sanction, en deçà de la castration, ce qui autorise chacun à régresser, encore que cette régression ne soit que verbale : personne ne se comporte régressivement avec son corps. Mais cela implique aussi une autre attitude que celle que l'on a dans la vie. Quand on prend sa partenaire dans ses bras, il y a jeu, il n'y a pas séduction réelle.

3. Il est éclairant d'envisager du point de vue des *rôles* les modalités dynamiques selon lesquelles le discours aboutit au choix de l'ego auxiliaire.

Si Jean-Marie choisit Marie, c'est à cause de l'attirance sexuelle qu'il éprouve mais aussi d'un souvenir : elle ressemble à son premier amour. C'est aussi, dit-il, parce qu'elle porte la moitié de son nom : « Marie est la moitié de mon nom, Marie est une demi-femme. » Le moins qu'on puisse dire est que ce choix est narcissique. On pourrait noter aussi que l'ambiguïté du choix de Marie traduit l'ambiguïté sexuelle de Jean-Marie.

— Quand Marie prend Fernande pour jouer le rôle de sa mère, c'est à cause d'une certaine antipathie mêlée d'attirance qui lui rappelle celle que suscite en elle sa mère.

— Quand Mariette choisit Sami [1] pour jouer le rôle du petit garçon renversé par le tramway, c'est à cause de la similitude de leurs prénoms. Mais cette similitude a, en même temps, contribué à éveiller le souvenir.

Projections, souvenirs, attirance sexuelle, sympathie, antipathie, rencontre de signifiants (Marie et Jean-Marie, Sami) déterminent le choix du protagoniste, choix qui va infléchir le propos du groupe.

On voit ici comment le discours fait naître le rôle et comment le choix de tel ou tel partenaire est déterminant pour la direction encore inconnue que va prendre le psychodrame.

---

1. M. Sami Ali, notre invité.

L'agressivité dans le groupe de deux jours et dans le groupe hebdomadaire [1]

Le temps dont disposent les participants a une influence directe sur l'agressivité et son économie. On a vu qu'elle était absente dans notre exemple de séminaire de fin de semaine.

Commençons donc par comparer les deux formes de groupe. Nous étudierons ensuite la réaction des participants vis-à-vis d'une même personne dans un groupe de deux jours et dans le groupe hebdomadaire ; nous verrons que la différence tient à ce que l'Œdipe n'est pas abordé au même niveau.

1. Demandons-nous tout d'abord pourquoi dans les groupes hebdomadaires les défenses et la peur persistent si longtemps, alors que dans le groupe de deux jours elles cèdent si rapidement.

On a vu, en effet, que la crainte n'est éprouvée que dans la première séance. Elle entraîne chacun à se replier sur soi (individuation selon l'expression de Lewine). Les défenses s'expriment par la bouche de Colette. Mais dès le début de la seconde séance elles cèdent. Mariette ressent la première ce besoin de chaleur sans laquelle il est impossible de structurer un tel groupe.

Il semble que la différence entre ce groupe et le groupe hebdomadaire soit liée au fait que le groupe de deux jours est fermé : il n'admet ni l'entrée de nouveaux membres ni le départ des siens, il est limité dans le temps, ce qui fait que la dramatisation et la catharsis y sont privilégiées au détriment de l'agressivité qui, si elle est évoquée, n'est cependant pas élaborée ni réellement vécue.

Elle l'est par contre dans les groupes hebdomadaires. La

1. Cf. chap. IV « Eros ». L'agressivité. La phase d'agressivité en psychodrame, p. 238.

longue période d'agressivité qui succède à la phase d'individuation empêche longtemps les participants de s'exprimer. On ne peut dire qu'aucun télé n'existe au cours de cette période d'affrontement réciproque, mais la communication s'établit tout d'abord sur le mode du télé négatif, et les transferts sur les animateurs ou sur le groupe ont lieu sur un mode hostile. Le discours du groupe est dominé par les défenses et les attaques, et aussi par les reproches faits au thérapeute de ne pas sortir les participants de l'impasse — ce qui est à comprendre comme un appel à lui adresser et une demande de jouer le rôle symbolique de garant et de gardien de la loi.

Les jeux (qui engendrent le télé positif) et l'interprétation (qui permet aux participants de trouver une issue à cette défense persécutive) vont dissoudre les affects négatifs. Ils déferont les dyades où, nous le verrons plus loin, chacun prend, de manière d'abord négative, la mesure de l'autre et élargiront les échanges à l'ensemble du groupe. Ainsi l'entrée dans la phase d'identification et de télé positif se fera peu à peu.

2. La différence entre le groupe de deux jours et le groupe hebdomadaire a aussi une incidence sur les rôles [1].

Prenons le rôle de Mariette : sa place n'est pas la même dans l'un et l'autre groupe.

Si elle joue le rôle de leader dans le groupe de deux jours, c'est parce qu'elle contribue par son angoisse à dramatiser le discours, elle est celle qui s'implique le plus et qui exprime le mieux l'émotion. Quant à son agressivité, elle est évoquée mais non pas vécue dans le groupe : elle concerne le passé (son attitude sadomasochiste d'autrefois), elle n'est dirigée contre aucun des membres.

Elle n'a pas la même place dans le groupe hebdomadaire auquel elle participe. On lui reproche de dramatiser à tort les

1. Cf. chap. IV « L'agressivité ». La phase d'agressivité en psychodrame, p. 239.

situations. De fait, c'est une défense contre ce qu'elle pourrait y vivre d'agressif, elle craint la rétorsion, elle ne supporte pas d'être attaquée, sa souffrance la protège et c'est ce qui irrite les participants : elle fuit le combat.

Donc, ce qui est reçu dans un groupe ne l'est pas dans l'autre du fait d'une dynamique différente. Dans le groupe hebdomadaire où l'agressivité prévaut, le niveau d'analyse n'est pas le même et l'Œdipe n'est pas abordé sous le même angle.

Parce qu'elle est *vécue* dans le groupe hebdomadaire, l'agressivité des uns vis-à-vis des autres suscite la peur. C'est en tant qu'il représente par contraste le roc impavide et rassurant sur lequel se brisent les assauts que l'agressivité du groupe est dérivée sur le thérapeute. Son autorité y est mise à l'épreuve. S'il ne domine pas la situation, le groupe risque de se dissoudre ou de devenir une réunion de blousons noirs. Il est nécessaire que le thérapeute domine la situation. Alors les attaques se brisent contre la force du père, rencontrent un obstacle à sa mesure. Chacun peut alors revivre au sein du groupe son propre Œdipe et, le redécouvrant, trouver une issue à son angoisse de castration.

Dans les groupes de deux jours qui ne disposent que d'un temps limité, le meurtre n'a pas lieu. Une autre issue est apportée par la découverte poétique de l'aventure vécue ensemble. Le jeu y a une place prévalente et la mise en scène du drame permet de retrouver l'expérience passée et d'envisager autrement la mutation de son sens : en en tirant la leçon.

Ce qui vient d'être dit montre que le discours du groupe réactive la situation œdipienne. Son thème est toujours la famille. Avec le groupe les participants revivent leurs premières expériences de rencontre avec autrui.

C'est à la présence des autres membres qu'est due la tendance des participants à agir dans la séance même les rôles qu'ils ont joués naguère dans leur famille. Ces rôles sont inconscients et — là commence l'effet thérapeutique — actuels. Non qu'un père y prenne le rôle autoritaire qu'il a dans sa famille présente. Il tend au contraire à reproduire inconsciemment celui qu'il avait été dans sa propre enfance au sein de sa famille d'autrefois, quand il n'était pas encore le père.

Il ne s'agit pas d'une métaphore. Le transfert sur les thérapeutes, le transfert latéral sur le groupe provoquent cette reproduction. Tel participant, qui haïssait son père, y répète sa haine vis-à-vis du thérapeute, telle jalousie fraternelle sera réveillée par le fait qu'un autre que le sujet aura la vedette et que le thérapeute s'occupe davantage de l'autre (« Qu'ils s'en aillent et qu'ils meurent », disait en aparté un sujet).

On a vu que le caractère pris par le propos d'un groupe hebdomadaire dépend de sa phase d'évolution : à la période d'individuation où chacun demeure enfermé en soi-même succède une période d'agressivité où les relations se nouent et où chacun tend à rencontrer dans l'autre son double : par exemple le persécuteur rencontre le persécuté sous des masques divers qui les dissimulent l'un à l'autre. C'est ainsi d'ailleurs que se forment des dyades : les participants prennent l'habitude de réagir en adoptant des rôles complémentaires (maître-esclave, fille-père, fils-mère, sœur-frère, etc.) et chacun apporte, sans le savoir, son thème privilégié ; ils jouent le rôle qu'ils ont joué depuis toujours tant que les prises de conscience de ces répétitions n'ont pas atteint leur effet. Donc, du seul fait de la présence d'un autre, une relation dialectique commence par se nouer entre certains membres.

Isolons d'abord, à l'aide d'un exemple, cette situation de complémentarité. Nous verrons ensuite, à l'aide d'un autre exemple, comment l'évolution du groupe tout entier peut permettre une issue à cette relation.

1. Reprenons l'exemple de Mariette.

Elle ne dramatise que quand sa relation avec son vis-à-vis

l'inquiète — par exemple lorsqu'il est avec elle froid et distant. « Mais toujours dans les circonstances dramatiques je me ressaisis » (et d'invoquer le témoignage de son mari : « Tu es toujours à la hauteur des circonstances »). Cette complémentarité de rôle n'est qu'un simple retournement : elle joue tour à tour le rôle de l'enfant et de la mère selon le besoin qu'on a d'elle. Ce renversement de la situation a lieu à l'instant même où elle cesse de dramatiser pour porter secours si elle sent une détresse ou un appel. La même relation l'induit dans deux rôles opposés et complémentaires.

On a vu que Mariette ne dramatise et ne fait l'enfant que pour échapper à autrui, c'est-à-dire au substitut de la mère ou du père, sa recherche dans le groupe d'un rôle complémentaire correspond à cette pente répétitive et inconsciente.

L'exemple illustre ce qu'on entend par dyade : une relation de deux participants. La seule issue est de faire surgir le troisième terme qui les délivrera tous deux de cette situation, ce terme nouveau n'est autre que le sens ou, si l'on veut, l'interprétation.

2. Cette issue hors de la relation duelle ne peut qu'être contemporaine de l'évolution du groupe.

Prenons un autre exemple de relation mère-fille, emprunté à un groupe hebdomadaire : le cas de Marie-Louise (Marie-Louise ne participait pas au séminaire qui a servi d'exemple).

Chaque fois que, dans le groupe, elle se sent contestée, elle s'exprime à la place de l'autre, ce qui lui évite d'entendre la vérité. Bien plus, elle se critique elle-même avec sévérité. Mais c'est parce qu'elle préfère ce qui vient d'elle à ce qui, provenant d'autrui, ferait irruption dans son système défensif. Ce comportement est encore plus frappant dans ses jeux. Quand elle joue une scène, elle empêche son interlocuteur de parler.

Mais un jour Berthe, qui voit en elle une figure maternelle, l'attaque durement et lui fait entendre ce qu'elle ne voulait pas écouter : que sa bonne conscience et sa sévérité pour elle-même ne sont que façade, qu'elle redoute la vérité.

De fait, Marie-Louise et Berthe ont eu en commun une même haine de leur mère. Mais, tandis que Berthe le sait, Marie-Louise l'ignorait et c'est cette scène qui le lui a fait découvrir après coup.

Leur explication orageuse, loin de les séparer, contribua à créer entre elles une certaine complicité. Et la scène qu'elle a jouée montre aussi à Berthe que ce qu'elle reprochait à Marie-Louise était précisément ce qu'elle se reprochait à elle-même.

Mais ces rôles reflétaient aussi ce qui se passait à cette phase d'évolution du groupe : chaque membre était, comme elles-mêmes, encore enfermé en soi et comprenait mal autrui. Cependant on constatait qu'une ouverture à l'égard des autres se produisait par éclairs. De même Marie-Louise a commencé d'écouter autrui et d'accepter sa critique. Cet épisode a forcé la prison surmoïque dans laquelle elle s'enfermait et l'a obligée à se reconnaître pour autre que ce qu'elle se voulait.

Donc, ce que dit et joue un membre ne surgit pas par hasard dans le discours du groupe :

— le système de défense de Marie-Louise correspondait au système de défense du groupe. C'est la dyade qu'elle formait avec Berthe qui a inauguré la communication et un début de compréhension des rôles que les uns jouent vis-à-vis des autres, le groupe a suscité le dialogue qui n'a pris place dans son discours que comme reflet de cette agressivité qui reliait alors les membres les uns aux autres. Cet approfondissement des uns par les autres est dû à cette mise en commun des expériences et des affects : chaque membre est thérapeute pour l'autre.

Il est intéressant, à cet égard, de noter que l'évolution du groupe exige la participation de chacun : il se sent freiné si l'un demeure en retrait et le malaise est tel qu'on sollicite avec insistance à se dévoiler le membre silencieux.

Cela souligne l'importance des courants affectifs qui soustendent les séances, il n'est pas possible à quelqu'un de se mettre à nu ou de s'avouer sans ressentir, sinon la sympathie, du moins l'empathie de tous.

Le jeu

Le jeu révèle les rôles qui, dans la conversation, demeurent le plus souvent latents.

On a vu que cette prise de conscience dépend du moment du discours commun : il faut que, pour s'y insérer, le propos d'un membre ait un rapport avec ce qui se dit ; c'est pourquoi, l'exemple de Marie-Louise l'illustre, chacun ne joue qu'en son temps et à son tour et quand le thème du groupe le lui permet.

L'illustre également le groupe de deux jours : Colette, dans la première séance, Mariette dans la seconde, Philippe dans la troisième, Louis dans la quatrième, Marie dans la cinquième, Désirée, Marianne et Camille dans la sixième ont successivement la vedette parce que leur rôle favorise le progrès et l'approfondissement du discours du groupe.

Quand le thérapeute choisit de faire jouer, son choix, donc, n'est pas arbitraire : il se fait sur la « crête de la vague », c'est-à-dire en tenant compte du thème dominant ; le groupe recherche un sens, il le lui fait trouver. En désignant l'acteur, le thérapeute signifie aux participants un point particulièrement sensible de leur discours.

Mais la vertu du jeu est surtout de modifier radicalement, grâce à l'introduction de l'action, les dimensions temporelle et spatiale du groupe. C'est elle qui fait venir au jour ou amplifie les sentiments, actualise ce qui était récit en le réintroduisant dans un vécu qui mobilise le corps.

Cette précession de l'action sur l'explication permet de retrouver l'événement : à nouveau il est exploré et son recommencement suscite d'autres voies qui n'avaient pas été frayées la première fois et cette nouvelle expérience fait jaillir des solutions adéquates.

Donc, c'est sur ce renouvellement par l'action que repose

l'efficacité du jeu. Nous verrons aussi quelle lumière le jeu apporte sur le désir. Enfin quel est l'effet thérapeutique des commentaires qui lui font suite.

1. Quand l'action surgit dans le discours, les corps, les gestes, les changements de place des acteurs font apparaître une autre forme d'identification qui modifie les relations des participants entre eux — une identification par le corps. Ce sont moins les mots que les inflexions des voix, moins ce qui est dit que la signification latente, moins les motifs déclarés que l'intention des gestes qui frappent les spectateurs. Alors que la parole peut souvent dissimuler, le corps, lui, ne ment pas : il est vu de tous et on le contrôle moins que la parole.

Pour faire sentir le rôle du corps et de la modification de l'espace introduite par le mouvement, reprenons tout d'abord l'exemple du flirt de Jean-Marie et de Marie. Il ne s'agit pas d'un jeu et le thérapeute n'est pas intervenu, ce qui permet d'isoler le phénomène dans sa pureté. Lorsque Jean-Marie s'est levé pour faire la cour à Marie, le simple fait qu'il ait changé de place a rendu à Marie (et à tous) sa parole plus présente. S'il s'était borné à rester là où il était assis, son dire n'aurait pas eu le même effet. Marie n'aurait pas retrouvé sa peur de l'homme. Le discours du groupe aurait été infléchi sans doute mais non radicalement transformé.

On a vu comment le thérapeute a saisi « au cheveu » le propos de Marie sur la raison de sa peur pour infléchir cette relation vécue sur un mode réel et la transformer en un jeu. Mais, dès avant son intervention, la corporéité a modifié l'état du groupe.

Cette remarque a une conséquence pratique : il suffit que l'on fasse lever de son siège un des membres pour qu'un propos ennuyeux s'anime. Se sentant concerné, il ne continue plus à se servir de sa parole comme défense ni comme moyen de dissimulation. Le voudrait-il que les témoins l'en empêcheraient à coup sûr.

C'est à un effet de miroir que l'on assiste. Chacun se voit

dans celui qui, sorti du cercle, représente le groupe tout entier et chacun se sait lui aussi impliqué.

Il serait inexact d'affirmer que c'est par sympathie. « Au contraire, la sympathie naît seulement de l'identification... l'un des moi a perçu une importante analogie sur un certain point : il se produit aussitôt une identification portant sur ce point. » Ce mode d'identification (le troisième mode d'identification décrit par Freud dans *Psychologie des masses et analyse du moi*) est celui du psychodrame, c'est une identification à un « trait unaire » chez l'autre.

Cet effet d'identification est encore plus frappant lorsque le jeu met en vedette l'acteur. Bien que celui-ci revive un moment de son histoire, le projecteur qui semblait braqué sur lui l'est en fait sur tous.

Quand, dans la deuxième séance, Mariette joue la scène où la révélation sexuelle de ses treize ans coïncide avec des sévices opérés sur son frère, elle ne sait pas, non plus que le groupe, qu'elle fait venir au jour le fantasme sadomasochiste déjà présent dans la première séance (scène de Colette et de son grand-père). Mais le groupe se ressent et se reconnaît en elle et elle se découvre grâce à lui.

Dans le jeu, l'ego auxiliaire, en lui donnant la réplique, se laisse également porter, induire par elle. Mais il est aussi le représentant des autres membres parce qu'il est cet autre différent que Mariette veut rencontrer et retrouver en elle.

Aussi, lorsqu'on renversera les rôles, et quand Mariette deviendra son père, elle représentera le groupe en face de l'ego auxiliaire qui jouera son propre rôle ; elle se verra dans la peau de cet autre qui le reflète et elle sera, elle aussi, celle qui se regarde comme le groupe la voit ; elle pourra se ressentir comme les autres l'éprouvent.

Ces jeux de miroir ne sont possibles que parce que la première méconnaissance a déjà eu lieu naguère. Lorsque l'enfant découvre pour la première fois son image dans le miroir et s'y reconnaît, c'est parce que cet étranger aperçu dans la glace, et qui n'est autre que lui-même, imite ses mouvements. Là c'est le corps de l'autre qui se substitue à son propre corps pour en imiter les gestes et en accentuer le sens. Il s'agit d'une véritable mise en commun des identifications. Mais celles-ci prennent une valeur symbolique du fait qu'elles sont entérinées par l'autre.

C'est par là que le jeu aplanit les défenses et permet une saisie directe de l'événement, efface les distances qui séparent les participants. Ils s'identifient dans leur propre corps aux acteurs, les mêmes attitudes s'ébauchent, les moindres intonations résonnent en eux, ils éprouvent les sentiments et les émotions représentés devant eux et se mettent dans la peau de l'autre.

2. Ce sont cependant les défenses qui expliquent que les participants hésitent à s'impliquer et à jouer. Car le jeu force toujours une résistance.

C'est de son propre vécu que le participant, choisi comme acteur, hésite à parler. Il a honte ou peur de dévoiler une autre image que celle que lui procure son rôle habituel, il a peur de se découvrir autre qu'il se croit ou se veut être. Moi idéal et idéal du moi lui masquent son vrai désir. La gêne à s'engager tient à ce que le drame va tout transformer : ce qui est faux se dévoilera comme leurre.

Il ne s'agit pas moins que d'un risque de castration dont son narcissisme ou son surmoi le protègent. Cette crainte, dans le psychodrame, est celle de débusquer son propre désir sans connaître par avance la réaction d'autrui — approbation ou discrédit. Quand on joue, on ne connaît pas d'avance le désir de l'autre. Mais on découvre tout à coup qu'on y est soumis. Oser ne pas ressembler à autrui, affirmer sa différence, perdre son personnage, c'est renoncer à ce désir étranger, affronter sa liberté, vivre la spontanéité.

Mais si l'acteur ne sait où il va, le groupe l'ignore aussi. C'est ainsi que Mariette, dès la seconde séance, l'entraîne tout droit à une profondeur plus grande que là où aucun des participants n'aurait cru atteindre seul.

C'est le risque du jeu que de faire mesurer la distance entre ce qu'on croit ou se veut être et ce qu'on est. C'est le désir étranger qui se dévoile brusquement quand un participant, qui se vantait d'avoir eu le dessus dans une discussion avec un supérieur, se révèle aux spectateurs avoir été couard et angoissé. Le surmoi viril imposé par le modèle social cède la place au vrai sujet. Le jeu sert de révélateur, l'explication jaillit des faits, elle ne les a pas précédés comme cela aurait été le cas si le groupe s'était borné à converser ou le thérapeute à interpréter.

L'émergence de ce qui est éprouvé supprime la nécessité d'une longue démonstration et permet de gagner un temps précieux. On peut éviter de contredire un patient ou de lui démontrer son erreur : ce qu'il a vécu, il ne peut l'annuler ; outre qu'il a été, grâce au psychodrame, son propre spectateur, c'est le groupe qui lui a fait retrouver sa propre trace.

3. Après le jeu, le discours du groupe est marqué par ce passage par un temps et un espace liés à la corporéité. Cette expérience colore les *commentaires*. La conversation ne reprend pas au même niveau. Les membres participent davantage à ce qu'ils disent. En outre, ils nomment ce qu'ils ont ressenti et transforment, par l'interprétation, les sentiments non verbaux (temporels, spatiaux, corporels) en sentiments verbaux.

Voici, par exemple, les commentaires après le jeu de Mariette :

SAMI *(le père)* : Je ne ressentais pas le besoin d'être agressif.

MARIETTE *(qui a, un moment, tenu le rôle de son père) :* Mon père était jaloux de mon frère. Dans mon rôle j'ai ressenti un terrible ébranlement.

LOUIS *(spectateur de cette scène)* à Mariette : L'essentiel de cet ébranlement c'était le plaisir sexuel.

C'est là que se situe l'intervention de Florence qui va déboucher sur un autre jeu, lequel, on l'a vu, constitue moins un reproche qu'une réplique à la passivité de Mariette :

FLORENCE : Moi, lui dit-elle, je ne suis pas comme vous.

Les acteurs, ego auxiliaire et témoins, donnent chacun à son expression un certain tour personnel ; l'ensemble de ces réflexions constitue autant de facettes qui renseignent le groupe et nourrissent son discours.

A l'interprétation du groupe s'ajoute celle des thérapeutes qui doit être différente : son objet n'est pas de réfléchir à l'acteur leur propre sentiment (ce qui ne ferait qu'ajouter une facette de plus à ce qui a été dit) mais de montrer au sujet ce qui, dans son rôle, répète son passé et l'asservit au désir d'autrui ; et au groupe la communauté des thèmes et leur enchaînement.

Citons quelques exemples qui illustreront ce que fait le thérapeute et en particulier l'observateur.

On montre à Mariette et à Marie-Louise quels sont leurs vrais rôles dans le groupe : à Mariette combien sa tendance à dramatiser la protège ou à Marie-Louise en quoi consiste sa difficulté à communiquer. En un mot, qu'il s'agit là de répétition et de défense.

On montre aussi au groupe l'enchaînement des thèmes et des rôles, ce qui rapproche les scènes de Colette et de Mariette : la même peur devant l'impénétrabilité de l'adulte qui refuse le contact avec l'enfant ou à Florence son attitude différente de celle de Mariette devant son frère martyrisé.

Louis est cet enfant abandonné, substitut douloureux du frère, Jean-Marie sera celui qui abandonne sans apparente culpabilité sa femme présente dans le groupe (Camille). Quand il fera la cour à Marie, Marie n'osera pas désirer Jean-Marie à cause de sa peur enfantine du père, Fernande dévoilera son cœur maternel en secourant Marie, etc.

Il existe ainsi deux niveaux d'interprétation :

— celui du groupe qui se produit au niveau de l'identification et qui résulte d'une communication par le regard et le corps, des affects (ce sont les facettes qui éclairent les différents aspects du jeu) ;

— celui du thérapeute au niveau du désir et du fantasme.

Il montre au patient qui il est vraiment, où est le désir d'autrui, où joue le surmoi.

C'est parce que les thérapeutes sont investis autrement que les membres du groupe que leur parole, faisant autorité, leur permet d'interpréter à un autre niveau qu'un simple participant. En effet, le transfert ramène le groupe à la relation au père et l'avènement du sens correspond, dans l'inconscient de la famille psychodramatique, à une retrouvaille de l'issue hors de la relation maternelle duelle.

L'expérience du jeu reste la véritable expérience du psychodrame. On a vu qu'en introduisant l'action elle mobilise l'espace et renforce les affects au point de les rendre actuels. La présence des témoins fait que le sujet devient son propre spectateur. Ce qui l'amène à réaliser que, dans son rôle, il est davantage ce qu'il se croyait être que ce qu'il est vraiment.

En le révélant aliéné au désir d'autrui — à ce surmoi qu'il porte en lui sans le savoir —, le jeu permet (au thérapeute comme au groupe) de faire l'économie de la démonstration, il conduit le sujet à s'interpréter lui-même.

Donc, le jeu est efficace par les commentaires. Ceux-ci transforment en paroles ce langage obscur du geste, ou de la voix, qui n'était qu'intention.

Le psychodrame fait revivre aux participants des rôles de toujours. Leurs thèmes deviennent, à un moment donné, le thème du groupe et s'insèrent dans son discours. La cohérence du propos exige que chacun ne parle qu'à son tour et dans la mesure où son dire rencontre des résonances. Ainsi se forme le discours du groupe.

Les sujets projettent sur les animateurs et sur les membres les affects de leur enfance : l'aventure œdipienne est, du fait du transfert, répétée.

C'est le jeu qui, par la mobilisation du temps et de l'espace, rend l'interprétation efficace : sur la scène le corps est mis en mouvement et l'action fait retrouver à ce qui s'était jadis passé la dimension du présent.

L'identification des témoins à l'acteur renforce les émotions et les sentiments. Leur présence fait aussi qu'on ne peut annuler ce qu'on a éprouvé et reconnu. Grâce à eux on passe d'une dimension imaginaire et solipsiste à un autre registre (symbolique).

Cet effet de miroir est réciproque : l'acteur est révélé aux témoins et les témoins à l'acteur. La participation de la vue et de la voix dans une action soutient l'alternance et lui confère son actualité.

Quand la phase d'individation fait place à celle où l'agressivité (qui se dissimulait sous les profondeurs de l'individuation) prévaut, cette solidarité s'exprime par des dyades sadomasochistes. Celles-ci représentent, dans les groupes hebdomadaires, le premier niveau de communication. C'est l'advenue du sens qui permet l'issue hors de cette relation et la mise au jour du troisième terme. Ce troisième terme est une métaphore de l'intervention paternelle qui brise la relation duelle avec la mère.

Dans le groupe de deux jours (de durée limitée), l'évolution est différente : l'agressivité au lieu d'être revécue n'est qu'évoquée. Ce n'est que dans le groupe hebdomadaire que cette expérience est réellement recommencée. Il y aurait beaucoup à dire à ce sujet sur le rôle de l'anticipation et du temps.

L'efficacité thérapeutique du psychodrame tient à la dynamique particulière qu'entraîne la présence de nombreux participants. Ceux-ci, a-t-on dit, sont thérapeutes les uns pour les autres. Il est vrai que la dynamique du groupe [1], en favorisant l'évolution des uns, favorise aussi celle des autres : la participation au monde d'autrui révèle des analogies souvent insoupçonnées. Il est vrai aussi que le jeu donne tout son dévelop-

---

1. A ne pas confondre avec la dynamique de groupe ou T group. Cf. chap. VII, p. 363.

pement à ce qui, hors de la présence des témoins, n'aurait pas la même résonance. Il est vrai que ce sont les spectateurs qui trouvent un sens à ce qui n'était que geste ou intonation de la voix et le révèlent à l'acteur. Mais tout cela sera inefficace si le thérapeute[1] ignore l'art d'interpréter. Il lui revient de montrer au sujet son rôle et de lui révéler son désir — de lui montrer combien ce rôle est aliéné au désir d'autrui et à l'image que le sujet croit ou veut avoir de lui-même.

Il désigne aussi au groupe quels sont les enchaînements des scènes et des séances, quelles analogies font coïncider les thèmes entre eux, quelle différence les oppose et aide ainsi grandement à se constituer son discours. Là encore il permet à un sujet de se situer — bien plus, de choisir sa place. C'est donc une autre façon de le délivrer de sa tendance inconsciente à se répéter lui-même.

1. On entend par « thérapeute » une fonction, celle des deux animateurs et de l'observateur.

CHAPITRE III

MAI 1968 ET LE PSYCHODRAME

Ce qui se passe dans un groupe de psychodrame pour être imaginaire n'en est pas moins un écho de ce qui se passe au-dehors. Au mois de mai 1968, la mort donnait son poids à la vie, et c'est de la mort possible que les fragments qui parvenaient dans nos groupes tenaient leur gravité. La vérité n'était plus, comme aujourd'hui de nouveau, la faille en chacun mais au contraire la flamme qui forçait au renouvellement. Les mots retentissaient de leur vrai sens, ils débouchaient sur une action véritable, sur le réel. Cela ne facilitait pas la vie du groupe.

Mais les « événements » ont eu ainsi un effet quasi initiatique. Ceux qui y ont participé ne sont pas près d'oublier cet affrontement à la peur qui leur permit de se regarder eux-mêmes sans fard. Comme le jeune homme du film de Jean Rouch [1] qui part à la chasse tirer le lion à l'arc et qui revient différent de l'aventure : ils sont allés jusqu'au bout d'une expérience essentielle.

---

1. Jean Rouch : *La chasse au lion à l'arc.*

Pierre nous dit :

« J'ai une peur panique du corps à corps. » Il le disait après une bataille de rue. « C'est pour cette raison que je ne suis pas retourné sur les barricades. Six types m'ont foutu par terre et m'ont tapé dessus ; de ne pas savoir quand ils allaient s'arrêter me foutait une trouille noire. J'ai peur de la déchirure physique. Cela me fait penser à mon rêve : c'était un duel au couteau, avec un cérémonial ; on va se battre au couteau, à la main. L'image frappante de la peur et de l'impossibilité, c'est celle du couteau et du sang qui gicle. On vous retire le couteau du ventre avec le sang qui gicle partout. »

La peur est ici précisée, c'est celle de la castration. Son style est celui, particulier, qui marque l'Œdipe de Pierre.

Dans la même nuit, un second rêve corrige le premier : « Pierre lance un couteau à distance et tue son adversaire. C'est un triomphe ! » Autrement dit, il reprend activement l'agression dont il avait été la victime.

C'est un intellectuel ; pour lui les mots frappent à distance comme le second couteau lancé. Ils ont remplacé depuis longtemps le corps à corps. Il y a plus : « Quand je prononce certains mots, ils ont une résonance dans mon corps, alors que leurs synonymes n'en ont pas. » Quand il frappe l'autre, c'est lui-même qu'il atteint : ce retournement de l'agression, tantôt contre l'autre, tantôt contre soi, c'est le niveau du psychodrame où il n'y a ni vainqueur ni vaincu, mais identification réciproque. Dans la rue, par contre, il y a des agresseurs et des blessés ; le retournement n'a pas lieu, la blessure est réelle et non pas symbolique, ce n'est plus la blessure de l'Œdipe.

A la limite, en psychodrame, l'événement c'est l'affect, c'est-à-dire le retentissement d'un fait vécu, rééprouvé comme présent. C'est l'affect qui fait surgir le second récit comme il a fait surgir le second rêve de Pierre. L'affect change le temps du récit et permet de revivre le passé comme présent. Grâce à la remise en route des sentiments et des émotions, les mots font à nouveau vibrer le corps, une relation se noue entre les participants qui fait advenir une action dramatique. Quel est le rapport de cette action avec le réel ? Comment des événements surgissant dans des conditions si différentes ont-ils pu interférer l'un sur l'autre ? Ces questions méritent, on va le voir, d'être posées.

Au cours de la même séance, une participante est venue illustrer par un psychodrame comment le réel était venu déboucher dans sa vie. Un interne de l'hôpital psychiatrique avait affiché sur les murs de la salle commune cet aphorisme : « La maladie mentale n'existe pas, la société la crée. » En rejouant la scène, elle essayait de s'expliquer à nouveau avec lui. Si la folie n'existe pas, que fait-elle, psychiatre ? Elle aurait pu se dire que si l'on confond, au nom de la violence qui règne dans la rue, le langage imaginaire de la folie avec la parole qui fonde un ordre symbolique référé à une loi, tous les déchaînements sont possibles ; mais une telle société, elle, est impossible. Elle ne s'exprimait pas ainsi, elle était seulement troublée, elle se soumettait au contraire à l'autorité de l'interne.

La même confusion des plans, imaginaire, symbolique et réel, explique pourquoi quelques acting-out se produisirent dans les groupes à cause de ce qui se passait dehors. « Nous sommes rentrés du psychodrame avec Johanna, et nous avons dîné ensemble », raconte Alphonse. « On est ensemble tous les trois, depuis, et je souhaite que ça dure toujours », complète Johanna. Tous les trois : c'est elle, Alphonse et son mari. « Alphonse m'a attirée dès le premier soir, je venais au groupe pour lui », avoue-t-elle. Dans la même séance, un autre aveu, celui de Joseph, qui dit aimer aussi Johanna [1].

---

1. Voir plus loin, p. 158, l'histoire de Johanna.

De tels glissements nous font retrouver l'angoisse observée tout à l'heure chez notre psychiatre : Alphonse rêve d'une grande baraque avec une poutre maîtresse. Il y avait des rangées de poteaux et de flics prisonniers sur le point d'être pendus. Un responsable lui dit qu'il est très important de mettre des étais sous la poutre. — Une participante répond à Alphonse qu'elle sent, elle aussi, *sa structure menacée par l'effondrement* de la *structure sociale.* Elle a rêvé qu'elle se trouvait dans une chambre avec deux lits superposés et qu'elle occupait le lit inférieur. Elle craignait d'être écrasée par la chute de l'autre lit. C'est aussi l'intrusion du réel qui a fait délirer une psychotique du groupe de malades en bonne santé depuis quinze ans et qui a fait une crise de manie. Ainsi la confusion des plans, du fait de l'insistance du réel, provoque une angoisse que l'acting-out ou le délire cherchent à détendre sans résoudre le véritable problème : la crainte de la castration.

La castration a été vécue diversement par les membres de nos groupes qui durent prendre, dans leur métier ou dans leur milieu, des décisions et des responsabilités inhabituelles. Les audacieux ont fait face, ils ont décidé sans hésiter ce que la situation exigeait. De deux d'entre eux (que nous prendrons pour exemple), l'un s'est présenté, ô scandale, pour un cadre de société américaine, sur une liste C.G.T. aux élections du comité d'entreprise ; l'autre a pris l'initiative d'une pétition qui réclamait la libre discussion des décisions dans le trust qui l'emploie. Leurs prises de position, la suite l'a prouvé, ne leur ont causé aucun tort. Ils ont suffisamment d'autorité pour cela. Tout autre a été l'attitude de certains révolutionnaires étudiants qui, à l'inverse d'Alphonse ou de la patiente psychotique, ont cru que leurs conflits étaient définitivement vaincus, tant ils se sentaient en harmonie avec ce qu'ils faisaient (ils confondaient, là encore, les trois plans). D'autres, enfin, se sont interrogés avec anxiété sur l'opportunité d'intervenir, balançant, tel Hamlet, entre l'être et le non-être, pris de doute quant à leur vrai désir.

En somme, les premiers ont prouvé leur force et leur résolution ; leur équilibre n'a nullement été menacé. Les deuxièmes ont pu trouver, à l'extérieur d'eux-mêmes, la satisfaction de leurs désirs. Les troisièmes ont vu se lézarder une façade convenablement plaquée sur un trouble profondément enfoui. Parlons d'abord de ceux-là.

Pour l'un, le réveil a été brutal. Fonctionnaire d'autorité, il n'approuvait pas entièrement la position de son gouvernement. Qu'allait-il faire s'il devait maintenir l'ordre ? Obéir ou prendre le risque de s'opposer ? Il balance, il est face à une vérité qu'il ne connaît pas parce qu'il y a trop longtemps qu'il ne s'est pas permis de parler en son nom propre ; pourtant la mort pourrait, d'un instant à l'autre, devenir l'enjeu de ses actes et surgir dans sa vie sans qu'il l'ait voulu. Un second, enseignant, est membre d'un comité d'action. Il a peur d'être entraîné par ses actes à des extrémités qu'il ne peut pas assumer. Il préférerait se retirer, bien qu'il soit d'accord sur de nombreux points avec ses camarades. « Ça tombe mal ! dit-il, j'avais besoin de calme pour faire un retour sur moi. »

L'un et l'autre sont pris au dépourvu. Ils ne voulaient pas être là et l'irrévocable risquait de surgir qui les engagerait sans retour. Ils préféreraient être ailleurs. La fausse vocation de l'un, les hésitations révolutionnaires de l'autre ne sont que des masques. Le choix du métier n'a pas été un hasard ; il correspondait, pour le premier par exemple, à un besoin de pouvoir et de respectabilité, voire de légitimité. L'autre n'a pas choisi. Il a subi le choix de ses parents et son métier est sa croix.

Marc, l'un des plus audacieux, ne se pose pas les mêmes questions. Et pourtant il aurait eu de nombreuses raisons de faire un Œdipe difficile : fils d'un père absent, il a passé son enfance seul, face à une mère envahissante. Mais il est plein de calme et d'autorité, il agit au fur et à mesure que l'événement le requiert. Il a un rapport tranquille avec sa castration. Pourtant, à y regarder de près, il prend, pour être reconnu, des moyens qui ont toujours été les siens : il se veut le canard de la couvée. Il est seul. Quand son chef direct veut le réduire, il l'affronte et va trouver son patron auquel il parle — le jeu le montre — à égalité.

Puisque le vent a changé, il a retiré, entre-temps, sa candidature au comité d'entreprise.

Nous ne faisons ici l'apologie de personne au détriment de tel ou tel. Nous indiquons seulement la place de la castration. C'est d'après elle que chacun se situe dans le groupe, qu'il soit thérapeutique ou réel. C'est là qu'est pour chacun le rapport essentiel au désir. Ainsi chacun se retrouve à la place où son Œdipe l'a laissé, bourreau ou victime, fils ou père, aîné ou cadet, vainqueur ou vaincu, etc. Dans le groupe psychodramatique, cette place lui est montrée ; ailleurs elle est assumée, c'est là la différence essentielle.

L'exemple de Marc nous conduit à faire une autre distinction. Son action s'inscrit dans ce qu'on pourrait appeler l'action sociale. Ce n'est pas une action révolutionnaire. Elle comporte le risque de la castration symbolique, laquelle se distingue, on l'a vu, de la castration réelle par sa possibilité de répétition. Elle s'apparente au jeu en ceci qu'elle est réversible. Jeu différent cependant de celui du psychodrame, en ceci qu'elle est agie et intéressée. C'est la possibilité du retournement qui fait similitude. De même la scène du rêve au couteau plongé dans le ventre avec le sang qui gicle est, malgré son aspect physique (corporel) symbolique. La marge entre le rêve de déchirement et d'éventration et la réalité des coups frappés par les six policiers est celle qui sépare l'inscription secondaire de la névrose proprement dite (laquelle est à situer sur le plan symbolique) de la névrose traumatique, laquelle est provoquée par l'irruption du réel. En cas de névrose traumatique, le rêve aurait été : « Six types me tapent dessus, je hurle de terreur, je m'évanouis et je m'éveille dans une sueur d'angoisse. » La répétition monotone du rêve et l'angoisse qui l'accompagne, nuit après nuit, ont pour fonction, dit Freud, de rétablir l'appréhension que la trop grande brutalité de l'événement réel a empêché de surgir sur le moment. Elle devrait permettre, en somme, de transformer le réel en symbolique.

Le psychodrame, ainsi, recommence l'Œdipe. Tandis que la révolution le surprend au niveau du réel et de l'irréversible, dans le psychodrame, chaque participant affronte sa peur de la castration symbolique. Le risque encouru n'y est pas la mort, il est à la limite la peur du traumatisme psychique qu'une telle éventualité pourrait entraîner. Cette peur est surtout vécue comme risque de dépersonnalisation ou de folie sans que pourtant rien de semblable n'ait jamais été observé. La situation en mai 1968 a montré cependant que la castration réelle se profilait sous la castration symbolique. Ce que le psychodrame emprunte au réel, c'est ce caractère immédiat et brutal de révélation qui qualifie le surgissement de la vérité. C'est pourtant cette épreuve de la révélation sans retour qui doit permettre à chacun de modifier sa place au sein du groupe : de cesser de répéter, par exemple, un rôle d'éternelle victime.

Bien entendu, le diagnostic d'abord, la technique ensuite doivent nous éviter de prendre des risques extrêmes. Mais nous avons voulu montrer en quoi le symbolique risque de glisser vers le réel et comment l'action révolutionnaire qui crée l'irréversible nous éclaire sur le risque psychodramatique.

PSYCHODRAME ET POLITIQUE

Les intrications entre psychodrame et politique, on vient de le voir, sont multiples, complexes et constantes, ce qui paraît de prime abord choquant, si l'on admet ce que nous avons posé nous-mêmes comme un postulat, à savoir que le psychodrame se passe dans un groupe imaginaire, tandis que la politique aurait évidemment son milieu dans la *réalité*.

Nous n'allons pas essayer de définir à nouveau ce qu'est la réalité. Nous n'y arriverions pas ; disons simplement que nous parlons d'un milieu réel, précisément pour l'opposer à un milieu imaginaire et pour signifier que nous n'entendons pas, en psychodrame, agir sur l'ordre du monde, ni même agir sur la vie d'un pays ou d'une société. Nous n'entendons même pas agir au sens où l'on emploie généralement ce terme.

Ayant ainsi distingué grossièrement le champ psychodramatique et le champ politique, nous allons maintenant prendre quelques exemples dans nos groupes.

1. Notre premier exemple est *celui de Johanna*, dont il vient d'être parlé [1]. Elle arrive d'un pays socialiste, longtemps apparenté à l'U.R.S.S. Son père était, dans son enfance à elle, un chef communiste important, quelque chose comme ministre de l'Information et chef du parti. Toute sa famille était communiste ; tout le monde autour d'elle était communiste. Elle a grandi dans un monde politiquement défini, sans discussion, à ses yeux du moins. Son père était le garant d'un ordre parfait. Il était la raison et le lien d'amour d'une communauté sans opposants — Johanna n'était que l'ange de ce dieu, aux yeux de la communauté (famille et société confondues dans le parti) et aux yeux du père. Elle n'avait donc aucune relation personnelle, assumée en son nom propre (même pas vis-à-vis de sa mère aliénée elle aussi). Elle n'avait pas de vie propre entre son père et le parti, mais elle se croyait parfaitement heureuse dans ce monde parfait jusqu'au jour où le père et le parti se sont effondrés. Depuis ce jour, elle passe de la dépression au délire sans parvenir à trouver un équilibre.

En groupe, où nous la rencontrons maintenant, elle se sent immédiatement heureuse. Hélas ! pour de mauvaises raisons. Elle y redécouvre spontanément l'image du parti admiratif et

1. Cf. p. 153.

adorateur. Elle entend se faire aimer de tout le monde *indistinctement*. Elle a besoin, et elle le dit, d'être aimée de tout le monde. Les thérapeutes sont mis d'emblée à la place du père. Ils sont parfaits.

Bien sûr, Johanna se place ainsi en dehors du groupe, elle continue à être, non pas tout bonnement membre du groupe (du parti), mais l'ange de son père. Pour appartenir au groupe, il faudrait qu'elle passe par une relation personnelle avec tel ou tel membre. Pour créer une relation personnelle, il faudrait qu'elle accepte de la désirer pour elle (et non pour le père thérapeute ou le groupe) et qu'elle accepte l'ambivalence de son désir (amour-haine). Or, elle se veut ange et ne manifeste aucune agression. Elle se veut tout amour.

Après un court séjour brillant, elle quitte toutefois le groupe en entraînant après soi un adorateur et elle va reconstituer dans sa vie réelle une sorte de cour dont elle est le centre : adorée, respectée, elle y est à tous et à personne. Mais cette cour se dispersera, comme le monde paternel s'est un jour effondré, et Johanna sombrera à nouveau dans la dépression. A moins qu'elle ne revienne dans le groupe ou qu'elle entreprenne une analyse, ce qu'elle fera sans doute. Elle y découvrira le poids d'une parole qui choisit. Ce choix la destituerait de son rang de fille de Dieu et ferait d'elle une simple mortelle. Elle l'obligerait à renoncer et à son père et à son peuple pour se contenter de la seule personne choisie, celle à qui l'on parle : un semblable.

Où l'on voit quel rôle aurait le psychodrame dans une société communiste qui confond le parti et la société.

2. *Jean et la délation*

Jean, lui, confond le groupe et la société. Dès les premiers troubles de Mai, il a ouvert la séance de psychodrame en déclarant : « A partir d'aujourd'hui, je considère que le groupe est une chose dangereuse. L'engagement politique de chacun l'oblige au secret. Le groupe peut être un lieu de dénonciation parfait, il peut y avoir ici des indicateurs et ce serait enfantin de s'exposer à un danger quelconque en parlant dans un groupe. » Enfin, Jean avait trouvé une fonction dans le groupe.

Aussitôt le groupe prend peur et se tait car, que dire, en Mai, qui ne soit de près ou de loin lié aux événements ? Puis s'il faut trier dans ce qu'on pourrait avoir à dire, toute spontanéité est tuée dans l'œuf. Jean a ainsi créé ce qu'on appelle un climat fasciste où l'on voit que c'est la peur qui crée le fascisme si elle en est aussi la conséquence.

Ce faisant, il a aussi tué le groupe puisque le seul principe de vie du groupe est précisément la spontanéité.

Mais alors le thérapeute intervient, car on peut juger de la position prise par Jean par sa conséquence immédiate dans le groupe : si elle a tué le principe vivant du groupe, c'est que Jean désirait tuer le groupe. Donc, il est opposant ou déviant. Nous n'avons pas à analyser ici le rôle de Jean. Contentons-nous de souligner qu'il veut empêcher le groupe de vivre.

Cela ne suffit pas à rassurer le groupe car c'est vrai qu'il peut se trouver, parmi les membres, un indicateur. Pourquoi pas ? Jean a réussi à transformer les membres du groupe en autant d'*inconnus* et donc en autant d'individus menaçants, dangereux. Pour le reconstituer, il faut amener chacun à se révéler à nouveau, à se faire *connaître,* c'est-à-dire à renaître dans le groupe. Ce n'est pas facile. Mais il suffit d'une parole vraie pour refaire ce que la parole faussée de Jean a défait.

Cette parole sera une parole sans peur. « Moi, je suis de gauche », dira Jacques, et cette déclaration sera faite sans peur si elle est dite exactement comme son contraire « Moi, je suis de droite », ou vice versa, parce que l'une ou l'autre seront mises en question quant à leurs motivations.

A cet égard, toute option se vaut. Un vrai groupe est celui qui entend la parole comme une parole uniquement expressive et non comme une parole déjà engagée dans un plan d'action, utilisée ailleurs et susceptible de détournement, ce que redoute

Jean. Pour guérir le groupe de la peur, il faut le maintenir sur le plan de la vérité de l'expression.

Nous n'avons pas à insister ici sur le fait qu'à l'oreille du thérapeute les mots de délation, d'indicateur et celui implicite de police, faisaient apparaître en filigrane ceux de délire et de paranoïa. Ceci est l'affaire du thérapeute ; il n'a pas, en groupe, à en faire état, sinon il renvoie Jean à sa solitude. Or, Jean, en rejetant les membres du groupe dans le monde mythique des inconnus, du monde ennemi, manifeste déjà trop bien sa tendance à s'isoler. C'est le phénomène et la névrose inverses de ceux de Johanna ; mais le résultat est le même. Il faut au contraire les ramener dans le groupe. En tout cas, il nous a indiqué ce que le psychodrame pourrait faire dans un monde fasciste.

3. *Les opinions non intégrées* sont monnaie courante dans n'importe quelle société, car toute société est politique et donc manœuvrière. L'opinion en est le levain et la parole y est prise et utilisée à des fins intéressées et non comme parole de vérité.

Le travail du groupe consiste précisément à dégager la parole de ces fins. Les membres cessent d'avoir peur quand toute parole y est entendue au même titre et d'une oreille pareillement orientée vers un au-delà de ce qui est dit. Où l'on voit que le groupe peut être un remède préventif contre le fascisme, dans la mesure exacte où il guérit des êtres comme Jean qui sont des graines de fascisme. Mais ce n'est pas là le but du groupe et pour nous, en tant que thérapeutes, le fascisme et le communisme se valent.

En effet, ce sont toutes les opinions qui sont interrogées quant à leurs motivations dans le groupe, non pour leur valeur politique objective mais pour leur niveau d'intégration dans le sujet. Nous nous expliquons. Toute déclaration a un contenu objectif qui ne nous intéresse pas. Par exemple : « Le capitalisme est la plaie du monde moderne », ou : « Les étudiants se laissent mener naïvement par des éléments dangereux ». C'est vrai ou c'est faux ; peu nous importe. Ce qui nous importe, c'est le taux d'agressivité contenu dans les propos, par exemple le désir plus ou moins préconscient qu'ils trahissent et, à un niveau plus profond, le fantasme dont ils sont un nouvel avatar. En ce sens, on peut dire que les adolescents n'ont que des opinions non intégrées parce qu'elles sont toujours oppositionnelles, agressives, projectives, *réactionnelles* en un mot. En tant que telles, elles s'évanouiront avec la tension qui provoque la réaction. C'est en ce sens que nous disons que les opinions adolescentes ne sont pas intégrées puisqu'elles n'ont pas subi ce que l'on appelle l'épreuve de la *réalité*, laquelle est d'ailleurs longue à se révéler en tant que telle, si elle le fait jamais. Notre société n'a pas exactement remplacé les rituels d'initiation perdus.

Il y a aussi les adolescents muets de terreur, ou bègues d'angoisse devant le vide de leur opinion. La peur les paralyse. Pour les premiers, ceux qui croient avoir des opinions, la parole n'a pas assez de poids, elle flotte ; pour les seconds, elle en a trop, elle ne sort pas. De quoi, de qui ont-ils peur ?

Où l'on voit que toute société trouve dans le psychodrame un crible propre à ses besoins, que les organisations politiques auraient dû inventer si elles avaient eu le souci d'atteindre à plus de vérité. Mais bien évidemment ce n'est pas là leur objectif.

Il est temps maintenant de passer à l'analyse de ces phénomènes d'intrications. Nous reprendrons un exemple, tout à fait simple et réduit cette fois, pour l'analyser, non plus en extension, mais en profondeur.

Dans un groupe de psychodrame, à une séance contemporaine des événements de Mai, un psychiatre, membre du groupe, lâcha cette réflexion : « Il y avait aussi une infirmière, *naturellement.* » C'est nous qui soulignons. Il parlait d'une réunion de travail à l'hôpital. Nous l'interrompîmes aussitôt : « Pourquoi : naturellement ? » Le psychiatre connaissait nos opinions ; il nous avait vus à Censier [1] ou rue

1. Annexe de la Sorbonne consacrée aux Lettres et Sciences humaines.

des Saints-Pères [1] ; il s'étonna, quel pouvait donc bien être le sens de notre question ?

Elle signifiait que dans ce lieu de contestation pure qu'est le groupe psychodramatique, il n'y a pas d'opinion établie. L'option prise par le psychiatre pouvait être considérée comme objectivement bonne ; elle n'en restait pas moins passible de contestation, analytiquement ; et le psychiatre devait être d'entrée de jeu questionné quant à ses motivations.

Si la même réflexion avait été faite à Censier, lors d'un travail de commission, elle serait allée de soi. Les membres d'un groupe de travail s'intéressent au contenu de la déclaration et non aux motivations de qui la fait. Si le contenu est conforme à l'article X de la motion Y adoptée à l'unanimité la veille à l'assemblée générale, la déclaration est acceptée. On ne peut pas éternellement revenir sur les précédentes motions, pour des raisons pratiques évidentes. Par contre, toute déclaration, toute position, fussent-elles bonnes, unanimement acceptées, sont remises en question en psychodrame. Il n'y a pas d'accord préalable ni d'impératif d'action qui tiennent.

Cette contestation-là est radicale et antinomique de *toute* position, quelle qu'elle soit. Autrement dit, *cette contestation est purement négative.*

Que de fois tel ou tel patient en groupe ou en analyse part-il déçu « parce qu'on ne lui a pas répondu ». Nous voyons ici un nouvel aspect de cette non-réponse qui est de règle dans les cures. Et certes il s'agit bien de frustrer ainsi le patient pour forcer sa demande à se radicaliser toujours plus. Mais il s'agit surtout d'un refus total et inconditionné de réponse. Nous ne pouvons pas dire ce qu'il serait souhaitable que X fasse ou quelle est la meilleure façon de résoudre un conflit ; nous ne pouvons même pas dire que celui-ci dit vrai et celui-là faux : tout le monde parle également vrai et également faux, eu égard au besoin qui meut sa parole et au désir qui inspire sa demande. A cette profondeur où la parole vient éclore en

1. Siège de la Faculté de Médecine de Paris.

analyse ou en psychodrame, elle n'est pas encore monnayable socialement et politiquement.

Qu'est-ce que cette parole qui n'engage pas ? Elle s'adresse pourtant à l'autre et dans cette mesure elle est une demande d'amour et d'action commune. Sans doute. Mais elle n'engage qu'à ce pari : la vérité ou la vie, comme on dit : la bourse ou la vie [1]. Où l'on voit que le véritable enjeu du pari est la mort. La parole politique au contraire est — au-delà de ce pari — une alliance contre la mort. Elle est l'alliance même, le contrat qui survit au moment où la parole est prononcée. C'est pourquoi il y a des préalables et des accords. Elle maintient la position antérieure que la parole a énoncée, parole qui, elle, s'en irait autrement en fumée, rongée par le feu de la vérité. La parole est de feu et se consume, à la lettre ; l'action politique la consomme, en quoi elle la maintient et la trahit à la fois. « La praxis, a-t-on dit, consomme l'idée. » *Penser la révolution c'est faire de l'idée le fait et du fait l'idée.*

Qu'entendent donc faire les étudiants, quand ils fondent leur université critique ? Une université de contestation ? Entendent-ils mettre paradoxalement la philosophie au pouvoir comme le voulait Platon, ou bien savent-ils que toute entreprise contestataire est négative ? Bien qu'ils aient parlé de « pouvoir étudiant », ils se sont assez clairement expliqués pour qu'on puisse considérer cette future université comme une vaste recherche épistémologique ; la contestation s'y traduirait par l'analyse de tous les savoirs constitués ou en train de se constituer ; de tous les systèmes de pensée, au moment de leur clôture ; de toutes les œuvres satisfaites, depuis les réalisations politiques jusqu'aux œuvres d'art. Parallèlement à une faculté de médecine ou en son sein, on voit bien où ce travail mènerait : à s'interroger sur l'objet de la médecine, sur ses méthodes, sur le sens de la maladie, sur la relation médecin-malade (sans privilège préalablement accordé au médecin), sur le concept de santé et les autres concepts explicites

1. C'est un mot de Lacan.

ou implicites, enfin sur la médecine comme phénomène mouvant. Foucault [1] en serait évidemment le pionnier, lui qui a montré que la maladie change comme l'homme change. C'est ce dont la médecine ne s'était pas avisée. Dans cette perspective d'ailleurs, toute science est contestable, aussitôt établie.

La contestation universitaire doit-elle s'attaquer jusqu'à cette œuvre satisfaite qu'est le moi ? Non, parce que l'alliance minimale à la réalisation de toute œuvre (l'université critique elle-même) serait à l'instant dénoncée. Le travail commun, le frottement inévitable, l'honnêteté critique ne peuvent évidemment qu'écorcher ce moi satisfait jusqu'à l'os.

Mais l'os subsiste. C'est à l'os que s'attaque la psychanalyse. Nulle université critique n'aurait vu le jour si la psychanalyse n'avait d'avance corrodé toute œuvre et toute science dans l'œuf du moi. La relation réciproque n'aurait jamais remplacé la relation descendante d'autorité, sans Freud et le dévoilement de l'Œdipe. De même, nulle université critique ne subsistera si, parallèlement, dans un ailleurs non institutionnalisé, ne continue à œuvrer la psychanalyse, au moins dans des groupes.

Nous ne pensons pas que le fait d'avoir interrogé le psychiatre sur ses motivations ait affaibli ses convictions. Au contraire. Débarrassé d'un investissement affectif parasitaire (volonté de puissance, passivité, démagogie, etc.), son adhésion n'est que plus assurée, en même temps que plus tranquille. Nous pensons que les névrosés font de mauvais politiques. De dangereux politiques ! Mais il est certain que le maintien d'un lieu de contestation parallèle ne va pas sans implications politiques. Partout où il est maintenu, les régimes politiques fondés sur le *statu quo* ou la volonté de puissance ou la simple légitimité, sont impossibles ; c'est ce que d'aucuns traduisent en disant qu'on ne peut être psychanalyste et être de droite (dans la mesure où les mots de *droite* et de *gauche* ont un sens). Egalement impossibles les régimes qui posent

1. Ceci a été écrit en 1968.

qu'on peut créer une société non répressive qui ne tomberait plus sous le coup de la contestation ; car l'analyste sait que le désir de l'homme est fondamentalement interdit et qu'il se donne des lois pour ne point avoir à y renoncer nommément. La répression sociale n'est que le reflet de l'interdit, sa monnaie, mais elle est indestructible comme l'interdit lui-même garant du désir.

Ces implications ne font pas que le thérapeute devienne forcément politique et entreprenne une action politique. Nous distinguerions volontiers ici — pour plus de clarté — trois plans.

— Le plan analytique qui est celui de la recherche mystique d'une vérité toujours évanescente jusqu'à consumation de l'être ;

— Le plan révolutionnaire (qui comprend celui de la philosophie critique) qui est celui d'un acte visant à renverser l'ordre établi et à légitimer l'interdit dans la transgression ;

— Le plan politique (qui comprend le réformisme) qui est celui où l'acte politique consiste à ramasser les morceaux et à les lier pour le maintien ou la création d'un certain ordre.

Que l'on ne nous fasse pas dire que nous en revenons à la séparation de la pensée et de l'action ; de l'intelligence et du travail ; de la culture et de la vie. Ce que nos groupes psychodramatiques ont de plus spécifique peut-être, c'est qu'ils sont constitutivement mixtes ; ils comprennent des « malades » et des « non-malades », des intellectuels de tous les niveaux et des non-intellectuels. Nos groupes dits « de médecins » comprennent aussi des kinésithérapeutes, des rééducateurs, des infirmières et des assistantes sociales. Pas de classes d'âge (à partir de l'adolescence, bien entendu), ni sexuelles ni professionnelles d'aucune sorte. Et cela se comprend puisqu'il est bien entendu que toutes ces catégories sont de l'ordre de l'imaginaire. Image pour image, un homme peut jouer le rôle d'une femme et un père le rôle de son fils. Il faut féliciter les étudiants de vouloir ouvrir leur université au monde ouvrier autant pour ne point dépérir que pour ne pas la voir dépérir. Ils ont compris que tout clivage est mortel pour la catégorie clivée, qu'il s'agisse d'hommes ou de disciplines culturelles, parce qu'il est un leurre. Aussi le non-clivage est-il l'un des mots d'ordre de la toute première motion de la commission des sciences humaines de Censier, comme il est notre mot d'ordre à nous.

Mais les trois plans susdits subsistent idéalement et s'excluent sur le plan de la praxis de l'individu. Contrairement à l'opinion de Ricœur [1], nous ne croyons pas qu'on puisse être révolutionnaire par-devers soi et réformiste dans l'immédiat. Ce sont deux attitudes contradictoires, comme il ressort — pensons-nous — de ce qui précède. Et l'université critique ne saurait être une école ; elle garde quelque chose de paradoxal, et elle est plus semblable au lycée socratique qu'à nos écoles traditionnelles. Mais enfin ces écoles paradoxales vivent tant qu'il y a des Socrate, des Freud ou des Lacan pour les animer.

Il reste que l'action révolutionnaire est paradoxale par définition. Penser et faire y sont une seule et même chose. La révolution vise, avons-nous dit, à renverser un ordre et à légitimer l'interdit ; mais l'action y est momentanée : l'interdit légitimé n'est plus l'interdit. Ce n'est pas pour rien qu'il a fallu inventer la révolution permanente. De même l'université critique ne peut que remettre perpétuellement en question tout ce qui naît de sa propre réflexion. L'action politique au contraire, en fonction de la « maxime de prudence » qui la régit, ne vise qu'à légitimer le possible et à la conservation des bénéfices acquis. Une situation étant donnée, il s'agit pour chaque homme politique de sauver sa mise. Il n'y a pas d'idéal là-dedans. Ni même d'idée à proprement parler. Il est faux de dire qu'on peut rester idéaliste et devenir réformiste. En vérité, l'engagement, dans l'action politique (ou réformiste), est un investissement libidinal et le passage à l'action révolutionnaire

1. Cf. *Esprit*, juin-juillet 1968.

un autre investissement qui emprunte une autre voie. Celui-ci n'obéit pas à la maxime de prudence et ne se préoccupe pas d'efficacité. Ses effets dans le domaine pratique sont de l'ordre des bénéfices secondaires (il y en a toujours). Mais il se suffit. Il est spontané et gratuit. Il est de l'ordre de la transgression, c'est-à-dire du désir pur. C'est pourquoi il peut créer momentanément un ordre nouveau. Seul l'adolescent — vrai ou demeuré — est capable d'action révolutionnaire, car l'adolescence est l'âge où l'on se dégage de l'ordre familial sans être pour autant, encore, engagé dans l'ordre adulte et social. C'est l'âge de la générosité, où le bien est possible ; l'âge moral par excellence ; on l'a bien vu en 1968. Comme nos étudiants — passé le moment premier de la transgression sexuelle — ont été sages !

Celui qui, adolescent ou pas, entre en analyse, affronte un autre interdit que celui de la loi sociale. Il affronte sa castration. Son désir de vérité est le plus fort, ou plutôt il sait que le désir de vérité *est* son désir d'homme ; nous l'avons dit : c'est un mystique. Mais, comme la recherche mystique comporte tous les degrés et comme tout désir est ambivalent, l'analyste se trouve toujours sur une pente révolutionnaire et le révolutionnaire sur une pente (ou une tentation) mystique, puis, enfin, comme il faut vivre, l'un et l'autre glissent volontiers vers le politique. Le réformiste, donc, est un politique. Il investit la libido dans la réalisation d'un ordre qui recouvre son angoisse et la nie. Il tourne le dos aussi bien à l'analyse qu'à la révolution. Le révolutionnaire transgresse l'ordre et en jouit. Seul l'analysant reconnaît la castration.

C'est bien ce qu'ont senti nos étudiants ; car, ayant fait la révolution, ils sont sommés de réaliser un ordre (universitaire en l'occurrence) et donc de faire du réformisme. D'autre part ils sentent bien qu'ils sont interrogés à un niveau plus profond, sur leurs propres motivations révolutionnaires (la transgression). A la retombée de l'acte forcément bref, ils se sentent déçus. Autrement dit, ils sont analytiquement sollicités. Si l'on songe que les étudiants en médecine sont professionnellement confrontés à l'expérience analytique et donc sollicités par surcroît professionnellement, on comprend leur désarroi.

A ce désarroi, on ne peut répondre qu'en l'explicitant d'abord : l'étudiant ayant accompli l'acte révolutionnaire peut, non pas recommencer comme on l'a suggéré, mais choisir entre deux voies : la voie réformiste et la voie analytique. Nous avons fait une critique négative du réformiste. Mais, de même que l'on ne peut faire à moins de la politique, on ne peut faire à moins du réformisme. Ils sont de l'ordre de la nature et obéissent à la loi de la conservation. Notre analyse est tout idéale ; nous sommes tous tentés par la vérité mais nous nous égarons tous, à tout moment, dans des voies parallèles. Ce serait le fait d'un idéalisme niais que de vouloir faire l'ange ou le héros, sans tenir compte de ce que l'on peut et de ce que l'on ne peut pas faire. Dans ce domaine non plus on ne peut donner ni conseil ni recette. A chacun de juger et de jouer. A notre avis il vaut mieux être un déterminé réformiste qu'un faux révolutionnaire. Quant à cet ailleurs de contestation pure que constitue le champ analytique et psychodramatique, beaucoup y sont aujourd'hui appelés. Trop, sans doute. Peu parviennent à y trouver leur souffle. N'importe : il faut que ce lieu de contestation pure soit maintenu.

C'est en tant que lieu de contestation pure que le psychodrame a un effet politique sans avoir d'objectif politique. Il a un effet politique à titre de bénéfice secondaire : du crible de l'opinion au garde-fou, nombreuses sont les images qui rendent compte de cette fonction politique, intérieure à tout système politique et indifférente à tout choix politique.

En résumé, nous dirons qu'on ne fait pas de politique en psychodrame. Peut-être même y défait-on la politique. Mais elle reste sur la touche, imminente et virulente comme la réalité même.

PSYCHODRAME ET SOCIÉTÉ

Si le psychodrame ne peut avoir de fin politique, faut-il aller plus loin et nier qu'il puisse servir à l'instauration d'une meilleure société ?

Dans quelle mesure la psychanalyse et le psychodrame — que nous ne séparerons pas dans un premier temps, parce que le problème dépasse de beaucoup le seul psychodrame — peuvent-ils rendre compte des mouvements, des changements ou des maladies d'une société, et dans quelle mesure peuvent-ils y porter remède ? C'est une grosse question à laquelle, en France du moins, l'on hésite à s'attaquer tant les pièges sont nombreux. Il est difficile d'éviter en effet les glissements méthodologiques, les analogies séduisantes mais antiscientifiques (entre individus et société) et toutes sortes d'interprétations faciles, inférées de la pratique psychanalytique individuelle. Pourtant la tentation était grande et sous la forme plus particulière de « psychanalyse et marxisme », par exemple, le problème était difficilement escamotable. C'est celui auquel ont été affrontés des analystes comme Wilhelm Reich, Erich Fromm et Marcuse.

Les psychanalystes ont le souci de coller étroitement à leur pratique, on le sait, et ne théorisent qu'à partir de cas cliniques souvent trop aisément identifiables, ce qui gêne énormément le travail scientifique, on sait cela aussi. Or, ces cas cliniques sont des cas individuels : la psychanalyse, c'est le traitement des névroses individuelles, et le psychodrame le traitement en groupe de névroses individuelles (pareillement), encore que la question se pose de savoir si l'on ne peut analyser le groupe en tant que tel. C'est la position d'une école anglaise (Foulkes, par exemple) : psychanalyse en groupe ou de groupe ?

Pour nous, il ne s'agit jamais de traiter la société en tant que telle. Il ne s'agit pas d'élaborer une théorie psychanalytique qu'on pourrait alors appeler sociale, ni de traiter les suicides collectifs, les guerres, les migrations, ou les révolutions, etc., et sans aller chercher plus loin, il ne s'agit pas d'expliquer la grève. C'est un exemple fameux ; Wilhelm Reich l'a choisi pour répondre à Erich Fromm dans la controverse qui s'est élevée entre eux à ce sujet précisément. On ne peut pas, effectivement, psychanalyser la grève, mais seulement tel ou tel gréviste qui se trouve sur le divan d'un analyste — et alors, il n'y est pas en tant que gréviste, mais en tant que personne impliquée à tel moment de sa vie dans une grève. Ou bien la grève peut réveiller ses perplexités et sortir en analyse comme n'importe quel autre matériel ; autant de grévistes, autant de grèves, même s'il s'agit de la même — ce qui rend déjà difficile une étude socio-psychologique de la grève ; mais en outre, autant d'implications différentes du point de vue analytique.

Le malheur veut que la sociologie, dont cette analyse serait l'objet propre, manque d'un outil approprié pour la faire ; il semble qu'elle reste au-dessous de sa tâche et de l'attente qu'elle avait fait naître : ce n'est pas encore la sociologie qui nous permettra d'éviter les guerres, par exemple. Quant aux grèves, il faudrait savoir s'il convient de les éviter. La sociologie ne saurait être ni normative ni thérapeutique. Elle porte sur le passé et elle est toujours dépassée, si l'on nous pardonne ce méchant jeu de mots ; dépassée du moins pour ce qui nous occupe, à savoir connaître et éviter certains maux. Seule la sociologie marxiste propose une analyse et une praxis. C'est en quoi marxisme et psychanalyse se rejoignent ; ils sont semblables aussi dans la mesure où ils sont résolument matérialistes. Mais le marxisme dit : l'homme est aliéné par un certain système économique, il s'agit d'opérer une transformation sociale qui le libère ; il connaîtra alors le bonheur.

Freud, au contraire, est pessimiste : « On se demande, écrit-il dans *Malaise dans la civilisation*, ce qu'entreprendront les

Soviets quand les bourgeois auront été exterminés. » A notre sens toutefois, même si le bonheur n'est pas de ce monde, même s'il n'est jamais atteint, le marxisme peut vouloir lutter pour la désaliénation de l'homme, à tel moment de son histoire, sans que cette lutte soit absurde. D'ailleurs, Freud lui-même était pessimiste et pourtant thérapeute. Donc, la critique qu'on peut faire de l'idéologie marxiste ne suffit pas à l'infirmer en tant que théorie de la désaliénation. Mais le psychanalyste peut faire une critique plus profonde du marxisme ; le système économique, en effet, n'est qu'un aspect d'un vaste système répressif constitutif de toute société, quelle qu'elle soit. Le mal donc peut être là à tel moment de l'histoire ; mais il peut être ailleurs à un autre moment. En vérité, il est toujours ailleurs : l'homme est mauvais, l'homme est malade ; il faut prendre ce mal à la racine, qui n'est pas économique mais structurale. Toute autre considération économique ou culturaliste est finalement psychologisante : elle explique l'apparition du mal, même si l'on admet que la loi économique marxiste n'a pas grand-chose à voir avec la psychologie ; car s'il est vrai qu'elle suppose une pulsion d'autoconservation, elle n'en fait pas l'analyse. Il y a à ce propos une très jolie histoire dont Bertrand Russell est l'auteur. C'est l'histoire de l'éphémère. Tout le monde sait que l'éphémère, devenu insecte parfait, meurt peu après. Dans son stade larvaire, l'éphémère n'a que les organes qui lui permettent de manger. Devenu insecte, il n'a plus d'organes pour manger, par contre il a des organes pour la reproduction. Russell en conclut que, larve, l'éphémère serait marxiste, et insecte parfait, il deviendrait freudien.

C'est une très jolie histoire que nous n'essaierons pas d'exploiter outre mesure. Russell avait sans doute plus de sympathie pour Freud que pour Marx, parce que Freud, du moins, s'occupait d'amour.

MAI 1968 ET LE PSYCHODRAME

Le psychodrame dans la société

En groupe, comme dans le « collectif d'Oury »[1], les signifiants de chacun et celui majeur du groupe sont remaniés à travers des identifications complexes et mouvantes. Les médiations souhaitées par Oury pour rompre les relations duelles ou hiérarchiques y sont assurées par les membres eux-mêmes, supports des différents transferts. Mais, à la différence du collectif, le groupe du psychodrame reste imaginaire. Par rapport à nos groupes de psychodrame, ces collectifs ou communautés sont des groupes réels. Leur objectif plus ou moins éloigné est la refonte de la société suivant une certaine idéologie. On n'y travaille pas ; on n'y mange pas ; on n'y meurt pas ; on y joue. Chacun y réapprend à être plusieurs et à se désaliéner du rôle social. Cet homme pluriel s'oppose assez bien à l'homme unidimensionnel de Marcuse qui ne sait pas dire non. C'est en psychodrame que l'on apprend le mieux, pensons-nous, à dire non, peut-être parce que tout à fait artificiellement le sujet est momentanément arraché au système qui l'enferme et auquel il ne sait dire que oui. En ce sens tout système est aliénant ; la famille comme l'école et comme la langue même que nous apprenons à parler. On sait qu'il y a un âge pour dire non : c'est trois ans ; puis vient l'âge de raison. Ensuite l'adolescent recouvre l'usage du non (ou ne le recouvre pas). C'est le second non, génétiquement. Il arrive que toute une jeunesse et des moins jeunes le recouvrent brusquement tous ensemble. On a alors les événements de Mai 68.

Ces considérations nous ont persuadés qu'il était absurde de reprocher aux étudiants de ne savoir que contester. Bien évidemment ! C'est de contestation qu'ils avaient besoin. Il leur fallait dire non ; à ce propos, nous aimerions parler

---

1. Il s'agit de Jean Oury, psychanalyste de l'Ecole freudienne, directeur de la Clinique de La Borde, près de Blois.

d'une séance de psychodrame qui a porté tout entière sur ce problème important.

Il y était question de Jeanne qui, à l'âge de dix-neuf ans, alors qu'elle venait de rencontrer l'amour, s'entendit signifier par un père jésuite qu'elle pouvait enfin « choisir ». Il ne savait pas qu'elle venait de se fiancer. Choisir, pour lui, cela signifiait choisir la vie religieuse. Jeanne s'était vue, en effet, invitée à remettre à plus tard cette décision pour des tas de raisons très valables et voilà que, selon le père, le temps était venu de dire oui. Jeanne ne parla même pas de son amour. Elle dit oui sans la moindre hésitation, sinon sans douleur : elle avait au moins quelque chose à donner au Seigneur : son bonheur ! Alors elle a dit oui à ce père dont, dit-elle, elle attendait le signe. « Il était une voix », dit-elle encore. Elle attendait l'ordre pour entrer dans un ordre. Mais le couvent n'a pas voulu d'elle, ou plutôt son corps a protesté, dit-elle. Elle est tombée malade. Elle a dû quitter le couvent. Non qu'elle ait cessé de croire en Dieu. Sa foi reste entière, encore aujourd'hui, et aujourd'hui peut-être, à quarante ans, elle pourrait dire valablement oui. Quoi qu'il en soit, elle avait dit oui au père, et non à l'amour, c'est-à-dire à son désir. Pourquoi ? Parce qu'elle sentait obscurément que son désir le plus radical n'avait pas de contour, pas de visage, pas même celui de son fiancé, et elle en était effrayée. Par peur d'affronter ce vide qu'on peut appeler castration, par peur, en d'autres termes, de n'avoir à aimer qu'un homme bien petit au regard de son insondable désir, elle a préféré la sécurité d'un ordre reçu, qu'elle guettait et l'adhésion à un ordre existant dont la parole du père était garante.

C'est ainsi que l'ordre quel qu'il soit (religieux ou moral ou politique) est toujours un leurre offert, un refuge tout prêt pour qui n'ose pas assumer son propre désir, qui consiste, hélas ! à savoir dire non d'abord.

Ce que le groupe permet, c'est ce non, dit d'abord, à partir de quoi le discours s'instaure. Le névrosé dit oui à l'ordre imaginaire, au mot qu'il croit avoir entendu de la bouche infaillible du père. En somme, le névrosé dit non à son désir et oui à celui de ses parents, quels qu'ils soient, au lieu de dire oui à son désir et non à l'ordre établi. Il n'ose affronter la déception consécutive au choix ; il a peur de ce trou toujours béant qu'est le désir et qu'il croit pouvoir boucher avec le désir des autres. Le psychodrame est ce non dit au désir d'un autre. Mais nous ne pensons pas, comme le pense Reich, que la société soit répressive parce qu'elle est capitaliste, ni même parce qu'elle est société et qu'il faut donc la détruire, et faire la révolution sexuelle. Ceci est antifreudien. Le désir freudien est un trou, un manque ; tous ses objets sont fallacieux et l'angoisse naît de ce désir sans nom. Il se donne une morale par culpabilité et une police comme garde-fou. Mais la répression est intérieure à la personne, et l'homme n'a garde de libérer totalement un désir qui mourrait alors de sa belle mort. Mais Reich nie l'instinct de mort.

Le désir est le désir de l'interdit. On l'a bien vu aussi en Mai 68. Ainsi, le psychodrame qui libère ce désir ne le libère que pour lui montrer son absence d'objet total. Ce n'est pas une psychothérapie gratifiante.

Toutefois, le malade trouve là des supports transféraux qui le sortent de son autisme, ou d'une relation duelle, presque mécaniquement. C'est en somme un lieu non institutionnalisé (beaucoup moins que la collectivité d'Oury), l'envers de la société civile, réelle, qui est tout entière institution ; on y détisse à l'envers, comme on défait un tricot, ces réseaux institutionnels aliénants. Et pourtant le sujet n'y est pas coupé des autres qui apparaissent avec lui sur cette scène où, constitutivement, plusieurs personnages concourent à le faire apparaître.

C'est ce phénomène que figure le jeu psychodramatique. Que le groupe ne soit pas institutionnel, c'est ce que nous avons dit sous une autre forme quand nous l'avons qualifié d'imaginaire. L'institution se définit en effet par sa fin qui toujours se ramène à la conservation de la société en passant par la conservation du groupe institutionnalisé : famille ou usine, et par des buts secondaires de production qui visent aussi à la conservation ou au profit. Le groupe imaginaire n'a pas d'objet, ou alors l'objet est « la chose », *das Ding*, rien autrement dit ; ce rien qui signifie castration du désir. Le groupe psychodramatique a donc une fonction désaliénante dans la société grâce au pouvoir de dire non que le sujet y recouvre. C'est, avons-nous dit, un lieu de contestation pure.

Il ne faudrait pas en conclure qu'il y a deux mondes, l'un pur, sorte de vase clos ou de cellule sociale parfaite et, d'autre part, la société, siège de toutes les identifications aliénantes. Ce serait de nouveau rétablir cette bipolarité que nous combattons.

Le groupe psychodramatique ouvre sur la société comme un ensemble transfini, c'est-à-dire comme un domaine local qui reçoit la pression des événements extérieurs : les personnes du groupe appartiennent à la société et y vivent ; ce n'est rien d'autre que les événements de cette vie qui viennent comme matériel d'analyse, avec choc en retour, à l'extérieur, si l'on peut parler d'intérieur et d'extérieur. Autrement dit, le groupe, tout imaginaire qu'il soit, n'est pas coupé du monde. C'est même parce que le médecin, dans l'ancien régime, s'était retiré dans un statut de santé et de prétendue non-aliénation, de pureté tout artificielle, qu'il s'était du même coup condamné à l'impuissance.

La coupure pratiquée par le groupe psychodramatique est précisément de l'ordre pratique ; elle permet l'afflux des événements extérieurs, au lieu de les scotomiser, ce qui se passe souvent, par contre, dans la vie active. Cette coupure permet, en outre, le dégel des relations autoritaires établies dans les institutions (dire oui) et qui constituent ce qu'Oury appelle « les petits royaumes » où règne le surmoi d'échelon en échelon, du plus haut au plus bas. Dans ces royaumes encore, il s'agit pour le sujet d'échapper à la castration en fantasmant une loi, un supérieur, une parole dite, comme pour Jeanne. En psychodrame, il n'y a jamais aucune parole dite, même pas pendant l'observation, surtout pas dans l'observation. Les relations surmoïques cèdent grâce à la mobilité du jeu des identifications : c'est le non, dit au père.

Les tentatives de psychothérapie institutionnelle, mais surtout les tentatives anglaises et américaines, sont politisées, en ce sens qu'elles tendent à refaire la société, comme le marxisme. La thérapie serait alors une praxis comme une autre ; d'ailleurs c'est bien ainsi que l'entendent Fromm et Reich.

Ce qui distingue le psychodrame de la collectivité de Jean Oury, mais aussi du centre de Paumelle dans le XIIIe arrondissement de Paris, et *a fortiori* de la communauté de Laing, c'est qu'il n'est pas une institution. Il n'est pas fait pour durer, même s'il dure effectivement. On ne fait rien en tout cas pour le faire durer tel quel. Ce qui s'y passe reste du domaine du jeu et les relations y sont imaginaires. Quand le groupe devient réel, il tend à s'institutionnaliser en groupe de travail, en vue d'un résultat, et il prend les moyens qui sont précisément ceux de l'institution. Oury et nous, ne pratiquons pas la coupure au même endroit ni au même moment. Il soigne l'institution si l'on peut dire. En ce sens, il a une visée politique. La praxis est fondée sur un postulat, à savoir que la société peut être non répressive, que l'institution peut ne pas être aliénante.

La doctrine qui sous-tend cette praxis est donc résolument optimiste ; elle est un acte de foi dans la possibilité de libération de l'homme, mais aussi dans sa bonté : l'homme serait bon et la société mauvaise suivant un rousseauisme, à notre sens, un peu naïf — et qui n'est pas celui de Rousseau —, car d'où la société tirerait-elle sa maligne puissance ?

La doctrine de Freud et notre psychodrame sont fondés sur une conception pessimiste de l'homme : il est méchant et malade ; c'est la maladie qui le force à recourir à des thérapies, à formuler des demandes. C'est cette position qui sous-tend ce que nous appelons notre pratique pour la distinguer de la praxis.

La folie exige que l'on parie pour la liberté de savoir, et

non pour la liberté tout court. La thérapie suppose, en effet, un désir de savoir susceptible de supplanter la pulsion d'auto-conservation. Il suppose la liberté, mais ne se confond pas avec elle. L'enjeu d'un tel pari, comme l'a bien vu et dit Lacan après Nietzsche, est la folie. Voilà donc l'homme curieusement engagé une fois de plus.

PSYCHODRAME ET RELIGION

Les rapports du psychodrame et de la religion ne sont pas plus aisés. Nous avons écrit dans un article consacré à l'Œdipe africain d'Ortigues [1] que la psychanalyse advenait non comme une nouvelle religion, mais à la place de la religion.

Et, de fait, il n'est plus question dans les cercles d'études, rencontres, séminaires, etc., que de psychanalyse et de religion, la perversion étant déjà passée de mode et le structuralisme sur son déclin. Mais, quand il s'agit de psychanalyse et de religion (or, le psychodrame se rattache doctrinairement à la psychanalyse), si on parle beaucoup on conclut peu.

Les quelques tentatives de conciliation qui ont été faites (celles de Ricœur qui tendait à faire de la psychanalyse une herméneutique, par exemple), ont suscité plus de mauvaise humeur que d'enthousiasme. Il ne peut en être autrement chaque fois que l'on part avec l'idée de tout sauver : la psychanalyse et la foi. Mais remuer des idées ne sert pas à grand-chose dans ce domaine ; il faut s'en tenir, pensons-nous, à la clinique. Nous partirons donc de la vie même du groupe.

Mais il nous faut tout de même ouvrir une parenthèse pour parler d'une expérience, la plus remarquable qui ait été faite en ce domaine à coup sûr.

Il s'agit d'une communauté religieuse que le prieur, lui-

1. Revue *Esprit,* n° 6, juin 1967.

même très classiquement analysé, a entraînée dans une sorte de psychanalyse en groupe, permanente. Il ne s'agit pas de psychodrame mais de psychanalyse par groupes de huit personnes environ. Mais du moment qu'il s'agit de groupe, cette expérience est à notre avis plus proche de notre psychodrame que de l'analyse individuelle classique. Nous ne discuterons pas ici de cette technique, nous dirons seulement que le caractère collectif de l'entreprise nous paraît sujet à caution. Car alors, pourquoi ne pas psychanalyser l'armée, ou le corps diplomatique, ou le corps enseignant ? Mais ce qui nous importe ici, c'est que les patients (soixante environ) étaient tous des religieux. D'après les renseignements fournis par le père Lemercier lui-même (c'est le nom du prieur), une vingtaine étaient encore au monastère à cette date, c'est-à-dire deux ans après le début de l'expérience. Parmi les quarante sortis, plusieurs ont quitté l'abbaye pour se marier. Depuis, plusieurs ont manifesté le désir de revenir. D'ailleurs ces notes se réfèrent au début de l'expérience. Le couvent a vu, depuis, affluer de nouveaux patients. Le monastère s'est transformé en « maison de santé religieuse », selon l'expression du prieur, et non pas en « maison religieuse de santé ».

L'expérience de Cuernavaca a été condamnée par le Vatican, on le sait. Elle est discutable du point de vue analytique ; elle l'est sans doute du point de vue religieux, mais elle témoigne, au moins, de beaucoup de foi et nous ne pensons pas que tout est à rejeter dans cette expérience qui a duré plus de cinq ans et qui — si elle effraie — a pourtant déjà fait aussi beaucoup de bien, à en juger à distance en tout cas. En tout état de cause, le prieur semble avoir affirmé ainsi que les névrosés souffrent d'un mal qui réclame les soins d'un thérapeute, qu'ils soient religieux ou pas ; il affirme aussi que la religion y gagne.

Est-ce Dieu qui guérit, ou le groupe, et à travers le groupe le thérapeute ? Telle est précisément la question que s'est posée tout au long de l'année le groupe de Max dont nous allons exposer plus loin le cas.

Communauté et groupe

Dès que plusieurs personnes sont rassemblées, il y a Eglise ; ce mot signifie d'ailleurs assemblée, et l'on sait qu'il vient du mot grec qui veut dire appeler, convoquer [1]. Par ailleurs, le mot religion signifie recueillir ou relier, suivant l'étymologie qu'on lui attribue ; mais, de toute façon, il s'agit toujours de faire que plusieurs personnes se rassemblent pour former une communauté. Or, c'est bien le problème de nos groupes de faire que chacun s'y intègre. Chacun y vit le problème de sa participation : il se sent étranger, rejeté, nié ; ou bien accepté, reconnu, intégré. C'est cela la vie du groupe.

C'est bien aussi ce qui se passe dans la société, mais dans la société il y a trop d'intérêts vitaux en jeu pour que l'individu se risque à mettre en question la qualité de sa participation. Etranger ou pas, il faut qu'il continue à jouer le jeu. Curieusement, c'est dans nos groupes qu'il ne joue plus, en ce sens du moins — c'est là que sa relation à autrui se décante. Nous avons dit ailleurs [2] que le sujet ne se définit que dans sa relation à autrui ; s'il supprime l'autre il se nie lui-même et c'est la névrose. Le narcissisme et la schizophrénie qui se définissent par la négation de l'autre ne sont que le masque de la perte de soi aussi bien. Ce sont des défenses. Le groupe en est le révélateur immédiat. Dans la mesure où il est laïque, il postule que ce sont les participants eux-mêmes qui ont la responsabilité du lien constitutif du groupe ; quand la communauté est religieuse, le prêtre et Dieu ont leur rôle qui n'est pas du tout celui des thérapeutes ; et c'est bien là-dessus que vont porter toutes les équivoques.

Ce n'est pas par hasard, en outre, que le groupe attire nombre d'anciens séminaristes, et même d'anciens prêtres ou des femmes seules qui ont eu ou cru avoir autrefois une vocation

1. ἐκκλησία d'après Bailly vient de καλέω qui signifie *appeler*.
2. Cf. paragraphe sur l'identification, chap. I, p. 69.

religieuse. Les uns et les autres ont bien le sentiment de se retrouver là dans une sorte de congrégation où la famille n'est plus la cellule constitutive. Un mari n'y vient pas avec sa femme, et même s'il la met au courant de ce qui s'y passe, c'est une chose qu'il fait seul. Sa femme, de son côté, peut en faire autant et entrer dans un autre groupe.

Ce trait est essentiel. Vittorini a dit dans un de ses romans qu'un homme, ou une femme qui se marie est perdu pour les camarades ; il parlait du parti communiste et des camarades communistes, mais c'est vrai de toutes les communautés. Nous faisons des séminaires de couples, il est vrai, mais notre méthode consiste précisément à redonner à chacun son autonomie par rapport au conjoint et à conjurer la relation répétitive aliénante qui fixe la relation conjugale et en fait un enfer. Chacun joue avec la femme ou le mari d'un autre couple. En somme, il s'agit pour chacun de se récupérer comme sujet face à l'autre [1].

Pour en revenir au groupe habituel, il n'est pas douteux qu'il a quelque chose d'analogue à la communauté religieuse, et que c'est cela que la plupart viennent y chercher : un succédané religieux. On y parle bas — on a peur de faire du bruit —, on officie en quelque sorte ; il y a des rites propres à chaque groupe, une façon de s'asseoir par exemple, ou de saluer, ou de se taire. Les anciens ont le sentiment d'initier les nouveaux venus ; enfin, il y a les fidèles, les convertis, les renégats, les philistins et toutes les catégories que l'Eglise a sécrétées au cours des siècles.

Toutefois, ce n'est pas le groupe dans sa généralité, mais un groupe particulier dont nous voudrions parler plus précisément ici ; c'est un groupe qui s'est trouvé être « religieux » à des titres supplémentaires. Nous l'appellerons le « groupe de Max » pour plus de commodité.

---

1. Cf. chap. V « Psychodrame et mariage », p. 313.

Groupe de Max

Ce groupe s'est donc trouvé être religieux par sa composition même. Il comprenait en effet :

CHARLES : mystique hindouisant ;

THÉRÉSA : ayant un frère missionnaire ; famille catholique de propriétaires fonciers provinciale ;

LOUIS : partagé entre le catholicisme et le protestantisme ; paralysie de la main gauche ;

JACQUES : ancien séminariste, très pratiquant ; on le prend pour un curé ;

PAULINE : père mort, Œdipe mal liquidé — agoraphobe ;

Enfin :

MAX : qui a joué dans le groupe un rôle déterminant du point de vue religieux et dont nous allons reparler

et

ROGER : l'antithèse de Max.

En outre, le groupe comprenait quelques autres membres, tous croyants moyens comme on dit Français moyens, qui ont suivi les fluctuations des autres.

Max est entré dans le groupe en octobre 1966. Il a quarante ans, un père imprimeur publicitaire avec qui il travaille depuis toujours. Un ami et un beau-frère ont travaillé également dans cette imprimerie, mais il semble qu'ils aient mal supporté la chose, et Max est resté seul avec son père, ce qu'il supporte mal aussi ; mais le père est vieux. Il prendra sa retraite prochainement. Max est un peu inquiet de rester seul. Les affaires ne marchent pas fort et il a trois fils. Il a peur en outre de ne pas savoir être père. Il est venu au groupe pour des « coups de pompe ». Il en a depuis quinze ans. Il n'en avait rien dit. Sa femme l'a poussé à venir au groupe quand elle l'a appris. Très bon ménage, semble-t-il. Il fait partie d'un groupe biblique ; il y va seul, sa femme y va de son côté. Ils sont d'accord. Il dit que Dieu lui parle, il s'est converti au protestantisme sans se convertir à proprement parler ; son père est catholique.

La « courbe » de participation de Max indique trois temps principaux et assez nets :

1. Max sait que ça ne va pas : coups de pompe — efforts pour être autre qu'il n'est — difficultés avec son père — ils ne se parlent pas, ne se regardent pas — ça ne va qu'avec sa femme, mais il sait que « c'est un mariage de gosses » : dix-neuf et dix-sept ans — sa femme, inquiète, le pousse à se faire soigner. Le couple est coupé de toute vie familiale élargie et de toute vie sociale — ça l'effraie, c'est pourquoi ils entrent tous deux dans des groupes bibliques : « Notre isolement n'est pas normal », dit-il : il a peur, il est épuisé.

2. Il cherche des remèdes :

a) dans la religion, il choisit le protestantisme pour être seul avec Dieu : « pas de prêtre au milieu » — liberté, fraternité — groupes bibliques pour sortir du couple ;

b) dans le psychodrame pour les mêmes raisons, mais le médecin est mis à la place du prêtre et la médecine à la place de Dieu.

Léger mieux, il parle de son père ; il peut même travailler dans la même pièce que lui. Aussitôt il se donne une mission dans le groupe, essaie de convertir Pauline, tout heureuse de trouver un père. Il lui écrit.

3. Nie que ce mieux soit imputable au psychodrame. Nouveau coup de pompe. Met le thérapeute en demeure de parler : Dieu parle, le médecin ne parle pas. Max est peut-être venu là envoyé par Dieu pour pêcher des fidèles à la dérive.

Lutte active contre le groupe. Le mal, c'est le péché et non la maladie. Il n'y a que la foi qui sauve. C'est une affaire entre Dieu et lui, pas de médiation. Dieu lui parle directement. C.Q.F.D. Nous revoici au point de départ ; il quitte le groupe, non sans essayer d'entraîner les autres à sa suite, vers Dieu.

Il n'est pas difficile de voir que Max a fait échouer sa thérapie. Il a fait juste assez de psychodrame pour se prouver qu'il avait essayé, qu'il a *tout* essayé. Il n'y a donc rien à faire dans son cas, il n'est pas *malade.* C'est une affaire entre Dieu et lui, une affaire de péché et de foi, où il a d'ailleurs un rôle non négligeable par rapport à ses semblables. C'est ce qui le met en rivalité avec ses thérapeutes.

Naturellement chez Max cette attitude est le fait d'un Œdipe mal liquidé. Charles lui dit à un moment donné : « Si tu quittes le groupe tu resteras un enfant. » En effet : il se veut enfant de Dieu, ce n'est pas assez que d'être l'enfant d'un homme, et d'un médecin encore moins car alors c'est la preuve qu'on est malade. *En tant qu'enfant de Dieu il est sans responsabilité quant à sa santé propre.* Le médecin est ainsi éliminé, ce n'est hélas ! qu'une façon d'éliminer son père et la plus mauvaise ; le père, on l'a vu, est toujours là. Certes, il fait moins peur, grâce au groupe, mais il n'est pas sûr que ce léger mieux persiste après le départ du groupe. Le père risque de redevenir bien vite ce personnage que Max n'osait regarder dans les yeux. Le plus remarquable, c'est que Max nie cette peur (qu'il exprime pourtant de toutes les façons possibles) sous prétexte que son père est en fait un brave homme. Nous n'en doutons pas ; la peur du père est imaginaire comme sa puissance, mais c'est un fait que Max ne peut même pas respirer quand il est à côté de lui.

Mais *Max ne veut pas se délivrer,* du moins pour l'heure. Il préfère attendre tout de Dieu : c'est plus rassurant et c'est aussi beaucoup plus satisfaisant pour son narcissisme. Mais il ne pourra faire autrement que de revenir au groupe, pensons-nous, car son face à face avec Dieu l'épuise et l'effraie à un niveau plus profond que celui des assurances verbales et formelles. Pour appeler les choses par leur nom : *il délire.*

Max offre un exemple type de pathologie religieuse. Mais il ne faut pas en conclure qu'il y a des vocations saines et des vocations pathologiques. Nous pensons quant à nous qu'elles sont toujours à la limite du pathologique et susceptibles de verser d'un côté ou de l'autre. Les religieux, eux, savent que la maladie comme la pauvreté, comme d'autres maux, peuvent être un bon départ pour la sainteté. Ce n'est d'ailleurs pas cette question qui nous occupe ici.

Max échoue, à notre avis, dans la voie religieuse comme il échoue pour l'instant dans sa thérapie, faute d'avoir trouvé son prochain et d'entrer véritablement dans un groupe ; ce qui explique d'ailleurs sa nostalgie du groupe et son impuissance à y entrer tout à la fois. Dieu, en effet, le sépare de ses frères comme son père le sépare d'autrui. Aussi y a-t-il un parallélisme troublant entre sa vie religieuse et sa thérapie. Et le mot troublant est encore très faible. Max, en effet, entre en psychodrame en brandissant une foi qui est en fait un *alibi* ; la foi religieuse le dispense de guérir ; or, il ne veut pas guérir, il préfère délirer. Si l'on attaque sa foi, on lui donne des armes : « Ces médecins — dira-t-il —, ils sont tous athées, c'est bien connu. » Comment faire alors ?

Il convient de poser dès l'abord que religion et thérapie de groupe sont deux voies absolument indépendantes, en dépit des liens profonds que nous avons pu découvrir. A cause même de ces liens qui permettent une fuite facile, en raison même du parallélisme constant entre les deux voies qui favorisent l'élaboration de systèmes de défense inattaquables, il est urgent de ramener le croyant à ses problèmes œdipiens *sans égards pour sa foi.*

Si Freud s'est déclaré si farouchement athée, c'est sans doute que la moindre concession aurait ruiné ses efforts. En groupe, il faut réagir contre toute religiosité. Nous ne pensons pas que la religion y perde. Mais dès que l'on considère qu'il y a quelque chose à sauvegarder (la foi, en l'occurrence, mais ce peut être la morale ou le bonheur ou tout simplement la vie d'un couple), la guérison est impossible puisque précisément foi, bonheur, morale, confort ou mariage ont été élaborés à titre de systèmes défensifs.

Ainsi, loin d'essayer de concilier psychodrame et foi, vie de groupe et vie religieuse, il faut d'abord les séparer. Le groupe doit permettre à chacun de se retrouver vis-à-vis d'autrui et c'est tout. Son objectif est tout à fait limité. Max a mis Dieu entre l'autre et lui-même. Il se masque ainsi l'autre et il se masque à autrui. Qu'il perde Dieu par la même occasion, ce n'est pas notre affaire, et nous n'en voulons rien savoir. Mais nous devons nous dire que tout groupe, peu ou prou, met en cause cette ambiguïté radicale entre thérapie et religion, et que la maladie de l'individu comme la maladie du groupe prend fatalement une forme religieuse. Le thérapeute doit, à notre avis, s'attacher à demeurer intransigeant en cette matière.

Comme nous l'avons dit, nous avons eu des prêtres et des religieuses dans certains de nos groupes. Il appartient à chacun d'eux de courir le risque qu'il entend courir pour son propre compte. Les thérapeutes n'ont pas à mettre en jeu leurs propres convictions. Nous dirions volontiers qu'ils n'ont pas à en avoir. Le père Lemercier va jusqu'à dire : « S'ils sont athées, tant mieux. » Il suffit d'affirmer que *le groupe n'est pas une communauté religieuse parce qu'il est thérapeutique.* Max les a exprès confondus, il a ainsi nié le groupe qui le lui a bien rendu. Il a même essayé de le désagréger avant de s'en aller, et même après son départ. C'est dire combien était grande son animosité. Mais nous pouvons prévoir qu'il n'ira pas loin tout seul. Les effets du groupe sont parfois à longue échéance. Nous croyons pouvoir affirmer qu'ils ne sont jamais négatifs en dépit des apparences. En tout cas le père de Max mourra, ses enfants grandiront, alors Max prendra véritablement peur, car il s'apercevra que c'est son père qui l'empêchait d'entrer dans un groupe et que Dieu n'y était pour rien.

Certaines formes de psychodrame, qui se donnent pour objectif l'amour dans l'unité du groupe retrouvée, nous paraissent plus ruineuses encore que les errements des groupes ouvertement religieux. Ce sont des groupes nostalgiques où la religion ne dit pas son nom et où les thérapeutes investissent des désirs qu'ils jugent inavouables : l'agressivité s'y dilue aussitôt qu'exprimée et des passions ambiguës y prolifèrent. Nous préférons nous faire accuser de sécheresse ou d'indifférence. Le sentiment est un mauvais terrain pour le groupe de psychodrame. Ce que nous appellerons « psychodrame du cœur » se répand, il faut bien l'avouer, dans tous les pays protestants où il occupe (et c'est regrettable) la place des groupes paroissiaux. Et voilà où nous retrouvons le parallélisme et la rivalité conjugués de la thérapie et de la religion.

LE N'DOEP AFRICAIN

Cette séparation radicale que nous maintenons entre thérapie et religion était tout naturellement niée et l'est encore dans les sociétés dites primitives.

A l'origine toute thérapie était religieuse et tout médecin prêtre ou sorcier. L'exemple du N'Doep africain, bien connu grâce au film de Zempléni et Moreigne et aux travaux du professeur Collomb, est saisissant à cet égard. En outre, c'est un exemple de thérapie de groupe qui n'est pas sans affinité avec le psychodrame.

Nous n'avons pas assisté à un N'Doep, mais à un film sur cette thérapeutique psychiatrique africaine. C'est, comme le vaudou haïtien, une cure initiatique. La participation des témoins et la mise en jeu du corps exercent des effets si puissants que le psychodrame en sort tout éclairé.

Nous commencerons par décrire, en nous fondant sur le texte sonore du commentaire, les différents moments du N'Doep. Nous montrerons ensuite, à partir des repères théoriques, ce qui rapproche et éloigne l'une de l'autre les deux thérapeutiques que sont le N'Doep et le psychodrame.

Le N'Doep

Comme le vaudou haïtien, le N'Doep est un rituel religieux d'alliance et de fondation. Il est adressé aux esprits ancestraux, les rabs. Le but est de réintégrer le malade dans sa famille et dans son groupe. La malade a commencé à éprouver des douleurs diffuses, refusé de manger et de boire et s'est isolée dans un mutisme total. De temps à autre, de violentes crises d'agitation s'emparent d'elle. Peu à peu elle maigrit et abandonne tout travail. Elle a le sentiment qu'une présence étrangère habite son corps, pèse sur sa poitrine et hante ses rêves. Voyant cela, l'entourage met en cause les rabs et consulte le guérisseur dit « N'Doepkat ». Celui-ci fait son diagnostic en particulier à partir des rêves : la malade est possédée par tel ou tel rab. Il décide de faire un N'Doep et il en fixe la durée. Dans le cas de Khady, celui-ci durera huit jours.

Khady a perdu son père à l'âge d'un an et sa mère il y a huit ans. Il y a trois points à retenir dans son histoire : le premier épisode se situe après la naissance du premier enfant ; à ce moment-là, elle était retournée chez sa mère pour se reposer ; elle y a passé trois mois et au moment de retourner chez son mari, elle a eu des hallucinations visuelles qui lui faisaient extrêmement peur ; elle voyait une vieille femme qui avait la tête de sa grand-mère. Elle portait un collier et elle lui paraissait effrayante.

Elle a été hospitalisée à cette époque-là près d'un an dans la clinique du professeur Collomb à Dakar [1].

Le deuxième épisode pathologique se situe il y a huit ans au moment de la mort de sa mère ; elle a eu un état dépressif grave et de la même façon elle n'est sortie de cet état que par un N'Doep.

Le troisième épisode est survenu il y a deux mois. Elle a été appelée par un de ses enfants parce qu'un caméléon était dans sa chambre. Elle a tué ce caméléon et a dit aux enfants de le jeter. Trois jours après, le caméléon s'est présenté la nuit à elle, debout, sous la forme d'une personne caméléon ; il a commencé à lui faire des reproches en lui disant : « Pour-

---

1. Dans cette clinique, le professeur Collomb s'attache à conserver des thérapies africaines et utilise, outre le N'Doep, les palabres.

quoi est-ce que tu m'as jeté comme ça ? » et il a exigé une cérémonie réparatrice.

Donc, tandis que les deux premiers épisodes correspondaient à des événements traumatisants — la première naissance et la mort de sa mère —, dans ce dernier cas on ne trouve pas d'événement dramatique déclenchant. Entre ces trois épisodes pathologiques, on peut noter qu'assez fréquemment il lui arrivait de s'isoler dans sa chambre et de refuser tout contact avec le monde (Moreigne).

Le N'Doep commence sous la direction de Daoula le sorcier. Lors de la consultation, il a été décidé que Khady sacrifiera un bœuf à l'intention du rab qui la tourmente. Le N'Doep se déroulera en présence de ses parents, de ses camarades et d'une vingtaine de N'Doepkats (officiants) au domicile du grand frère de Khady.

Le premier soir, on procède au maternage. Cette opération est destinée à établir un *contact* intime entre le malade et ses thérapeutes. Cela signifie en même temps le retour de l'initiée au statut de l'enfant. Durant ce premier soir, on appelle inlassablement les grands rabs de tout le Sénégal pour qu'ils viennent assister à la cérémonie et maîtrisent le rab qui a attaqué la malade.

Des crises de possession se déclarent dès ce soir-là. Lorsque le rab investit la personne, celle-ci mime les comportements rituels qui définissent le personnage de l'esprit (par exemple le chapeau et la cigarette s'il s'agit d'un rab européen). Notons que la même transe se retrouve dans le vaudou, de même que le mime des comportements : en Haïti, ce qui est mimé, c'est un « loa » qui peut être aussi bien dieu qu'un ancêtre noir ou européen [1].

Au terme du maternage, la malade est préparée à la longue série de rituels qui va suivre et dont le but est sa réintégration dans sa famille. Celle-ci est accomplie à deux niveaux.

1. Cf. Alfred Métraux, *Le Vaudou haïtien*.

Sur le plan symbolique d'abord : grâce aux N'Doepkats qui l'assistent, la malade conclut une alliance avec le rab qui la possède. L'esprit sera *nommé,* honoré et fixé dans l'autel domestique. Se soumettre à sa volonté qui n'est autre que la volonté des ancêtres, c'est reconnaître la *place* que l'on occupe dans la totalité familiale.

Mais la réintégration a lieu aussi sur le plan du *réel* par toute une série de procédés qui rappellent les techniques de groupe occidentales, la malade est réinsérée dans son environnement habituel. Dans l'atmosphère chaude maintenue par les N'Doepkats, les échanges interpersonnels sont réamorcés, la communication est rétablie.

Le rituel des *mesures* précède la *mort initiatique* de la possédée. Son buste est enveloppé d'un voile blanc qui préfigure le linceul. En approchant les racines d'arbre, les noix de kola, les cornes... de la tête, des épaules, des pieds et en versant du mil sur elles, on mesure ces parties du corps et du même coup on préserve de la mort prochaine certaines composantes de la personne spirituelle. Après le sacrifice, ce mil et ces racines seront enfouis dans les fondations de l'autel domestique où le rab devra désormais résider. En la rendant malade, le rab est monté jusqu'à la tête de la patiente. Le rituel du watyé permet de le descendre vers les pieds.

Après l'immersion du bœuf du sacrifice dans l'eau de la baie en vue de présenter la malade à Lak Daur, l'esprit tutélaure de Dakar, présentation au cours de laquelle les batteurs de tambour l'accompagnent bruyamment, on commence immédiatement les préparatifs de l'*ensevelissement symbolique de Khady* et des animaux (bœuf, chèvre, coq). Les pagnes sont le linceul de l'initiée. Sous le monceau de tissus (dont certains sont offerts par les parents), le rab, et du même coup la maladie, sont définitivement transférés sur les bêtes. Khady se serre contre elles de tout son corps.

Les N'Doepkats chantent les devises des sept rabs les plus importants. Se voyant l'objet de tant de sollicitude, le rab ne peut que descendre du corps de Khady.

A la huitième devise, l'initiée se lève ; Khady est désormais alliée et prêtresse du rab qui l'a rendue malade.

Les œufs entrent dans cette symbolique de fécondité et de renaissance. Le rituel des caresses précède le sacrifice du bœuf, de la chèvre ou du coq ; il consiste dans le lavage, avec du lait, du corps de l'initiée.

Puis les animaux sont tués par les batteurs de tambour. L'initiée doit sentir les sursauts de l'animal mourant. Le rab n'est peut-être pas descendu tout à fait. On enduit le corps de Khady du sang du sacrifice, on l'entoure des boyaux du bœuf. Ils resteront sur elle jusqu'au lendemain matin. Puis, l'eau de lavage et les boyaux sont versés le lendemain dans les poteries de l'autel. Le rab est maintenant domestiqué, fixé, reconnu et comblé par tant de viande, de sang et de lait. Il n'est plus l'être changeant et menaçant de ses rêves et de ses visions. Il est le *symbole* ancestral que tout le groupe honore.

Mais le N'Doep est loin d'être terminé. Les N'Doepkats tracent le cercle où la séance publique aura lieu. Personne ne devra y pénétrer les pieds chaussés (on retrouve là une coutume musulmane — les Wolofs sont musulmans). Pendant huit jours, chaque après-midi, une séance publique se déroulera dans la rue. C'est là que Khady se réintégrera dans son milieu social habituel, son voisinage, sa parenté.

Danses, mime rituel des rabs incarnés, crises de possession alterneront sous la direction de ces véritables moniteurs de groupe que sont les N'Doepkats. Mais la malade n'est plus l'incontestable vedette des séances. Elle est devenue un membre de la congrégation des possédés. Elle se fond dans la collectivité qui, elle aussi, retire un bénéfice thérapeutique du N'Doep.

Tel est le N'Doep.

Nous allons voir maintenant en quoi ce rituel thérapeutique éclaire le psychodrame.

Nous commencerons par commenter le texte ; nous parlerons de l'Œdipe de la malade, puis nous reprendrons certains moments du rituel pour les comparer à diverses techniques de psychodrame que nous n'avons pas adoptées d'ailleurs (psychodrame centré sur l'hypnose et la régression, psychodrame d'enfants) et du vaudou haïtien. Enfin, nous comparerons le N'Doep et le psychodrame tel que nous le pratiquons pour dire en quoi il se distingue et en quoi il se rapproche du N'Doep et montrer que certains ressorts thérapeutiques sont peut-être analogues.

1. L'Œdipe de la malade

C'est son troisième N'Doep. Les deux premiers ont été consacrés aux rabs hérités de son père ; elle n'a jamais fait quoi que ce soit pour un rab hérité de sa mère. Or, la nuit qui a suivi le jour où elle a tué le caméléon, elle a vu le rab maternel qui lui disait : « Je ne suis pas un simple caméléon, mais je suis ton rab. » Et depuis, elle est malade...

Il convient de noter la culpabilité œdipienne qui s'attache aux trois épisodes morbides. Dans les deux premiers, c'est la réalisation d'un désir qui est à l'origine de la crise ; dans le troisième, c'est le remords.

Au moment de la naissance de son premier enfant — c'est-à-dire de l'enfant de l'Œdipe, de l'enfant du désir —, une vieille femme apparaît qui avait la tête de sa grand-mère et qui lui faisait extrêmement peur. C'est cette vision qui l'empêchait de retourner chez son mari — donc aussi de retrouver un homme avec qui elle puisse être pleinement femme.

Après la mort de sa mère, elle fait une dépression et elle doit apaiser par un second N'Doep un rab paternel. Là encore la rencontre de la réalité et du désir provoque une crise : Khady ne peut sans aucun doute supporter de voir ses vœux de mort contre sa mère se réaliser. Le rab de son père (mort quand elle avait un an) veut se venger de la satisfaction inconsciente qu'éprouve la patiente à voir le dernier obstacle à sa liberté, disparaître.

On assiste, lors de la troisième crise, au retour du refoulé. Un rab maternel exige réparation pour ce meurtre involontaire puisqu'elle n'était pas consciente de ce qu'elle faisait en tuant le reptile, pas plus qu'elle n'était consciente du désir de meurtre de sa mère.

Les trois épisodes pathologiques sont donc centrés sur le complexe d'Œdipe. L'histoire, telle qu'elle nous est contée, ne nous permet pas d'en dire plus, car on ignore quel homme remplaça le père de Khady auprès de sa mère et comment le grand frère, chez qui se passe le N'Doep, fut investi. Peut-être d'ailleurs n'eût-il servi à rien de pouvoir le dire car on ne sait pas si Khady eût été accessible à une psychothérapie verbale et si cette autre thérapeutique fondée sur la croyance aux esprits n'est pas la seule qui lui convienne.

2. Le rituel

Le rituel se déroule comme un récit symbolique, c'est le discours du groupe, mais un discours au niveau religieux. La croyance dans la vérité mystique remplace la croyance dans la vérité profane.

Ce qui frappe, c'est l'aspect invariable de ce récit qui comporte plusieurs phases bien distinctes que nous rappelons ici :

- le maternage ;
- les mesures au cours desquelles le rab est nommé et descendu de la tête vers les pieds ;
- l'ensevelissement et la renaissance symbolique ;
- le sacrifice ;
- la fondation de l'autel domestique ;
- la danse et les séances publiques de possession.

L'acte de nomination fait, disent les Ortigues [1], entrer le rab

1. Cf. *L'Œdipe africain*, par Edmond et M. Cécile Ortigues, Plon.

inconnu dans un système symbolique précis, socialement réglé, où l'on connaît désormais sa place et grâce à quoi l'individu se trouve réinséré lui-même dans l'ordre social et culturel. La maladie mentale correspond à un défaut de symbolisation. Ce sont, on l'a vu, les rêves de l'initiée qui ont permis d'établir le diagnostic, c'est-à-dire de localiser l'instance refoulée : de dire comment le désir vise la mère.

Que le rituel soit assez puissant pour exorciser ce désir inconscient de mort en soumettant la malade à la régression du maternage n'est pas tellement surprenant. Mme Twichell Allen ne procède pas autrement dans sa technique psychodramatique de suggestion : elle fait régresser ses groupes de patients à des stades tout aussi archaïques. L'intérêt de ces opérations réside dans le nourrissage et dans la retrouvaille de l'intimité corporelle lors du contact corporel avec le thérapeute ou avec les animaux de sacrifice. De même le contact avec le mil, le sang, les boyaux, l'eau qui vont être ensevelis ensuite dans l'autel domestique nous montre que ces objets privilégiés enlevés au corps de ces animaux sont, pour être demeurés plusieurs heures en contact avec le corps de la malade, devenus siens et que ce sont eux qui sont restitués ensuite au rab. Ce ne sont pas n'importe lesquels. Ce sont des objets partiels.

Quant à l'ensevelissement symbolique qui précède le meurtre de l'animal, il est évident qu'il représente la mort de la malade avant sa renaissance. Au moment de sa mise à mort, « cette participation à la nature sacrée de la victime peut être conçue comme une identification totale entre elle et le sacrifiant », dit A. Métraux. Dans le vaudou haïtien, les sacrifiants établissent eux aussi le contact le plus intime possible avec l'animal, « cherchant à capter ainsi les effluves bénéfiques dont celui-ci est imprégné » [1]. Ce qui est considéré ici, c'est l'animal dans son ensemble. On est à un autre niveau que celui de l'objet partiel : au niveau de l'identifi-

1. Cf. A. Métraux, *op. cit.*

cation. La mort est ce qui caractérise cette autre étape : l'Œdipe comporte aussi la mort de l'autre.

Quand, l'instant d'après, la malade se relève, elle est neuve comme après l'Œdipe : les devises ont eu cette fonction de suggestion libératrice ; elles ont fait que ce meurtre, le sien dans la mesure où elle s'était identifiée à la victime, l'a libérée de ce qui était en elle aliéné.

On pourrait comparer ces danses et ces rites à ces jeux du psychodrame d'enfant : un thème est choisi et les participants l'exécutent et y « abréagissent » sous la direction du thérapeute sans qu'aucune explication dernière leur soit donnée. Les enfants se contentent de se projeter dans le drame qu'ils inventent. La « réalisation symbolique » (Anzieu) suffit à les exalter et à leur faire sentir cette part d'eux-mêmes qu'ils ignorent. Dans le N'Doep, la longue préparation de l'initiée va *crescendo* pour déboucher sur des danses de possession. Au terme de ce rituel, elle a retrouvé sa capacité affective ; le rythme la relie alors aux autres participants. C'est là que le corps prend son importance, et que se produisent par les affects et les mouvements dont il est le siège, une communion et une réintégration de la malade dans le groupe.

Ce qui se passe dans le groupe africain du N'Doep aussi bien que dans le groupe de psychodrame, c'est la multiplication d'une action qui se répète. Il est remarquable, en ce qui concerne le psychodrame, que c'est lorsque le sujet parle de lui qu'il aide le plus les participants en difficulté — et non pas en leur donnant des conseils ou en leur manifestant sa sympathie ou sa pitié. C'est du plus opaque de lui-même que vient le choc où se dégèle et où se multiplie la fonction de répétition qui permet à l'autre de vivre ou, à la fin, de saisir de quoi il est le jouet. Chacun vit le psychodrame comme le N'Doep et devient, du fait de sa participation et de sa présence physique, un thérapeute pour l'autre.

Cette participation est une fonction essentielle du psychodrame. Elle comporte un lien physique et un lien moral. Dans le N'Doep, l'idéal religieux soutient la participation des

N'Doepkats. Mais dans les groupes de psychodrame, il existe aussi un lien physique : c'est le corps du groupe, et un lien moral qui, pour être moins apparent, n'en est pas moins puissant. C'est à sa présence qu'est dû le fait qu'aucun groupe ne se ressemble. La prévalence de l'idéal collectif dans le groupe africain permet de mettre en évidence ce trait qui, faute de fondement religieux, demeure caché dans le groupe thérapeutique européen.

3. Le psychodrame et le N'Doep

Le N'Doep nous intéresse surtout à cause de l'accent mis sur la participation corporelle. Celle-ci est en effet moins perceptible en psychodrame. Elle y est plus cachée à cause de l'importance qu'y prend le discours de chacun.

Dans le N'Doep la représentation rituelle codifiée une fois pour toutes, mais d'une haute valeur symbolique, tient la place du discours du groupe à l'état pur. Il reste un invariant de la cure, ce qui permet de mieux apercevoir l'effet des autres variables.

Ces variables sont constituées en premier lieu par la nomination du rab : c'est, on l'a vu, un élément important en même temps qu'un des rares moments du N'Doep où le désir de la malade est nommé, sinon reconnu, et c'est la seule phase où le langage habite autre chose qu'un rituel. Quant aux techniques du corps, elles sont destinées à obtenir une coïncidence symbolique substitutive du discours :

- — coïncidence avec le thérapeute au moment du maternage et des caresses ;
- — coïncidence avec l'animal du sacrifice et avec ses organes et son sang ;
- — coïncidence plus tard avec les témoins par le rythme et la possession. La rencontre corporelle remplace la rencontre par le mot.

Cette prévalence du corps, cette monotonie du discours où seul le désir est désigné sans être interprété nous font nous interroger sur l'essence du psychodrame, nous demander si ce n'est pas surtout la coïncidence, quelle qu'elle soit, avec le groupe qui opère en psychodrame, celle-ci étant obtenue soit par la parole, soit par le corps. Car tous les éléments connus de nous sont, comme dans le psychodrame, présents dans le N'Doep.

Le retour à la mère, l'identification à l'animal qu'on tue qui est symboliquement la mère de la malade et non l'ancêtre, l'importance des objets détachés de son corps, l'importance des participants nous sont montrés en pleine lumière. Ce n'est pas parce qu'ils sont masqués en psychodrame qu'ils sont moins opérants.

Un autre court-circuit du N'Doep n'est pas sans nous retenir. La réinsertion dans le groupe social africain a lieu *en un seul temps*. La malade retrouve la communauté parce que, comme le chrétien des premiers âges, dans son Eglise la vie religieuse est la vraie vie. La maladie est séparation [1]. Grâce à sa foi redevenue vivante, le sujet retrouve immédiatement les siens ; la place du Grand Autre, du Dieu présent qui exauce sa prière permet sa réintégration.

On pourrait se demander si le lien physique qui réunit les Africains et qui est supporté par un idéal religieux n'a pas une nature hypnotique au sens même où l'entend Freud dans sa Massenpsychologie : d'un lien d'amour fondé sur un idéal qui relie les uns aux autres les membres de la foule. Lien qui a disparu dans la société occidentale [2] moins axée sur les valeurs spirituelles que sur la consommation et le profit avec tout ce que cela implique de désaffection à l'égard du prochain. Non séparé des autres comme il l'est en Europe, le malade mental africain est, parce qu'il n'a jamais perdu sa

1. Cf. notre exemple précédent : le groupe de Max.
2. Sauf dans les sociétés nazies pseudo-religieuses dénoncées par Freud.

place dans la société, directement réintégré. En Afrique, « cette place y est au fond à peu près la même, peut-être même exactement la même que celle de l'homme sain » (Prof. Collomb). C'est ce même lien qui est retrouvé en psychodrame.

A côté de ce lien qui unit les participants, existent aussi, chez ces hommes et femmes africains, les mêmes idéaux du moi, les mêmes identifications inconscientes aux parents que dans les groupes européens. Car le complexe d'Œdipe a une portée universelle.

Le rab, l'ancêtre, est ce surmoi persécuteur qui, au nom de l'idéal du moi, interdit avec cruauté à Khady son désir. Sa mère est, par contre, cette femme à laquelle elle s'est identifiée lors de l'Œdipe et dont elle a désiré la mort, c'est la tyrannie du surmoi qui l'a rendue coupable de cette mort.

Dans l'Œdipe ce désir de mort est relié à un mythe en ce sens que le mythe dit l'origine. Quant au fantasme, quel en est le lien avec le corps de la malade ?

On peut répondre qu'il a son impact dans ses symptômes. La malade cesse de se nourrir, maigrit, parce qu'elle veut mourir. Elle retourne contre elle-même son vœu de mort inconscient. Mais dans la cérémonie le retournement se produit au moment où elle fait mourir l'animal du sacrifice : à ce moment-là elle tue symboliquement sa mère au lieu de se tuer elle-même ; aidée par le groupe, elle accomplit un meurtre qui la délivre. C'est ce qui explique entre autres l'importance de l'acte rituel de la présentation du bœuf à Lak Daur et que celui-ci vaille à la possédée un prestige considérable. Ce puissant allié religieux agit comme un idéal de tout le groupe, comme ce meneur dont parle Freud, qui hypnotise les foules.

L'importance du groupe et des témoins favorise la mise au point d'une technique dont le rôle est de créer une sorte de corps collectif. C'est parce que les affects ont cette propriété d'habiter le corps que cette jonction de tous en une coïncidence devient possible : l'émotion ou le sentiment ne se racontent pas, ils se vivent ; et, ce faisant, ils tendent à suivre la pente retrouvée des automatismes de répétition de chacun.

MAI 1968 ET LE PSYCHODRAME

On a dans le N'Doep une *représentation* à son niveau le plus originaire. Le psychodrame moderne semble en être la forme occidentale.

Le rituel a la même fonction répétitive que les séquences du jeu du *fort-da*. Le mouvement de la pensée, grâce au rythme, se lie au mouvement lui-même. Il en est de même en psychodrame.

Ce qui est important dans le psychodrame, et que le N'Doep met en lumière de manière exemplaire, c'est la nécessité thérapeutique de la participation des corps et de la participation de tous les membres au jeu de chacun.

De retracer ainsi cette forme primitive de thérapie de groupe nous permet de mettre en évidence l'importance de la régression et de la répétition, la valeur de la représentation et l'objectif de réintégration du malade, qui peut se définir en tout temps comme une personne séparée.

CHAPITRE IV

ÉROS

ÉROS EN PSYCHODRAME

Eros, terme utilisé par Freud, nous l'avons dit plus haut, pour chapeauter les pulsions de vie par opposition à Thanatos qui représente les pulsions de mort, recouvre une classe plus large de pulsions que les pulsions sexuelles qui y sont comprises, ainsi que les pulsions d'autoconservation. A l'analyse toutefois, ces dénominations deviennent moins claires. Elles sont comme certains corps dont on dit en chimie qu'ils ne se rencontrent jamais à l'état pur. Freud lui-même n'est pas sans équivoque et verse les pulsions sexuelles tantôt dans les pulsions de vie, tantôt dans les pulsions de mort. Nous verrons pourquoi.

« Le but d'Eros, dit Freud [1], est d'établir de toujours plus larges unités... c'est la liaison ; le but de l'autre pulsion, au contraire, est de briser les rapports, donc de détruire les choses. » Ainsi le principe sous-jacent à Eros, dit-on encore dans

1. Cf. Freud, *Abrégé de psychanalyse,* 1938.

ce même article [1], est un principe de liaison. Mais pour établir de toujours plus grandes unités, il faut d'abord différencier. Eros ne lie que des contraires ; il lie l'un à l'autre en tout cas et non l'un à l'un. Le plaisir naît, on le sait, de la réduction de tension. Mais il y a alors retour momentané à l'état antérieur de moindre tension, ou de tension nulle, et de repos dans l'unité en vertu du principe de Nirvana. Eros se trouve donc avoir collaboré avec Thanatos par la force des choses.

Mais s'il collabore, c'est après un *détour* (le mot est important [2]), détour régi par le principe de réalité source de toute tension.

Cette définition d'Eros est très sommaire. Nous ne l'avons mise là, en ce début, que comme garde-fou, avant de passer à notre propos qui est l'analyse d'une séance où Eros nous a paru particulièrement actif.

Nous avons distingué Eros et pulsions sexuelles ; mais il nous faut prendre aussi la précaution de différencier Eros et libido, la libido étant en somme l'énergie d'Eros. Ces précautions prises, venons-en au psychodrame.

La séance de Nicole

Voici ce qui s'est passé dans une séance de l'un de nos groupes, séance banale à souhait ; nous préférons en effet analyser des séances tout à fait ordinaires parce qu'elles ont la valeur d'une épure ; les séances extraordinaires ont trop de surcharges.

Le groupe comprend plus de femmes que d'hommes et, parmi ces femmes, *Nicole*. Elle est arrivée l'autre jour avec un léger retard, mais elle s'est tout de même mise en devoir de

1. Cf. *Vocabulaire de la psychanalyse*, Laplanche et Pontalis, P.U.F.
2. Nous nous sommes laissé dire qu'un professeur de Sorbonne avait fait toute une année de cours sur le détour.

saluer tout un chacun avec force sourires et serrements de mains et mouvements aimables du chef. C'est sa façon habituelle. En cours de séance, Edouard, qu'elle « énerve prodigieusement » (ce sont ses termes à lui), lui reproche son entrée et en particulier « ses airs faussement dégagés ». Prise à partie par d'autres à la suite d'Edouard, Nicole explique : « A la vérité, j'étais heureuse de voir Pierre ; oui, Pierre me plaît. »

LA THÉRAPEUTE : Il vous plaît ?

NICOLE : Oui, il me plaît comme homme ; alors ça me fait plaisir de le voir ; mais comme je ne voulais pas le montrer, j'ai dit bonjour à tout le monde et j'ai souri à tout le monde.

Voilà toute, ou presque toute la matière de notre analyse. Nous y voyons d'abord que ce qui importe ici, ce n'est pas ce qu'il est interdit de faire (faire l'amour par exemple), mais ce qu'il est interdit de désigner : il n'est pas admis qu'une femme manifeste la première son désir pour un homme ; c'est à lui que revient de droit l'initiative. Nicole a donc dû masquer son désir. Elle l'a doublement masqué en affichant une amitié généralisée pour l'ensemble du groupe : attitude sociale, alors que l'expression du désir singulier eût été asociale.

Attaquée par Edouard et le groupe, nous avons vu que Nicole reconnaît volontiers crainte et camouflage et, du même coup, son désir pour Pierre. Le psychodrame a donc servi en un premier temps à faire tomber l'interdit qui frappe le désir, laissant à la société son rôle qui est d'interdire l'acte ou de le permettre à l'intérieur de certaines règles, le mariage par exemple. Le psychodrame n'est pas le lieu du faire puisque le groupe n'est pas réel, comme nous l'avons montré ailleurs ; il n'y a pas de danger, en principe, pour que le désir de Nicole trouve une satisfaction quelconque. C'est même pourquoi, en droit, il peut être exprimé. Que le danger d'une précipitation dans le réel subsiste, nous le savons, puisque précisément nous mettons tous nos soins à l'éviter. Non pour des raisons morales, mais pour sauvegarder l'efficace propre à cette thérapie.

Donc Nicole découvre la force de son désir pour l'homme — disons, pour aller vite — et la puissance de coercition que la société exerçait sur elle et qui avait développé en elle toute une conduite ; conduite non vécue comme une conduite, mais comme une nature (Nicole est aimable) ; et une nature morale (Nicole aime son prochain). Mais ici nous devons prendre garde de ne pas confondre deux niveaux de répression ; ou plutôt répression et refoulement. Il y a des sociétés africaines où le système éducatif est très peu répressif ; ce qui n'empêche que l'oubli y soit total, profond, au point que l'anamnèse est quasi impossible, comme le remarquent les Ortigues [1]. Les deux sont liés, mais ne se confondent pas. La répression sociale impose à Nicole la répression de son désir pour Pierre ; mais cette répression recouvre le refoulement d'un désir tout à fait inconscient, ancien, qu'elle ignore, que nous ignorons et dont le désir réprimé ne saurait être tout au plus qu'un symptôme. Quant à l'agressivité d'Edouard, elle n'est même pas réprimée. Ah, certes non ! Mais elle exprime autre chose qu'elle-même. Nous n'avons pas à nous demander lequel, tant que Nicole ou Edouard eux-mêmes ne se le demandent pas, ne le savent pas et ne le disent pas.

Il suffit ici de souligner le rôle du psychodrame qui est déjà tout entier assumé dans cette mise au jour, dans cette libération d'un désir. En effet, il est le lieu d'un dire et non d'un faire. La limite est franche : il ne doit pas y avoir de passage du groupe imaginaire au groupe réel. Nous n'insisterons jamais assez sur ce point. Plus la ligne de démarcation est nette et plus le psychodrame libère le désir, puisque la punition ou la simple conséquence sont écartées.

L'on va peut-être nous dire : mais si Pierre, par chance, éprouve un certain penchant pour Nicole, que se passe-t-il ? Eh bien, nous pensons que ce n'est pas possible, parce que cette sorte de rencontre ne se produit que dans le réel.

---

1. *Op. cit.*

Dans le réel, en effet, le leurre aidant, deux individus menés par les astres, comme Roméo et Juliette, peuvent se rencontrer par hasard, dans l'amour, et même dans l'amour absolu ; c'est la conjoncture parfaite. En psychodrame, l'amour se sait aveugle devant le conjoint. Celui à qui il s'adresse vraiment, il ne le voit pas, pour la bonne raison que ce n'est pas celui qui est en face de lui. Le désir de Nicole ne s'adresse pas véritablement à Pierre qu'elle ne connaît pas, qu'elle ne voit pas, dirons-nous. Aussi Pierre ne bronche-t-il pas. Il sait parfaitement que le discours de Nicole ne s'adresse pas à lui ; qu'il n'est que le support momentané de son désir. Il n'en est pas autrement fier. D'ailleurs Nicole ne lui demande pas de réponse ; cette réponse qu'elle attendrait certainement d'une rencontre réelle. Donc elle ne se laisse pas elle-même prendre au mirage du visage de Pierre. Et nous voulons bien accepter le jeu de mots qui vient de se faire tout seul : visage de pierre, simulacre, idole pour Nicole.

Mais, direz-vous, il était donc tout à fait impossible que Pierre, par hasard, aimât tant soit peu Nicole ? Mais si. Par hasard, justement. Ainsi, dans un autre groupe, un homme, Carlos, rencontre une femme : Eve, qui est pour lui la femme devant qui tout adolescent perd pied, la femme dont tout homme a peur. Elle lui rappelle son premier amour. Il retrouve sa peur auprès d'elle ; la peur de ses dix-huit ans. Il ne sait plus que dire, lui qui sait si bien se servir maintenant des mots. On joue la rencontre, hors groupe, qui les a réunis dans un café, avant l'heure de la séance, Eve et lui. Effectivement, il parle parce que, depuis ces temps anciens, il a tout de même appris à se mettre à l'abri ; il a maintenant autour de trente ans, mais il est troublé et justement il ne parle que pour parler. Jusque-là rien de très différent du schéma de Nicole et Pierre, bien que le désir chez Carlos demeure interdit en ce sens qu'il ne s'exprime que par la peur. Mais voilà qu'Eve se trouble aussi. Elle a manifestement peur aussi. Pourquoi ? Elle avoue à son tour, après la scène du café reprise en psychodrame, que Carlos est l'image de l'homme qu'elle a aimé quelque six ans plus tôt et qui lui faisait perdre pied, devant qui elle ne savait même plus être femme en quelque sorte, puisque, dit-elle, « elle ne savait même plus comment s'habiller, ni se tenir ». Or, elle est manifestement très coquette et elle sait être femme pour d'autres hommes.

Que va-t-il se passer ? Il y a deux voies : ou bien ils jouent au cours des séances à venir leurs scènes antérieures respectives et ce faisant ils se perdent de vue en tant qu'êtres réels, c'est à quoi le psychodrame devrait les amener. Ou bien ils cèdent au leurre et répètent réellement, ensemble cette fois, leur première relation. La répétition de la relation ancienne en psychodrame s'appelle représentation et la répétition réelle hors groupe s'appelle tout simplement répétition. Nous savons tous ici ce qu'il en est de la répétition. De toute façon, pour le couple réel ainsi formé, c'est la fin du psychodrame — du moins à l'intérieur du groupe auquel ils appartenaient, à moins qu'ils parviennent à analyser leur nouvelle relation. Nos expériences antérieures nous laissent sceptiques sur une telle issue. Quand la chose est arrivée, les protagonistes ont été amenés tôt ou tard à changer de groupe. Donc le glissement du groupe imaginaire au groupe réel est une éventualité toujours aux aguets ; mais le rôle des thérapeutes est précisément de l'éviter.

Si nous poursuivons l'analyse comparée des deux couples, nous voyons que Pierre ne répondait pas, parce qu'on ne lui demandait pas de répondre ; il n'était en somme qu'objet ; il n'était pas censé être sujet désirant. A ce titre, on pourrait parler du choix de Nicole, comme du choix d'objet. Choix libre, spontané, où la libido s'exprime sans entrave. La libido s'arrête en psychodrame au choix d'objet. Ce choix marque chez le sujet une régression : Nicole revient à un certain type d'homme que nous pourrions appeler le beau mâle, car il joue ce rôle dans le groupe pour toutes les femmes et Carlos revient à un certain type de femme que nous appellerons la sirène. Quant à Pierre, il se sentirait plutôt enclin à choisir la vamp qui a fait irruption récemment dans son groupe ; ce qui a déclenché une scène de jalousie de la part de Nicole et de Rolande. Dans ce même groupe, par contre, Félicie voulant jouer une scène avec un garçon de vingt-cinq ans (alors qu'elle en a plus de trente), choisit le thérapeute, un homme dans la force de l'âge et qui pourrait être son père — qu'il représente en tout cas —, choix aberrant s'il en est. Le thérapeute n'a pas manqué de lui demander la raison de son choix. On voit donc l'importance qu'il y a à laisser un libre choix, à ne pas intervenir du tout. Le choix, nous le répétons, est le moment essentiel du jeu en psychodrame car, à lui seul, il exprime toute la relation propre au sujet. Félicie avouait par le sien le lien pathologique et fatal qui l'unit encore aujourd'hui à son père ; le plus fort, c'est qu'elle n'en a pas été du tout consciente, bien que sa relation paternelle ait été depuis bien longtemps dénoncée. C'est la preuve qu'elle est encore virulente ; c'est aussi la preuve que de savoir les choses ne suffit pas à les maîtriser. De même, elle a dit en parlant de l'homme autrefois aimé : « Il a les yeux bleus » au présent, en regardant les yeux de Carlos bien en face cette fois. Autant de choix dans un groupe ou même dans une séance, autant de choix différents, particuliers, propres au sujet qui choisit son objet : ainsi Rolande ayant à choisir la femme dont elle fut jalouse et l'homme à cause de qui elle le fut, n'hésita pas un instant à choisir Pierre (ce qui déclencha encore une fois la jalousie de Nicole), mais hésita entre deux femmes : Nicole et la vamp Roberte.

C'est que Rolande a toujours eu deux femmes dans sa vie d'enfant : sa mère et sa tante, et deux femmes restent dans son jeu. L'observatrice avoua s'être vue en tireuse de cartes : je vois deux femmes... C'est bien cela. Les deux femmes vont « sortir » encore un bon bout de temps. Il est non moins significatif qu'au moment de jouer, Rolande n'a plus hésité : elle a choisi la vamp, avouant ainsi que s'il y a deux personnages en elle, en tout cas elle se choisit en vamp. Où l'on voit que c'est la mère, le père, la tante, et nous ne savons pas encore qui, pour Pierre, pour Carlos et pour Eve, qui sont la clé de leur choix ; ce que nous savons pour ces trois, c'est qu'ils sont encore aux prises en tout cas avec la sirène, Don Juan et la vamp, tous personnages mythologiques et imaginaires qui garantissent l'interdit du désir en le rendant terrifiant dans l'enfance.

Nous avons vu dans ce jeu également que Rolande avait choisi la vamp parce qu'elle la juge irrésistible ; elle est donc jalouse par homosexualité, comme tout le monde sans doute. Où l'on voit que c'est Eros qui parle à travers tous ces choix et que son langage est celui de l'aveugle désir. Nous insistons sur les yeux bandés de l'amour ; nulle part on ne touche cela du doigt comme en psychodrame — sauf peut-être en analyse où le sujet tourne le dos à l'analyste et regarde dans le vide. En psychodrame donc, le désir se sait libre, mais aveugle.

Ne pas regarder, c'est déjà, on le sait, ne pas consommer, la vue étant prise comme le sens par excellence, car les autres sens nous font également voir en quelque sorte. A quoi bon, direz-vous alors, cette libération du désir ? Nous allons l'examiner dans une seconde partie que nous intitulons « Eros et la société ».

Eros et la société

Reprenons l'exemple au début. Il est clair que socialement Nicole a l'attitude qu'il faut. En camouflant son désir :

1. Nicole évite un échec possible ;

2. Elle évite une mauvaise réputation ou simplement des réactions désagréables : rires en coin, airs entendus, etc. Jusqu'ici, nous restons avec elle sur le plan de la défensive ;

3. Elle s'assure ou croit s'assurer le concours des autres membres du groupe par sa bienveillance généralisée. Elle mise sur la société au détriment de son désir. C'est le fondement même de la morale sociale. C'est le côté constructif du comportement de Nicole.

ÉROS

Où nous voyons que, conformément au schéma de Freud, tout le système de la civilisation a été institué, construit, pour détourner le désir et pour l'occuper ailleurs tout en déjouant l'agressivité.

Mais où nous voyons aussi que le groupe tend à ruiner précisément ce genre d'effort en faveur du désir. Malheureusement Eros et Thanatos, pour les appeler par leur nom, sont toujours si étroitement mêlés qu'on travaille autant pour la mort que pour la vie en psychodrame. Un désir mis en état de totale liberté conduirait le monde à une société de « consumation » selon l'expression de Georges Bataille, au lieu d'une société de sage et économe consommation qui permet à l'homme de durer. Le monde s'en irait en feu d'artifice si le psychodrame se substituait à la société. C'est pourquoi il faut toujours bien délimiter leur champ. Jamais le groupe thérapeutique et les groupes réels ne se confondent. Le groupe psychodramatique est le champ de l'Eros pur ; si l'on y ensemence un grain de réel, c'est la catastrophe, l'explosion, la « consumation » en une flambée. Par contre les groupements sociaux sont le champ du réel. Quand Eros vient y mettre une étincelle c'est la guerre.

Mais, quant à nous, notre objet est bien limité : nos groupes ne sont pas entendus comme des modèles à exporter et à répandre dans la société. C'est pourquoi toute application du psychodrame dans l'entreprise ou l'école ou l'hôpital, en institution autrement dit, est oblitérée au départ.

Nos groupes sont restreints par leur nombre et le nombre de leurs membres ; ils sont limités, clos, artificiels dans leur principe même et ils sont limités dans leur objet qui est thérapeutique ; réapprendre au sujet le chemin de son désir, c'est tout. Nous n'hésitons pas ici à généraliser et à dénoncer tout projet politique ou social qui pourrait venir s'y greffer — et qui vient tout naturellement s'y greffer : la preuve en est des réalisations comme celles de certains psychiatres anglais ou américains qui ont fondé des communautés de malades mentaux et de médecins où toute contrainte est bannie et jusqu'à l'ancienne relation soignant-soigné, comme contraignante. La liberté du psychopathe est ainsi complète. C'est le commencement d'une révolution qui paraît être, et est en effet dans la ligne de l'implication révolutionnaire du psychodrame et de l'analyse, mais qui à notre avis la trahit. Mais ce n'est pas le lieu de s'étendre là-dessus ici [1].

Nous ajouterons cependant que jamais le psychodrame ne pourra « servir » à améliorer les relations sociales des participants ni les relations conjugales par exemple, sinon au titre de bénéfice supplémentaire. C'est précisément parce que le psychodrame est révolutionnaire dans son principe qu'il ne peut servir à améliorer aucune institution. Introduit dans la vie sociale, il ne pourrait que faire sauter la société. Nicole a opéré le mouvement inverse. Elle a importé dans le groupe une attitude typiquement sociale ; elle l'a paralysé d'abord, alors il s'est vengé.

Car enfin il faut qu'il y ait un lieu où le risque que constitue la liberté puisse être couru : « C'est seulement par le risque de la vie que l'on conserve la liberté », a dit Hegel dans la *Phénoménologie de l'Esprit*. Ne serait-il pas plus juste de dire : par le risque de la folie ? Car, si le désir est fou, la sagesse sociale — celle de Nicole par exemple — est aliénante. Il s'agit donc pour le sujet de devenir un « être de désir » selon l'expression de Nietzsche cette fois, mais pour en finir avec cette société qui « trop longtemps », a dit encore Nietzsche, « fut un asile d'aliénés », mais sans casse, c'est-à-dire sans se faire assommer par la société et sans devenir fou. Ce lieu où l'on peut devenir un être de désir, sans danger sinon sans risque, selon notre propre expression, c'est justement le groupe psychodramatique.

1. Cf. chap. III, Psychodrame et société.

ÉROS

Eros comme porte du symbole

Mais à quoi bon libérer le désir, direz-vous, si l'on ne peut l'exporter ? A quoi rime tout cet effort de dévoilement ? Nicole va perdre ses bons réflexes, c'est bien tout ce qui va se passer.

Mieux vaut rester aliénés au sein de la société et avec elle ; c'est moins dangereux certes, mais on ne peut pas. Ce risque-là, celui de la liberté, est vital. C'est pour vouloir l'ignorer que tant d'entre nous ont des névroses, retrouvant ainsi l'aliénation à son autre pôle. Force nous est donc de jouer.

D'ailleurs la libération du désir comporte déjà une jouissance qui se suffit à elle-même. Comme l'a montré Safouan, le plaisir est d'abord halluciné : la sucette vide comble tout de même l'enfant affamé, pour un temps du moins, et son plaisir est d'abord complet ; il s'endort : c'est la preuve que le besoin n'était pas seul en cause et que le biberon ou le sein qu'on lui donne ne constituent eux-mêmes de toute façon que des objets partiels, l'objet total du désir étant la mère, perdue à jamais comme objet total, interdite. Ainsi le bébé peut se donner momentanément dans la sucette un sein aussi satisfaisant au regard de son désir de mère qu'un biberon de lait. C'est si vrai que certains bébés séparés de leur mère ne mangent plus, on le sait. Ainsi la sucette ne comble pas le besoin de nourriture de l'enfant mais elle comble partiellement son désir de mère, si elle représente la mère. Par contre un biberon peut apaiser la faim de lait mais n'apaise pas le désir de mère. Que fait l'enfant avec la sucette ? Il hallucine son désir et il se contente. Ce lieu de la jouissance primaire est proche de la masturbation, et l'un et l'autre ont mauvaise presse. Pour ce qui est de Nicole, ce désir auquel il n'est pas donné de réponse, qu'en dire ? Que vaut le plaisir qu'elle peut éprouver à le ressentir et à l'avouer, si l'objet de son désir lui est de toute façon barré ?

Revenons au nourrisson. Si le sein de la mère était la mère, si une telle hypothèse était concevable, que lui resterait-il à désirer après ? Que pourrait bien signifier le mot désir ? Par chance l'objet du désir, la mère, est hors de portée et même l'objet partiel, le sein, n'est pas d'un accès si facile, ni constant. Le sujet est séparé de l'objet de son désir si bien que l'on peut se demander si le tabou sexuel qui met de toute façon l'objet hors de portée n'est pas un raffinement nécessaire, mais un simple raffinement.

Le psychodrame aurait déjà un objet suffisant si, en même temps qu'il libère le désir, on pouvait dire — et on peut le dire — il mettait à distance l'objet — et c'est ce qu'il fait.

Si l'on faisait un code psychodramatique, il faudrait mettre au premier rang des délits le passage à l'acte qui supprime la distance. Et au premier rang des préalables celui-ci : quiconque entre en séance est censé n'avoir ni faim, ni soif, ni envie de faire l'amour. On le voit, le psychodrame est un drôle de jeu, rudement ascétique. La mise à distance de l'objet du désir y est de règle. La distance y est radicale, ce qui laisse le désir entier. Dans la vie quotidienne, la mise à distance est une situation de fait et non de règle, et cela en modifie la portée : en outre elle est camouflée par le leurre ; nous avons analysé la fonction du leurre dans le réel à propos de Carlos et d'Eve et à propos de Pierre dans la première partie. Dans le réel, le sujet est leurré quant à l'objet de son désir : « Il court le furet », disait un jour Lacan. En psychodrame il ne court plus. Il y a arrêt sur le désir. Que fait-il ? Il s'exprime, nous l'avons dit, il s'exprime et c'est tout.

Pour ce faire, il lui faut passer par-dessus la honte. Thème fréquent en psychodrame. Ce qui est sexuel, c'est ce dont on se sent coupable ; il s'agit de dire ce qui est le plus difficile à dire précisément. Non pas tout ce qui passe par la tête. L'être de désir nu, qui ici s'exprime, n'est pas impulsif : il parle. Il se sait sans objet autre que fantasmatique ; il parle pour parler. Le psychodrame désaliène pour rien. Nous insistons sur cette gratuité. Le thérapeute ne vise que la liberté ; il ne sert à rien.

C'est là son tout. Le désir, ainsi reconnu et guéri de son impulsivité propre, peut dans un second temps et ailleurs chercher à se procurer son objet par le détour d'un travail.

Mais s'exprimant, le désir déjà revêt une forme. Grâce à cette distance radicale d'avec son objet, il se donne à voir dans sa nudité et se laisse nommer. Il devient réalité esthétique. Ainsi le sujet, en même temps qu'il reconnaît son désir, prend lui-même une certaine distance vis-à-vis de lui et s'en libère. Bien sûr, nommer c'est aussi tuer de quelque façon puisque le nom est mis à la place de la chose absente : Sartre a bien montré que si nous appelons Pierre c'est qu'il n'est pas là. De même si nous nommons l'objet « table », c'est pour pouvoir en parler ; autrement dit le faire apparaître dans un discours où il ne prend pas réellement place en tant qu'objet. Il en est de même du désir ; si nous le nommons, c'est que nous ne le noyons pas dans un acte, c'est qu'il n'est pas pris dans un faire où il se consumerait ; par contre, il est pris dans des mots où il perd quelque peu de sa réalité. C'est ainsi qu'il est maîtrisé. Si le sujet y perd sur le plan de la consommation, il y gagne sur le plan du langage qui est le plan symbolique.

Reprenons l'exemple de Nicole : elle a d'abord reconnu et nommé son désir : si dans un second temps elle le joue, elle passe sur le plan de la représentation au sens théâtral du terme ; mais il y avait représentation dès l'instant où elle pouvait se représenter son désir puisqu'elle en parlait. Pour jouer, Nicole choisit un ou deux protagonistes. Mais de toute façon elle est entrée dans une sorte de discours commun et de portée universelle comme tout langage. Et voilà où elle retrouve ce « tout le monde » qu'elle avait essayé maladroitement de gagner à sa cause en le désarmant.

On a vu que tout choix étant exclusif, elle s'était au contraire aliéné le groupe. On sait que l'amour diviserait les hommes, comme tout choix, s'il n'était institutionnalisé par le mariage. L'amour est asocial. La seule façon de maintenir le lien entre tous les hommes (et non plus avec une seule personne), c'est de passer sur le plan symbolique : le plan des institutions ou du langage. Mais alors, dira-t-on, on ne vit plus ; le désir n'est jamais consommé. Nous répétons que le groupe est un lieu artificiel et il n'est qu'un point dans le vaste réseau social humain. Il faudrait bien plutôt craindre le déferlement du réel ; ses rappels à l'ordre brutaux. Et puis Nicole était-elle davantage dans le réel, pour ne pas se plier à la loi du symbole ? Nous n'avons pas le choix, avons-nous dit : il faut jouer.

Nous jouons donc en psychodrame, en laissant le plus possible le réel à la porte. Le cœur battant, chacun reconnaît, malgré le risque, son désir dans le désir de l'autre par identification ou refus d'identification. Il s'y passe quelque chose. Le lien ainsi noué est le *lien érotique*. Il suffit. Il n'a besoin d'aucun état réel ; il n'a besoin non plus d'aucun soutien moral. Il n'est ni généreux ni égoïste. Il relie les personnes dans ce qu'elles ont de plus différent ; à la limite, de plus particulier ; de plus indicible. Se différencier d'abord pour s'identifier ensuite, telle serait alors l'une des lois de ce code psychodramatique qu'on pourrait établir.

Aucun bénéfice, avons-nous dit. Sans doute, et nous répétons que le psychodrame n'est pas le lieu du rendement comme la vie sociale. D'ailleurs, si la société a développé une économie de rendement et de consommation, ce n'est pas pour des raisons économiques comme on pourrait croire. Georges Bataille nous fait remarquer que la nature est proliférante, prodigue, inépuisable ; et qu'elle se prête bien plutôt à la consumation. Donc le rendement, l'économie, la répression, la règle, la mesure participent d'un autre intérêt qui est en vérité celui inavoué du désir. Il s'agit de castrer le désir pour le préserver. La loi sociale occupe exactement la place que laisse le refoulement ; c'est-à-dire la censure du sujet. Pas de loi sociale en psychodrame, pas de répression, pas de rendement. Le désir y court toutefois le danger de s'épuiser ou de s'exaspérer dans le dire. Mais le sujet n'est pas enfermé à perpétuité dans ce groupe qui n'est qu'une hypothèse de travail thérapeutique ; le désir y est libéré pour œuvrer ailleurs et précisément dans cette société humaine qui le méconnaît. Psychodrame et société ne peuvent donc jamais se confondre et le groupe ne peut servir de modèle à la société. Il est seulement ce lieu privilégié autant qu'artificiel où parle Eros.

Nous aurions aimé transcrire ici le récit du mythe des origines d'Hésiode. Rappelons seulement que Gaïa, mère de toutes les formes, émergea la première du Chaos et ne cessa ensuite de séparer pour créer. C'est ainsi qu'elle fit châtrer Ouranos qu'elle relégua dans le ciel, car étant trop proche de lui, elle ne pouvait engendrer avec lui que des monstres. On eut alors le Ciel et la Terre, le jour et la nuit, le soleil et la pluie, puis les saisons, etc. Les mythes américains d'origine, analysés par Lévi-Strauss, ont le même contenu. Il y est toujours question de séparer pour lier. L'histoire de l'homme commence à la séparation. Le groupe refait cette histoire à rebours. Gaïa y est la matrice même du groupe grâce à qui il se différencie et se divise pour sortir du Chaos originel. Qui n'éprouve au commencement le malaise de vivre dans ce chaos où personne ne se reconnaît et se perd ? Mais Gaïa différencie l'un de l'autre et donne à chacun un visage visible. Toutefois le désordre reste menaçant. Ouranos est aux aguets, au-dehors ; Eros lutte contre Ouranos pour maintenir ensemble dans l'unité ces formes qui redeviennent vite anarchiques sans lui. Il est le principe de cohésion du groupe. Le groupe refait, avons-nous dit, l'histoire de Gaïa et d'Eros. Et s'il fait régresser ses membres, c'est pour leur faire retrouver, sous la conduite d'Eros, la porte du symbole, la mère même des formes, Gaïa.

ÉROS ET NARCISSE

Nous avons vu que l'Eros est ce par quoi les Grecs désignaient l'Amour et le dieu Amour, et que ce terme est utilisé par Freud dans sa deuxième théorie des pulsions pour connoter l'ensemble des pulsions de vie par opposition aux pulsions de mort. Freud ajoute qu'il y a « opposition entre la libido du moi et la libido d'objet. Plus l'un absorbe, plus l'autre s'appauvrit. Le plus haut degré de développement que peut atteindre la libido d'objet, nous le voyons dans la passion amoureuse, elle nous apparaît comme un dessaisissement de la personnalité propre au profit de l'investissement d'objet ; son contraire se trouve dans ce fantasme (ou l'autoperception) de fin du monde chez le paranoïaque [1] ».

L'extrême de l'Eros, c'est, par passion, l'ouverture sur le monde. L'extrême du narcissisme : le fantasme de fin du monde, de sa destruction.

Si la distinction que fait Freud entre l'Eros et le narcissisme nous intéresse en psychodrame, c'est parce que la présence des participants qui soutient la relation imaginaire est physique et corporelle et que l'amour que se porte Narcisse est un amour du corps. Or, c'est par le même détour que passe le membre d'un groupe : beauté, attitudes, apparences rendant possibles ses projections imaginaires, lesquelles sont jeux de miroir au même titre que pour Narcisse son corps. Car dans le hiatus qui met le sujet à distance de son image, le corps représente cette unité qui lui permet de s'appréhender comme totalité. De là sa jubilation, nous dit Lacan. Illusion ? Certes, mais point de repère extrême de ce lieu de la relation imaginaire, de ce moment fécond où le sujet est un.

---

1. Cf. Freud, *Pour introduire le narcissisme*. Trad. J. Laplanche.

Les projections des participants vont s'accrocher sur ces portemanteaux imaginaires que sont les présences physiques. C'est la vue ou le contact qui déclenchent les comportements de répétition inconscients qui leur sont liés. Parce que les expériences passées qui lui sont sous-jacentes sont effacées de la conscience, l'affect correspondant, ressenti et vécu comme présent, va se réinvestir sur celui qui en a provoqué la résurgence : le participant ; il ne lui suffisait pour cela que de paraître.

Projection de souvenirs et mouvement de répétition sont inconscients, gommés, et seul l'affect est actuel. C'est par son truchement donc que tout va commencer dans le groupe.

Mais nous sommes conscients de ce que rien ne peut continuer — sauf pour Narcisse qui en meurt — si nous ne quittons ce lieu extrême de l'autre figé dans son miroir et si nous n'explorons pas ce hiatus, si nous ne nous mettons nous-mêmes à distance de nos images. Nous savons que notre corps ne nous exprime que comme apparence ; que ce que nous éprouvons se situe dans cet intervalle. Et que si nous ne le communiquons pas, autrui n'en saura jamais rien. Le langage permet à Eros de s'exprimer.

Jean-Jacques Rousseau nous dit que le langage premier, qui est encore celui du corps en ce qu'il naît de son besoin, est le cri. Que le cri est devenu un chant et le chant une parole [1].

Le psychodrame révèle que chacun a son propre chant et son propre cri, son rythme propre. Il nous amène à cette lisière entre la parole et le corps où l'émotion prend naissance. L'exploration de cette lisière est fondamentale : ce n'est que lorsque le corps est concerné que l'on peut avoir une action thérapeutique sur l'inconscient et modifier la constellation imaginaire d'un sujet.

---

1. J.-J. Rousseau, *Essai sur l'origine des langues.*

1. Le cri

Il est devenu banal de dire que le premier cri, celui de la naissance, est un cri d'angoisse. Ce cri devient vite un cri pour demander, pour signifier le besoin du corps : la faim. Mais la faim n'est satisfaite que si sa satisfaction s'accompagne d'amour ; rien n'est plus mystérieux que cet amour qui pousse la femelle à secourir son petit.

L'amour maternel n'est cependant qu'un cliché. Il est marqué d'ambivalence dès le départ. Et pas plus que le corps de l'enfant ne fusionne avec celui de la mère, l'amour maternel n'est sans partage. En tout premier lieu à cause de cet autre objet de son désir, le père. En second lieu parce que cet amour, comme tout amour, est ambivalent, c'est-à-dire mêlé de haine. Ces vœux de mort de la mère marquent parfois l'enfant d'un malheur si fort que l'issue ne peut en être que thérapeutique. Ce fut par exemple le cas de Mathilde à qui une mère agressive avait refusé son amour.

Mathilde est enseignante. Or, elle est venue au psychodrame pour une inhibition importante à la parole : elle se sent certains jours si totalement bloquée qu'elle ne peut enseigner, les mots ne lui viennent pas. Ce n'est pas l'intelligence pourtant qui lui manque, ni l'autorité. Mais son propos nous permettra de deviner qu'elle ne peut donner à ses élèves l'amour qu'elle refusait à sa mère ou que lui refusait sa mère (c'est la même chose). Il faudrait, au contraire, qu'ils lui manifestent eux-mêmes leur attachement. (« Je crois qu'il faudrait que j'aie une cour d'élèves autour de moi. C'est idiot. ») On voit là comment la métaphore s'enracine dans l'Œdipe et par quel processus de substitution la parole de Mathilde est devenue un appel, qui ne peut jaillir parce qu'il viserait des substituts maternels inconscients, ces élèves qu'elle se sent coupable de ne pas aimer, alors que ce qu'elle attend, elle, c'est qu'on l'aime.

Le psychodrame va faire enfin jaillir son cri. On lui fait jouer la scène de son lever : elle soliloque, parle de ses élèves et brusquement elle hurle. « C'était un cri d'amour », expliquera-t-elle plus tard. Chaque séance, en effet, se passe pour elle de la même façon : mutisme, révolte, gestes désordonnés, cris.

Dans la nuit qui a suivi la séance, Mathilde a eu une violente migraine et a vomi. Mais, le jour suivant, sa dépression avait disparu et elle n'était plus angoissée.

2. Le symptôme

On pourrait se demander quelle est la relation entre son cri et les symptômes physiques : migraines, vomissements qui ont suivi la séance.

Le symptôme, nous apprend Freud, est une satisfaction substitutive de l'Eros ou plutôt « une contrepartie des influences qui règlent le processus de l'excitation sexuelle [1] ». « La partie du corps choisie pour devenir le siège du symptôme est soumise à une condition : elle doit aussi bien traduire le but poursuivi par l'émoi pulsionnel que la tendance à la défense ou à la punition du système conscient. Elle est ainsi surinvestie et maintenue des deux côtés à la fois tout comme la représentation substitutive de l'hystérie d'angoisse [2]. »

Le symptôme physique apparaît comme lié à l'échec du refoulement ; on sait qu'il arrive en effet que la charge affective disparaisse complètement (c'est, par exemple, la belle indifférence des hystériques). Mais bien souvent « cette répression ne réussit pas aussi parfaitement, une part de sensation pénible se lie aux symptômes eux-mêmes [3]... Le contenu idéatif du représentant de la pulsion échappe entièrement à la

---

1. Cf. Freud, *Trois Essais*, T.F., pp. 106, 107.
2. Cf. Freud, *Métapsychologie* : l'Inconscient, T.F., pp. 128, 129.
3. Cf. Freud, *Métapsychologie* : Le refoulement, T.F., p. 85.

conscience... l'endroit hyperinnervé est une partie du représentant pulsionnel refoulé qui, comme par condensation, a attiré à lui toute la charge ». Le lieu du symptôme n'est pas l'effet du hasard, la sensation pénible apparaît sans qu'aucun contenu ne resurgisse.

Tels apparaissent les symptômes de Mathilde : dès qu'elle est seule, au lieu de s'exprimer par un cri qui est un appel au groupe (et qui doit être compris comme agi dans le transfert psychodramatique), sa tension se résout en migraine — et la nausée que lui procure sa situation d'enseignante en vomissement. Ainsi, à ce niveau d'explication simple, le symptôme corporel apparaîtrait comme un symbole : symbole d'un conflit défunt (le conflit avec la mère) dans un conflit présent non moins symbolique (le conflit avec les élèves). S'il nous a appris à suivre dans le texte des associations libres la ramification ascendante de cette lignée symbolique pour repérer, aux points où les formes verbales s'entrecroisent, les nœuds de sa structure — il est déjà tout à fait clair que le symptôme se résout tout entier dans une analyse de langage, qu'il est langage dont la parole doit être délivrée [1]. Nous revoici au cri.

Mathilde assimile ses élèves à sa mère, elle crie quand elle est en groupe et souffre physiquement quand elle est seule. Un balancement existe entre ses symptômes et ce cri qui la délivre. Mais ces symptômes ne sont pas enracinés et immobiles, comme dans le cas de Marthe.

Le cas de Marthe, s'il est saisissant, n'est pas unique en psychodrame. Son corps à elle parle, pourrait-on dire, dans la séance même : la tension du groupe réveille chez elle des douleurs coliques, la résolution de cette tension les apaise. Son symptôme suit les fluctuations du discours des participants, tantôt plus accentué, tantôt évanoui comme par miracle. Il témoigne chez cette jeune fille des oscillations de son désir.

Le désir d'occupation du vide abdominal a été rempli très

1. Cf. Lacan, Rapport de Rome : *La parole et le langage en analyse.*

tôt par la sensation d'occupation de l'intestin. La phrase non dite (« Je voudrais être occupée par l'enfant de mon père ») est remplacée par une métaphore spatiale : la sensation de plénitude intestinale (douloureuse à titre de punition puisqu'il s'agit d'inceste). Si le corps parle au cours de la séance et le fait à sa place, car elle ne peut, quant à elle, en dire autre chose que cette douleur, c'est en retentissement de ce qui se dit à propos du sexe, toujours impliqué dans la dynamique du groupe.

Le symptôme de Marthe évoluera peu à peu : un déplacement d'investissement libidinal vers le sexe s'opère au fur et à mesure qu'elle prend conscience de ce que représente cette parole énigmatique où gît une métaphore.

Ces deux exemples nous montrent la condensation dans une métaphore corporelle, c'est-à-dire spatialisée d'une parole ou d'un cri qui n'a pu se dire : quelle place occupent ce cri ou cette parole non dite (à la mère ou au père) — et comment la punition cache l'émoi érotisé : le corps avec ce que son plaisir a de spatial supporte à la fois la satisfaction physique et la parole interdictrice devenue, elle aussi, comme douleur, intemporelle.

Si la parole interdictrice inconsciente s'est spatialisée pour devenir douleur, c'est-à-dire conséquence de la punition, prix payé pour le plaisir, c'est parce que l'inconscient ignore le temps : « L'inconscient c'est le corps » (Lacan).

Entre le symptôme qui appartient au corps et le cri ou la parole, le psychodrame oscille sans cesse, comme oscille la libido du moi et la libido de l'objet. De Narcisse à Eros, le corps est sans cesse délivré par la parole.

3. Eros et le psychodrame

Dans la part respective du corps et du langage, le psychodrame s'articule donc à la limite entre l'incommunicable du symptôme et le communicable du cri. Il suffit de prendre n'importe quel événement en psychodrame et d'avoir présents à l'esprit ces critères pour les retrouver.

Prenons l'exemple banal du *choix* d'un partenaire. Dans le choix de ce partenaire, les deux niveaux sont sous-jacents : le sujet qui choisit est à la recherche d'un plaisir du corps qui accompagnera le dialogue. Et c'est ce qui fait que parfois les bornes du contrat du groupe soient dépassées, que l'émotion ou la passion réveillées par le jeu entraînent les participants à passer à l'acte et à avoir, hors groupe, des relations amoureuses. Il est question d'acting-out dans une des trois séances de ce groupe dont nous allons relater les péripéties en matière de choix.

a) *Le plaisir d'Eros dans le groupe*

Il n'est pas possible à un sujet de jouer n'importe quelle scène d'amour avec n'importe quel partenaire : le choix qui est fait a une signification qui est à la fois le fruit des projections imaginaires (« Je l'ai choisi parce que, quoique ne lui ressemblant pas, il y avait quelque chose de lui ») et de la relation dynamique qui s'est nouée antérieurement dans le groupe. Ce partenaire donc n'est pas interchangeable.

Quand Gertrude choisit Randal pour jouer le rôle de son bel Américain, ce n'est pas par hasard : non seulement il est des hommes du groupe celui qui présente ce trait commun qui lui permet d'accrocher sur lui sa représentation, mais il est aussi celui qui avait eu, avec Clarence, un début de flirt dont elle a été jalouse (« Il ne m'était rien, ce n'est que lorsqu'il m'a échappé qu'il a pris son prix », dira-t-elle pour expliquer ce choix fait de lui). Elle raconte sa rencontre dans un ciné-club. Ils se parlent, vont prendre un verre ensemble. Il la dépose chez elle après être convenus d'un rendez-vous pour le lendemain.

Elle est seule dans sa chambre et soliloque : Ce type me plaît, quelle chance ! Quelle voix, quels yeux ! Quelle soirée ! Comme je l'aime !

On joue la promenade du lendemain à la campagne. Ils s'étendent sur l'herbe puis se rapprochent : compliments d'usage : « Tu as de jolis cheveux. » Il lui caresse la tête. Elle pose son front sur la poitrine de Randal. Et brusquement éclate en sanglots. Le passé et le présent se mêlent : l'émotion d'alors renaît, mais avec elle le regret tout aussi actuel qu'il ne soit plus auprès d'elle, très loin.

Que dire de cette scène ?

1. Il a fallu que Gertrude éprouve de l'attirance envers Randal pour revivre ce passé et le jouer en psychodrame comme présent. Sans le plaisir qu'elle y mettait, la rencontre sur la scène n'aurait pas été possible (si elle a pleuré, c'est parce que, au plaisir de l'émotion surgie et dans la scène rejouée, est liée l'émotion du souvenir passé).

2. Le choix de ce partenaire n'a pas été le fait du hasard, il a eu lieu sur un trait : Randal lui rappelait son partenaire d'alors.

Mais plus en profondeur il est lié à la problématique de Gertrude : sa jalousie. Réveillée par Clarence, elle a fait prendre à Randal la place du père désiré. C'est donc le surgissement de ce regret archaïque qui fait jaillir ses larmes et colore les deux émois, celui de l'aventure racontée et celui de la scène rejouée.

Un seul affect, triste-gai, supporte et condense ces trois expériences de plaisirs divers stratifiés dans un inconscient ignorant du temps : Randal, l'Américain, et son père réunis.

b) *L'acting-out*

Il arrive que pour faire resurgir ces plaisirs la convention du groupe soit franchie et que l'imaginaire libère assez le désir pour que les sujets agissent leur émotion au lieu de la parler. L'action, comme l'émotion, appartient au présent, tandis que la parole implique la distance du récit qui fait, quand elle tend vers la froideur et la logique, mourir le plaisir en désinvestissant le corps. Telle est, on l'a vu, la leçon de J.-J. Rousseau.

Randal raconte au groupe comment il a raccompagné Clarence : « On se trouvait comme deux adolescents. Beau duo ! Notre relation était très vive. Mais on a préféré ne pas s'embrasser. On s'est un peu serrés l'un contre l'autre pour faire passer quelque chose d'autre que des mots. Puis elle a eu peur que cela aille trop loin. C'était pour moi une situation importante. Je ne savais si c'était profond. J'y ai beaucoup songé cette semaine contrairement à l'habitude. C'est donc important. Je ne veux pas m'avouer que cela l'était. Mais je savais qu'il existait une barrière qui me permettait d'user d'une liberté : je savais que je le dirais en groupe. »

On rejoue la scène. Randal ne touche Clarence qu'au moment de la quitter.

CLARENCE *(contre Randal)* : Je sens de la chaleur, de la tendresse, tu as des gestes enveloppants.

RANDAL : Moi aussi je manque de tendresse.

CLARENCE : Où cela va-t-il nous mener ? J'ai peur de m'emballer.

Elle s'avise alors que c'est le deuxième homme avec qui elle a une aventure à la sortie d'un groupe.

Fin du jeu.

Soliloque de Randal : J'ai été loin dans la réalisation de mon désir et, au dernier moment, toute émotion s'est éteinte. Est-ce qu'on en parle au psychodrame ? Ou est-ce qu'on continue en douce ? Je sais qu'il y a là la clé de mon plus important problème (ce problème, c'est sa crainte des femmes : jamais il n'oserait, ailleurs qu'en groupe, se comporter ainsi avec une femme).

Soliloque de Clarence : C'est vécu en dehors de tout contexte. On ne se serait jamais rencontrés si on n'avait pas été en psychodrame.

Si l'imagination peut donc enflammer le corps et ce corps être entraîné aux actes, c'est parce que même si Clarence veut s'arrêter, son désir ne s'arrête pas. Et elle se montre quand même déçue que Randal s'arrange si bien de la convention du groupe pour arrêter là leur relation. Et déçue de n'avoir été qu'un prétexte pour lui permettre d'exalter son désir et d'avoir seulement permis sa réalisation imaginaire.

Randal et Clarence sont redevenus des participants du groupe. Leur désir, né dans le groupe, est retourné au groupe. Mais on a vu que de rejouer la scène de séduction leur a permis de comprendre qu'ils étaient les supports physiques d'émotions et d'imaginations qui ne concernaient pas réellement l'autre et qu'ils n'avaient fait qu'agir leur transfert.

C'est que la relation que le psychodrame noue n'est pas celle de la vie : elle donne à l'imaginaire toutes ses chances, mais, ne recevant pas de sanction, elle n'engage pas. L'expérience de Randal qui voit ses inhibitions au contact des femmes se dissoudre parce qu'il ressent les barrières du groupe comme un appui, nous montre quel est le rôle des interdits en psychodrame ; on peut tout jouer, mais non tout faire : ils le réassurent contre le danger de son désir. Et il faut qu'il y ait quelque part une barrière à la jouissance.

Pourtant, si le psychodrame déplace les barrières, ouvre plus grandes les vannes de l'imaginaire, il ne peut s'agir que d'un déplacement ; mais ce déplacement est utile parce que le jeu psychodramatique, ou même jusqu'à un certain point l'acting-out, permet d'oser se représenter ce que l'on n'osait faire dans la vie et, en faisant ainsi reculer les interdits, d'explorer les chemins du possible.

c) *L'inhibition*

Le possible, c'est quelquefois le possible d'un autre : il ne faut pas sous-estimer la vertu de l'exemple. C'est ainsi que le jeu de Gertrude et de Randal a donné envie à Fabiola de jouer un jeu analogue au leur, c'est-à-dire de se libérer d'une sorte de contrainte morale qui l'empêche d'être physiquement une femme.

Fabiola a peur des hommes. Elle est demeurée si longtemps attachée à son père qu'elle n'a connu l'intimité avec un homme qu'à trente ans. Encore ne s'agissait-il que d'intimité relative. Elle ne choisit pas un homme du groupe pour jouer le rôle de Wilhelm, mais le thérapeute. « C'est parce qu'il a de l'aisance et que Wilhelm en avait. » Mais la vraie raison, c'est qu'avec lui le danger est réduit : on ne le redoute pas plus qu'un père. Pourtant Fabiola ne pourra pas rejouer avec lui la scène de leurs adieux : elle serait obligée de mimer des gestes et des contacts d'amour. Elle en a d'ailleurs refoulé le souvenir au point d'être incapable de se rappeler ce qui s'est passé. Mais la tentative de jeu ramène une parole essentielle qui exprime comme son symptôme : « Si tu pouvais faire tout ce que tu veux, qu'est-ce que tu ferais ? » lui demandait Wilhelm. « Rien. » On a ici, comme dans le symptôme, mais exprimé de manière dialectique, le plaisir et l'interdiction où s'enroule le conflit. Et ce conflit concerne son corps qu'elle a peur d'engager.

Le problème de Gertrude n'était pas le sien. Mais c'est précisément cette absence de peur chez Gertrude qui l'a séduite. En l'imitant comme spectateur, Fabiola s'était crue capable de l'imiter comme acteur. Tandis que le jeu auquel elle a assisté lui avait fait explorer ses propres possibilités, celui qu'elle a tenté de jouer lui a fait appréhender ses limites : ses obstacles à l'engagement sexuel et à l'approche d'un autre corps. Et on a mis à nu la formule qui est chez elle celle de son angoisse de castration : la question à elle posée par un homme sur ce qu'est la liberté.

C'est l'angoisse de castration qui reste le dernier mot de l'Eros et dont le psychodrame, en impliquant le corps, permet de prendre la mesure. Le jeu fait voir en effet comment un sujet, en assumant le rôle de son sexe, affronte cette angoisse du plaisir.

La convention psychodramatique, en interdisant de passer à l'acte, permet d'aller très loin dans l'exploration de cette angoisse parce qu'elle en recule les limites.

Les quatre personnages de nos trois dernières scènes, quand ils se sont choisis, étaient bien à la recherche d'un plaisir, à condition que celui-ci soit limité dans ses effets et ses conséquences.

L'inhibition représente donc bien le frein nécessaire placé sur le chemin d'Eros. Si la castration ne mutile pas réellement le corps et ne tranche pas l'organe où siège une jouissance qui pourrait devenir insupportable, elle désigne symboliquement, pour le sujet parlant, le geste qui le délivrerait de ce qu'il s'agit de refréner ; cette jouissance que procure Eros comporte en elle-même son interdit.

Le symptôme réunit, au niveau du corps et de manière fixée, spatiale, les deux aspects d'Eros :

— la parole non dite, mais symbolisée qui vient, dans le hiatus entre le sujet et son image, marquer la place de l'autre (à qui le cri s'adresse) ;

— cette pure image de soi narcissique, sans faille, investie jusqu'au délire et à la mort.

Faire venir au jour la parole, c'est délivrer Eros de Narcisse et, en même temps, faire advenir la castration. Se vivre homme ou femme, c'est vivre le manque du phallus dans son corps et dans son sexe. Le groupe est considéré par les participants comme un autre qui actualise le désir, devant tous, eux-mêmes, qui sont présents et désirants.

L'AGRESSIVITÉ

L'agressivité défait-elle ce qu'Eros fait ? Rien n'est moins sûr.

L'agressivité est une potentialité : une intention du sujet. Elle se distingue de l'agression en ceci que l'agression est action. Elle se distingue aussi de la pulsion de mort dont l'aboutissement ultime est la destruction et le but la réduction des tensions.

Elle ne prend sa coloration et ses nuances que de son union avec Eros.

« Ce sont les pulsions érotiques qui introduisent dans l'union la diversité de leurs buts sexuels, tandis que pour les pulsions de l'autre sorte (agressivité, destruction), il ne saurait y avoir que des atténuations et des degrés décroissants dans leur tendance qui reste *monotone.* » (Freud.)

Cette monotonie nous frappe partout où les pulsions se désunissent et où la pulsion de mort l'emporte : dans les dépressions névrotiques et mélancoliques où le sujet retourne contre soi sa haine de l'objet, lorsqu'il développe dans la paranoïa ses thèmes invariables de persécution, ou dans la névrose obsessionnelle ses rites conjuratoires.

Mais il s'agit de cas pathologiques. Car, en règle générale, l'agressivité reste unie à l'Eros. Elle est pour l'enfant une façon d'entrer en rapport avec l'adulte — la mère — ou le semblable, et son opposition lui permet de se construire.

Dès le quatrième mois, le rapport de soumission « masochique » se renverse et les attitudes ultérieures restent marquées de ce retournement. Les tournants importants de sa vie sont ceux où joue une rivalité agressive : stade du miroir (six à dix-huit mois), au cours de la période d'opposition de la deuxième année et lors du conflit œdipien (trois à cinq ans). « Ainsi on ne saurait parler de l'agressivité qu'en la considérant comme une façon d'entrer en relation avec l'autre » (Lagache). Le psychodrame va permettre de retrouver certains moments de cette relation.

L'agressivité maximale du groupe se manifeste au cours d'une phase où la rivalité atteint son apogée, avant que ne lui succède une troisième phase, d'identification, qui en fait vraiment un groupe.

Mais durant la seconde phase, où les participants s'affrontent vivement les uns les autres, l'originalité du jeu consistera à donner la possibilité de mettre en scène l'agression et de détendre ainsi, par l'implication du corps, les ressorts cachés des tensions hostiles que la parole demeure parfois impuissante à dévoiler.

Il y a quelques années, Irène Monési publiait un roman qui n'est point passé inaperçu, et pour cause. Il s'agit de *Nature morte devant la fenêtre.* Ce roman s'attaquait au dernier tabou, celui de l'amour maternel. Une mère peut-elle ne pas aimer son enfant ? L'héroïne du roman, comme l'auteur elle-même (si nous en croyons une sérieuse interview), n'aime pas ses enfants et n'a pas été aimée de sa mère. Elle ne peut prendre sur elle de les élever, de les nourrir, de leur parler même. Tout ce qu'elle peut faire pour eux, c'est de les envoyer bien loin, le plus loin possible, à l'étranger par exemple, et de se faire oublier, le plus possible, afin de leur nuire le moins possible. Par contre, elle adore les chats. Qu'est-ce donc que ce monstre ?

C'est, ni plus ni moins, celui que Freud et d'autres après lui ont démasqué. Il était demeuré caché pendant des siècles, sous des flots d'amour, de justice et de bonté. On ne voulait rien savoir de lui : l'homme se voulait bon. Il crut qu'il l'était. Tout le mal était l'affaire d'un diable, difficile à localiser. « L'enfer c'est l'autre », a dit Sartre. « Non, c'est moi », répond Freud, par anticipation ; et toute l'éducation va s'en trouver changée.

Et certes l'homme est méchant, haineux, injuste, tout autant que doux et aimant. Adler avait admis dès 1908 l'hypothèse d'une « pulsion d'agression » autonome. Freud mettra plus de temps à affirmer ce dualisme ; il répugnait, semble-t-il, à hypostasier en deux pulsions primordiales, la pulsion de vie et la pulsion de mort, des phénomènes profondément intriqués à ces deux pulsions. L'agressivité est destructrice. Est-ce dire qu'elle se confond avec la pulsion de mort elle-même ? Non, car le désir d'agression est la pulsion de mort détournée vers autrui, infléchie, pourrait-on dire, par le désir sexuel. La pulsion d'agression est donc mixte. En outre la sexualité, en tant que source d'union, se rattache plutôt à la pulsion de vie. Nous laisserons donc de côté cette mise au point théorique, impossible à faire, et nous nous en tiendrons au travail clinique qui ne s'en trouve pas moins assuré d'ailleurs.

Le vocabulaire de Laplanche et Pontalis nous donne une définition suffisante de l'agressivité. La voici : « Tendance ou ensemble de tendances qui s'actualisent dans des conduites réelles ou fantasmatiques, celles-ci visant à nuire à autrui, le détruire, le contraindre, l'humilier, etc. L'agression connaît d'autres modalités que l'action motrice violente et destructrice. Il n'est aucune conduite aussi bien négative (refus d'assistance par exemple) que positive, symbolique (ironie par exemple) qu'effectivement agie qui ne puisse fonctionner comme agression... »

Aucun parent ne reconnaîtra volontiers qu'il cherche à nuire, à humilier ou détruire de quelque façon son enfant ; il découvre plus aisément, bien qu'avec stupeur, que son enfant est jaloux, sadique, méchant gratuitement ou pervers. Si nous passons de la famille à l'école, alors l'agressivité devient patente. Les maîtres d'école sadiques ont fait leur temps : on ne bat plus les enfants en classe ; mais les enfants, eux, continuent à chahuter et à mener la vie dure, autant que faire se peut, à leurs maîtres et à « sadiser » les éternels souffre-douleur. Aujourd'hui, c'est la bagarre ouverte à l'école comme en famille ; il y a bien une raison ; et cette raison est illustrée par le fantasme décrit par Freud : « On bat un enfant [1]. » Autrement dit, que les coups soient donnés ou reçus, qu'ils le soient effectivement ou pas, le fantasme fonctionne tout autant, et même mieux que la réalité correspondante ; cela signifie qu'il est soutenu par une pulsion préexistante.

Il est vain de s'arrêter à l'explication psychologique et sociologique de l'éclatement actuel de l'agressivité des adolescents. Qu'il y ait de mauvais parents qui suscitent chez l'enfant une

1. Cf. chap. I, p. 69 et suiv. et chap II, p. 125.

volonté de revanche et la révolte, et des professeurs qui cachent leur volonté de puissance sous un paternalisme de bon aloi, cette constatation est juste et entraîne certaines modifications à l'école et à la maison ; peut-être même un renouveau social ; mais ce n'est pas cela qui nous intéresse ici puisque, avions-nous dit, le fantasme préexiste. C'est le mérite de Mélanie Klein, après Karl Abraham son maître, d'avoir mis en évidence par des études cliniques cette pulsion agressive chez l'enfant normal. Pour que cette pulsion agressive ne devienne pas névrosante, il faut permettre à l'enfant de ne pas la refouler. Les conseils éclairés qui prennent appui sur la psychologie et la sociologie, quand le mal est fait, nous voulons dire, après l'âge du refoulement, viennent trop tard puisqu'ils méconnaissent cette vérité essentielle, que l'agressivité est une pulsion fondamentale normale et qu'il n'est pas question de la nier (surtout pas) ni de la réduire en modifiant les conditions de vie.

Pour Mélanie Klein [1], l'enfant a, dès l'âge de cinq mois, une double image maternelle : la bonne mère et la mauvaise mère. Les deux peuvent n'avoir qu'un support réel unique ; c'est l'enfant qui introjecte l'objet de son amour et le dédouble en quelque sorte. Il passe de l'un à l'autre objet introjecté suivant un « clivage » toujours différent ; et c'est précisément suivant la façon dont il résout le problème du clivage qu'il oriente toute sa vie psychique : comment étend-il ce premier modèle de relation ambivalente aux autres objets d'amour ? Lequel du bon objet ou du mauvais objet va-t-il choisir ? Autrement dit : va-t-il choisir d'avoir une bonne ou une mauvaise mère ? Dans ce dernier cas, comment viendra-t-il à bout de sa culpabilité, car toute haine entraîne le remords ? S'il choisit le bon objet, n'est-ce pas qu'il refoule le mauvais ? ou vice versa ? Ces « positions précoces sont structurées comme des névroses et des psychoses », lit-on dans la préface de l'ouvrage cité ; mais elles n'en sont pas

1. *Essais de psychanalyse 1921-1945*, Payot, 1967.

encore ; « la maladie consiste à recourir pour vaincre l'angoisse à ces positions archaïques ».

Mais dès l'enfance le sujet connaît normalement une phase dépressive inévitable. En effet, le moment où l'objet d'amour devient un et distinct (de partiel qu'il était — cf. le stade du miroir, de Lacan) coïncide avec un stade particulièrement sadique : le stade anal. Abraham parle même d'un stade sadique-oral antérieur, dit cannibalique. De cette conjonction naît toute une fantasmagorie terrifiante, proche du délire : l'enfant se sent coupable jusqu'au drame. Pris entre l'agressivité violente et la dépression, il choisit la dépression pour ne pas être coupable. C'est en quelque sorte une position de repli. Mais les effets négatifs du refoulement peuvent amener plus tard un retour névrotique de la mélancolie ou ces accès maniaco-dépressifs si bien décrits par Mélanie Klein.

Dans cette perspective kleinienne, la mère qui retire le sein au moment du sevrage est sans doute ressentie comme mauvaise ; mais elle n'est pas mauvaise. Il convient de prévenir et de canaliser cette pulsion de haine qui naît chez l'enfant contre ce qui vient à manquer, pour conjurer en quelque sorte les effets de cette haine qui ne sont autres, en définitive, que les guerres. Il s'agit d'aider l'enfant à prendre conscience de son agressivité, afin de l'aider — ce faisant — à restaurer l'image de la bonne mère.

On a beaucoup reproché à Mélanie Klein d'avoir voulu sauver à tout prix l'image de la bonne mère. On l'a même accusée d'avoir voulu ainsi sauver la propre image qu'elle avait d'elle-même. En effet, comment la haine jaillirait-elle chez l'enfant en réaction à un manque si la pulsion d'agressivité ne préexistait dans l'homme ? Il semble bien que Mélanie Klein ait péché sur ce point par idéalisme et légèreté théorique. Freud hésitait certes à hypostasier une pulsion agressive autonome, comme nous l'avons dit ; mais il la voyait à l'œuvre chez la mère comme chez l'enfant. L'homme est mauvais ; les guerres n'ont pas d'autres causes ; tout effort pour la paix, qui ne prend pas le mal à sa racine, est vain.

Il y va, dit-il, du sort de l'espèce humaine. « Le progrès de la civilisation saura-t-il et dans quelle mesure dominer les perturbations apportées à la vie en commun par les pulsions d'agression et d'autodestruction [1] ? » Qui sera le vainqueur, d'Eros ou de Thanatos ?

Les conclusions de Françoise Dolto se rapprochent de celles de Freud et ses mères ressemblent plus à l'héroïne d'Irène Monési qu'à Mélanie Klein. Les travaux de Maud Mannoni et d'Annelise Stern ne font que corroborer ses conclusions. Combien voit-on de mères, dans leurs observations, qui ont peur de blesser leur bébé ou de les étouffer en les prenant dans leurs bras ou de les empoisonner en les allaitant « parce qu'elles ont un mauvais lait », de les laisser mourir de faim parce que leur lait « n'est que de l'eau ». En vérité elles ont peur de leur propre agressivité, de leur désir de mort inconscient. Ells en sont terrifiées (et nous parlons des meilleures).

Dès avant de venir au monde, l'enfant est pris dans tout un réseau de désirs ; sa place est dessinée en creux ; il faudra coûte que coûte qu'il la remplisse : il est attendu comme la revanche du père ou de la mère ; comme une justification, une punition ou une récompense. Il est attendu mâle ou femelle ; à l'image de tel ou tel membre de l'une ou l'autre famille, ou des deux. Ou bien il n'est pas attendu. Cette emprise, inévitable car il n'y a pas de parents vierges de toute anticipation, est forcément ressentie par lui comme une atteinte à son intégrité, comme une mutilation ; quand le sein vient à manquer, au moment du sevrage — pour prendre un moment de manque tout à fait ordinaire — il n'est pas étonnant, alors, que l'enfant ressente la mère comme méchante et lui en veuille. Cette haine ne naît donc pas *ex nihilo* chez l'enfant. Elle naît parce que la mère est toujours aussi mau-

1. *Malaise dans la civilisation.*

vaise que bonne, comme lui-même — pour ne point parler du père qui vient lui prendre la mère dont il a tant besoin.

Dans le cas de Monique [1], la mère est réellement bonne et non punitive, elle n'est pas comme l'imagine Monique ; c'est son père qui lui interdit de devenir une femme parce que c'est un ennemi des femmes. Mais pourquoi donc la mère a-t-elle épousé un ennemi des femmes ? Il faut remonter aux générations antérieures pour le comprendre. Quoi qu'il en soit, Monique a vécu rétrospectivement dans ses identifications successives toutes ces relations parentales et la mécanique identificatoire a abouti à la névrose actuelle : agressivité contre les garçons, virilisation et régression au stade anal. Les conseils donnés dans des cas pareils aux parents sont bien inutiles : « Instruisez votre fille », dit-on ; « faites son éducation sexuelle ». Mais la mère était toute disposée à faire l'éducation sexuelle de sa fille et à l'initier même. Elle luttait déjà contre l'influence jugée néfaste du mari. Ce qui n'a pas empêché la fille de craindre plus que tout une conversation avec sa mère sur ce sujet. Le seul remède est l'analyse, la résolution de l'Œdipe, c'est-à-dire l'acceptation de la castration, le renoncement au désir incestueux inconscient et la libération de la libido vers d'autres objets que les objets parentaux.

Maud Mannoni [2] montre que l'enfant arriéré entretient généralement avec sa mère une relation duelle dont le père est exclu. Il fait corps avec elle ; il n'arrive pas à se soustraire à son désir tout-puissant, presque magique. Pour ne pas avoir à lutter davantage et pour ne pas ressentir de culpabilité, il préfère se réfugier dans la débilité mentale. Sa débilité est donc une formation substitutive, comme dit Freud. L'analyse révèle qu'il n'a pas voulu se séparer de sa mère ; mais s'il ne l'a pas voulu, c'est parce qu'elle ne l'a pas voulu non plus.

---

1. F. Dolto, *Psychanalyse et pédiatrie,* Ed. Le Seuil.
2. Cf. *L'enfant arriéré et sa mère,* Ed. Le Seuil.

C'est ainsi que l'enfant devient le support de la névrose maternelle.

Annelise Stern, dans un article de la revue *Recherches* (septembre 1967), arrive à la conclusion que voici : « L'enfant-pas-comme-les-autres est à la fois le support (privilégié) et le produit (en partie) de ce mythe de la norme conçu comme déni, comme désaveu de la castration. Ils raisonnent à peu près ainsi (sans le formuler évidemment) : l'enfant de l'inceste n'est pas comme les autres, il est idiot ; donc l'idiot, l'enfant pas comme les autres, est l'enfant de l'inceste. » Il faut qu'il le reste ; sa maladie, sa névrose, voire son infirmité sont le signe, la preuve qu'un inceste a été commis ; autrement dit que le père ou la mère ont satisfait leur désir œdipien. Ils ne se sentent pas eux-mêmes normaux ; ils ont le sentiment d'avoir transgressé un interdit ; l'enfant paie. Il faut qu'il paie. S'il ne payait pas (c'est-à-dire s'il guérissait), cela remettrait tout en question.

C'est ainsi que Françoise Dolto a pu observer fréquemment une sorte de balancement névrotique entre enfants et parents. Quand l'enfant guérissait, le ou les parents glissaient dans la névrose. En somme ces parents préfèrent condamner leur enfant plutôt que d'avoir à accepter leur propre castration. L'exemple que donne Annelise Stern d'un petit garçon qui avait une malformation du pénis et devait être opéré est saisissant. Le père redoutait énormément l'intervention chirurgicale. Elle avait signification pour lui de « coupure » irréparable. Lui-même se savait atteint psychologiquement. Il mettait en parallèle ce qui n'allait pas dans sa tête et ce qui n'allait pas dans le pénis de son fils. En somme ils constituaient à eux deux un ensemble psychosomatique, selon l'expression d'Annelise Stern. Si le fils guérissait de son atteinte physique, il risquait d'être atteint psychologiquement et le père risquait d'être atteint physiquement à son tour. Il risquait d'être coupé, castré. Ici encore le pénis malformé du fils était le support et le témoin de la névrose paternelle.

Nous sommes loin de l'idéalisme de Mélanie Klein. Ces

pères et ces mères préfèrent en somme la maladie de leur enfant à leur propre castration. Certes ces enfants sont névrosés, et les parents aussi. Il est d'ailleurs généralement admis qu'il faut deux générations de parents pathogènes pour faire un enfant psychotique. Mais dans le registre dit normal se joue le même jeu d'identifications et de projections. Les enfants normaux sont normalement pris dans les conflits œdipiens, mais ils sont pris. Pour résoudre ces conflits, il faut que les parents et les enfants acceptent la castration, c'est-à-dire renoncent à leur désir incestueux. En somme « le mauvais objet », c'est la mère qui est castratrice parce qu'elle n'a pas accepté la castration pour elle-même ; autrement dit, elle n'a pas accepté la loi, l'interdit. Elle a préféré refouler. Car, bien entendu, il ne s'agit pas d'inceste réellement consommé chez les sujets normaux ; mais seulement de désir incestueux. L'enfant introjecte donc ce mauvais objet, cette mère qui le hait et qui le terrifie. Car il a un sixième sens qui le renseigne. Il voit bien qu'il a une mère parfaite ; mais il sait qu'il a aussi une mère — et c'est la même — dévoratrice et mutilante. Pour ne pas faire de peine à la première, il refoule la seconde. Il sait, avons-nous dit ; il est plus exact de dire qu'il enregistre et que plus tard, dans l'analyse ou autrement, il pourra revivre cela.

Il faut donc bien admettre avec Freud une pulsion agressive liée aux pulsions sexuelles dans l'Œdipe. C'est ce qui explique sans doute l'ambivalence de tout sentiment œdipien. Il vaut tout de même mieux prévenir l'analyse et pour cela le seul moyen est de réduire au minimum le refoulement. Il est constitutif de la vie psychologique de l'enfant. Mais on peut éviter qu'il détermine des formations substitutives ou répétitives.

Quand la mère et le père ont résolu leur propre Œdipe (autant que faire se peut), quand ils ont des relations sexuelles satisfaisantes, quand le père est potent, l'enfant est libre pour un développement normal. C'est apparemment tout simple. Le malheur, c'est que l'homme est un être fragile, peu doué pour ce qui est « normal ». Il a une vocation incertaine, des choix difficiles, il est sujet à tous les glissements et à tous les gauchissements. Il est marqué, nous l'avons vu, avant de naître. Il grandit donc, dans les meilleurs des cas, avec une charge d'agressivité impossible à liquider. Les sociétés d'autrefois avaient des systèmes d'écoulement de l'agressivité que la civilisation élimine successivement. On condamne la violence. Un film comme la *Chasse au lion à l'arc* [1] de Jean Rouch montre comment, dans certaines ethnies africaines, les hommes s'imposent des épreuves de courage et affrontent l'animal le plus fort de la forêt, le lion, avant de se dire des hommes. Ils connaissent ainsi la limite de leur peur. Nous n'avons plus d'épreuves de ce genre ; nous n'affrontons pas directement le danger et nous ne connaissons pas la mesure de notre peur. Elle grandit d'autant plus.

On dit que les enfants sont rassurés par des pères autoritaires. Sans doute, mais dans les sociétés autoritaires d'autrefois, il semble que les pères supprimaient l'affrontement et s'imposaient par la force parce qu'ils avaient peur eux aussi. Nous croyons qu'il faut imposer aux enfants la loi parce que c'est la loi et non comme un bouclier. La peur engendre la peur ; seule la loi délivre. Le régime répressif a fait son temps.

Il n'est pas étonnant que l'agressivité apparaisse si tôt au cours d'une analyse ou d'un psychodrame et qu'elle y joue le rôle que l'on sait. Un groupe ne saurait se constituer tant que l'agressivité ne s'y exprime pas. Pratiquement, demander aux membres d'être spontanés, cela revient à leur demander de libérer leur agressivité. Pourquoi cette spontanéité-là est-elle si difficile à retrouver ? Parce que l'agressivité est muselée par la culpabilité et la peur de la rétorsion qui lui est liée. Mais, comme nous l'avons vu, celui qui n'attaque pas l'autre s'attaque à lui-même et se détruit. Si chacun fait de même dans un groupe (et c'est ce qui se passe dans un premier

1. Cf. chap. III, p. 151.

temps), le groupe étouffe et chacun y étouffe. C'est une sorte de mort. Plus rien ne se passe ; on peut parler de conduite névrotique collective. Il suffit que l'un se débloque pour que le groupe tout entier se mette à respirer. Celui-là d'abord ranime la pulsion agressive inconsciente qu'il n'a jamais pu ressentir à l'égard de l'un de ses parents et fait ainsi craquer la formation substitutive où il s'était enfermé. Ensuite il déclenche l'agressivité des autres qui répondent à l'attaque par l'attaque, de proche en proche ; et tout le groupe se trouve ainsi délivré. Mais en outre, il faut dire que toute relation étant ambivalente, puisqu'elle est forcément du type œdipien, il n'y a pas de relation du tout tant qu'on s'obstine à n'exprimer que l'amour. A vrai dire l'amour lui-même ne peut s'exprimer sans un mélange d'agressivité.

Quant à l'analyse, on sait, depuis Freud, le rôle qu'y joue l'agressivité et la signification qu'elle prend dans le transfert. Il n'est sans doute pas excessif de dire que l'agressivité, redécouverte après des siècles de morale de non-agression, est l'une des conquêtes essentielles de la psychanalyse. Il ne s'agit pas de prêcher la guerre, mais de reconnaître l'homme pour ce qu'il est, afin d'éviter le pire.

La phase d'agressivité en psychodrame

Ce long rappel au sujet de sa genèse était nécessaire pour situer l'agressivité inconsciente et faire comprendre l'ambivalence de sa signification en psychodrame : on a vu comment la rivalité (qui fait prévaloir la pulsion de destruction) tend vers l'identification ; et que la désunion des pulsions qui donne la préséance à la pulsion de mort est pathologique.

Entre les phases d'individuation et d'identification, le groupe connaît une phase d'affrontement où, ayant dépassé ses défenses purement sociales, il voit se révéler des défenses inconscientes et des automatismes de répétition qui conduisent les sujets à reproduire en son sein les comportements agressifs qu'ils ont eus, sans s'en rendre compte, depuis toujours dans leur famille et dans la société. Ces comportements représentent leur point aveugle, parce qu'il est le lieu même de leur angoisse de castration. Ils ne savent pas, lorsqu'ils attaquent un rival, que c'est d'eux-mêmes qu'il s'agit.

Commençons par situer cette phase d'agressivité [1]. Elle ne s'observe que dans les groupes hebdomadaires et résulte à la fois de la continuité indéfinie du groupe et des nombreuses coupures qui marquent la répétition des séances. Dans les groupes de deux jours, on sait que l'agressivité n'a pas le temps de s'élaborer et elle est plus évoquée que vécue *hic et nunc* sous forme de tensions : les relations hostiles entre les participants, au lieu de les opposer, sont rapidement rapportées aux figures parentales ou fraternelles du passé, au contraire de ce qui se passe dans les groupes hebdomadaires où c'est la dynamique qui prévaut. Sans doute s'agit-il des mêmes figures. Mais la réitération « monotone » des conflits qui opposent les participants entre eux les réactive sans cesse.

Cette phase d'agressivité est précédée par une phase d'individuation où l'on fait connaissance, les défenses sociales sont les premières à être avancées (« Je suis médecin, psychiatre, psychanalyste... journaliste, femme de lettres, industriel... »). La profession constitue tout d'abord le point de rassemblement autour duquel se nouent les alliances et s'opère le clivage du groupe en deux factions rivales, celle des psycho-choses qui viennent pour se former, et des autres qui viennent pour se soigner, et qui reprochent aux premiers leur rôle de témoins.

Cette division n'est qu'un prétexte : elle permet à chacun de projeter sur les autres la peur de la castration qui se cache derrière leur paravent social. C'est si vrai que lors d'un récent séminaire la division portait sur ceux qui se connaissent déjà et ceux qui ne se connaissent pas. C'est la césure qui est néces-

1. Cf. chap. II, p. 137. Le discours du groupe.

saire. Elle permet à chacun de prendre, sous un prétexte quelconque, appui sur les autres et de nouer des alliances.

1. Le thérapeute doit permettre à cette hostilité de se développer. Grâce à cela, elle est peu à peu analysée, ce qui aide le groupe à en dégager une autre, plus profonde, qui va finalement par-delà les alliances et les antipathies de la première heure révéler les vraies rivalités, provoquer les vrais affrontements.

C'est le moment où ceux qui ne supportent pas une agressivité qui les met plus personnellement en question veulent quitter le groupe. Pour en favoriser l'élaboration, nous demandons aux participants qui veulent partir de venir une dernière fois expliquer les raisons de leur départ. Celles-ci sont analysées, cela leur est utile comme cela est utile au groupe ; il arrive que certains sujets restent, ou reviennent plus tard. C'est en tout cas pour eux l'occasion de dire leur fait à des participants auxquels ils n'avaient jamais osé s'opposer. Et quelquefois de reconnaître la vraie source de leur angoisse.

Donc, entre les membres, un certain discours hostile s'élabore au cours de cette seconde phase. Des dyades agressives mais complémentaires se nouent autour de ce trait commun de la méconnaissance du vrai rôle de chacun et de la projection sur autrui des conflits inconscients de l'Œdipe.

Ainsi Fernande noue avec Roger une dyade agressive qui aboutit à un jeu. Elle l'a choisi pour jouer son directeur. Elle lui adresse des reproches qu'elle n'a pas encore osé faire à celui-ci : il n'a pas tenu ses promesses, est indifférent au sort de tous et traite mal son personnel.

On intervertit les rôles. Fernande est très à l'aise dans le rôle du directeur : — Ma petite fille, vous avez peur que je vous renvoie. Que vous êtes jeune ! Si vous mettez des idées curieuses dans la tête de mon personnel je vous préviens, vous n'avez pas toutes les qualifications exigibles. Donc le surplus de salaire que je vous accorde est bonté de ma part ; vous me décevez... Vous m'avez amusé avec votre petit accès de colère.

Comment peut-elle se mettre aussi bien dans la peau de son

interlocuteur et rééprouver aussitôt de la colère dès qu'elle reprend son rôle ?

On s'aperçoit, et elle-même avec le groupe, qu'elle pourrait être ce directeur. Cet aspect d'elle qu'elle déteste, elle le reconnaît en lui. C'est une relation en miroir. Mais aussi elle entrevoit soudain que le contenu des reproches qu'elle formulait contre lui (de négliger les personnes qu'il emploie) a la même résonance que les reproches qu'elle a toujours faits à sa propre mère.

Elle réalise que les reproches qu'elle fait à ce directeur sont des reproches adressés à elle-même et que ce personnage aussi éloigné en apparence du personnage maternel joue le double rôle de surmoi maternel et d'objet œdipien d'identification.

Un autre exemple qui a été cité dans « Le discours du groupe » a montré aux prises deux antagonistes, dont l'une avait vis-à-vis de l'autre la même fonction de surmoi maternel. Le psychodrame a permis à la protagoniste principale de prendre conscience du fait que la reproduction du rapport sadomasochiste noué avec une autre participante du groupe, dont le dynamisme agressif avait polarisé ses craintes, n'était que projection. Ce qu'elle redoutait le plus, c'était d'entendre de sa part des critiques qu'elle se faisait souvent à elle-même, et que sa mère autrefois lui faisait. La rivalité qui opposait les deux participantes était encore une rivalité œdipienne et la résurrection de l'angoisse qui lui est liée a été favorisée par la dynamique du groupe si intense dans la phase d'agressivité.

Un troisième exemple illustre la jalousie fraternelle, on peut dire que le groupe est le domaine privilégié où celle-ci se révèle : du fait de la présence du couple des thérapeutes et des autres participants, une régression se produit qui recrée des liens de type familial où les thérapeutes jouent le rôle des parents et les membres celui des frères et sœurs. Cette rivalité toujours sous-jacente et qui est la forme de transfert inhérente au psychodrame est tellement refoulée qu'elle reste totalement masquée à tous et qu'il faut toute la violence de la jalousie fraternelle pour remettre au jour ce sentiment.

Il devient évident pour le groupe que les reproches qu'Eugène adresse à un rival sont tellement déplacés qu'ils ne peuvent que s'appliquer à quelqu'un d'autre : à un frère, à une sœur ; qu'il est jaloux par exemple de ce qu'un autre attire l'attention du groupe et des thérapeutes comme autrefois des parents et de la phratrie. L'intensité de ses désirs meurtriers est, grâce à la présence du groupe, revécue, réactualisée au niveau du corps du fait de la violence ressentie de l'affect et de la tension musculaire qu'il suscite.

Chacun revit dans le groupe ses angoisses des attirances et des haines, y retrouve des automatismes qui le font se comporter toujours de la même manière au cours de la phase agressive.

2. Quel est, au cours de cette phase, le comportement des névrosés et du pervers ? Parce que l'angoisse de castration n'est pas vécue de façon univoque, celui-ci sera très différent.

Quand elle en a la force et le courage, l'*hystérique* se montre, de façon ouverte, agressive et tend à entraîner le groupe derrière elle : son talent pour connaître le désir de l'autre lui permet de faire mouche. Mais elle reste secrètement menacée de morcellement, si elle n'est pas suivie. Car ce qui cautionne son agression, c'est que le bien-fondé de son attaque soit reconnu. La valeur de tout ce qu'elle fait — et la valeur qu'elle s'attribue — dépend essentiellement en effet de la reconnaissance par autrui. C'est pourquoi elle s'expose.

Ce n'est pas le cas pour l'*obsessionnel* dont les critères, d'autant plus solides qu'ils sont intériorisés, le rendent moins dépendant de l'approbation des autres. Mais parce qu'il se les applique également à lui-même, il est prudent dans l'attaque. Rien n'est plus immobile, plus difficile à entraîner qu'un groupe d'obsessionnels. Inhibitions et paralysies freinent l'action dramatique et les jeux n'atteignent que rarement un haut degré d'intensité.

Mais pour être plus voilée et plus retenue, l'agressivité n'en est pas moins présente, elle s'exprime seulement avec plus de profondeur : il cherche la faille qui lui permettra de pénétrer dans l'univers de l'autre et de le mettre en déroute.

L'*homosexuel*, quand il vient au groupe pour se soigner, commence par ressentir sa solitude : personne n'est comme lui. Ses défenses prédominent. Mais elles recouvrent un vif désir de passer à l'acte. Ce qu'il revit de façon privilégiée, ce sont les corps à corps agressifs avec un frère et qui ne sont que prétexte pour l'affrontement amoureux et pour la volupté physique recherchée. L'ambivalence de cette relation est son mode d'approche privilégié.

Le *phobique* vient au groupe avec ses projections et ses angoisses de morcellement. Son besoin d'aide est tel qu'il se défend plus qu'il n'attaque, il est victime des monstres qu'il porte en lui. Mais, s'il vit difficilement son agressivité, il en parle : il voudrait faire éclater tout, la baraque et les ennemis qui la hantent.

L'importance de la phase d'agressivité est grande : c'est un moment de grande angoisse qui permet aux participants de prendre conscience des personnages œdipiens qui les hantent et des projections et répétitions qui les habitent.

3. Il arrive aussi qu'au cours de cette phase le groupe tout entier porte certains d'entre ses membres à reproduire une scène de violence qui ne fait que refléter la violence des tensions qui les opposent tous les uns aux autres. La phratrie est reconstituée à son insu.

Au cours d'une séance hebdomadaire le groupe regrettait que l'agressivité ne pût s'exprimer. Une participante, Denise, s'est levée et a commencé à se promener avec un des hommes du groupe, Harald. Harald a refusé de répondre à l'agressivité de Denise et s'est fait apostropher par Harris qui lui a pris Denise.

Reveline s'est jetée sur Harris et lui a donné de grands coups de poings dans le dos. Auxquels celui-ci a fini par mettre fin en la jetant à terre.

Il s'agissait là d'un acting-out collectif : les tensions non exprimées dans le groupe ont été brusquement révélées et agies après le départ de Mariette qui concentrait sur elle jusqu'alors toute l'agressivité du groupe. Quant au geste de Reveline contre Harris, il pouvait s'expliquer par l'identification de celle-ci à Harald : elle venait de marier son fils. « Chaque fois que j'ai fait quelque chose de mes mains on se l'est approprié », disait-elle à un autre propos. Mais elle liquidait aussi avec Harris un vieux litige.

Il arrive aussi que la phratrie tout entière veuille méconnaître une tension agressive. C'est ainsi qu'à la séance suivante, au lieu de permettre aux deux adversaires de recommencer la scène de bataille à laquelle il avait assisté la semaine précédente, le groupe a favorisé un autre membre, Claire, pour qu'elle joue son inhibition.

Claire n'a pas de motifs d'agir : son mari se sert d'elle. Que pourrait-elle faire ? Exploser ? Partir ? Elle réagit de manière différente, auto-agressive : elle n'a goût à rien. Le jeu de son inhibition est la réponse du groupe à l'agressivité persistante des deux antagonistes. Comme on le sait ce lien entre deux situations successives reste parfaitement inconscient. Ce qui caractérise le discours du groupe, c'est cette façon d'enchaîner sans que les relations entre les thèmes et les séances soient perçues par les participants.

Il arrive aussi que le refus de l'agressivité du groupe entraîne celui-ci à la vivre non pas sur le mode de l'inhibition, mais de l'agressivité inconsciente. C'est un déplacement.

Jeanne s'est longuement absentée et son retour provoque un malaise, comme c'est le cas lorsqu'un de ses membres regagne le groupe sans s'en être excusé ; on s'était habitué à ne plus la voir ; le deuil était fait. Pourtant le sujet de l'attention et de l'agressivité d'un de ses membres n'est pas Jeanne, mais Ginette. Aussi, quand Ginette s'assied sur la chaise retournée, on est plutôt gentil et rassurant. Ginette, qui a été choisie pour ce qu'elle disait de sa mère, était approuvée par de nombreuses femmes du groupe, lesquelles s'étaient répandues en imprécations contre les mères. Ce qui avait entraîné la protestation de Jeanne : « Je vis une cruauté, je ne sais pas pourquoi. » Elle ne se savait même pas concernée. Pourtant c'était d'elle qu'il s'agissait : comme la mère de Ginette qui ne respectait jamais les promesses qu'elle faisait à sa fille, elle n'avait pas respecté le contrat.

Ainsi le groupe, et non pas seulement l'individu, peut méconnaître l'agressivité ou la refuser. Sa défense s'exprime en jouant autre chose. Mais cet autre chose n'est pas sans rapport avec le sujet qu'il écarte : il donne la vedette à Ginette dans le deuxième cas ; dans le premier il fait jouer à Claire son inhibition.

Il peut donc, même à la phase d'agressivité, fuir collectivement l'affrontement. De même les antagonistes d'une scène de violence (Reveline, Harris) se méconnaissent comme porte-parole des tendances rivales du groupe.

Revenons aux individus. On a vu que la méconnaissance porte sur leur point aveugle : à force de ressemblance, ils se projettent l'un dans l'autre sans se voir ; en son fondement, l'agression contre autrui est déjà une agression contre soi.

Trois exemples privilégiés nous ont montré comment les identifications œdipiennes et leur intériorisation sous forme de surmoi étaient projetées et revécues *hic et nunc* sous forme de rivalité. Et quelle était dans tous ces cas l'importance du désir de la mère.

On comprend dès lors que le destin de l'agressivité soit dans un troisième temps sa transformation en identification. La paix se refait dans le groupe. Au cours de la phase d'identification, ceux qui ont réussi à y demeurer ont dépassé, grâce à l'interprétation, ces dyades pénibles qui les ont enchaînés quelque temps, analysé leurs automatismes de répétition et leurs projections, reconnu qu'il y a toujours dans un groupe quelqu'un pour incarner le surmoi ou le frère rival. La fonction de faux miroir est démystifiée quand on montre au sujet que la défense contre une pulsion agressive interne en a fait remplir à un autre la fiction angoissante.

Le passage au sens, c'est-à-dire à l'identification progressive de la phase suivante reproduit le passage de la relation duelle régressive à la situation tierce : trois personnes sont en présence, moi, mon image et l'autre qui me montre mon image et approfondit cet intervalle qui m'en sépare au point de me rendre à moi-même familier.

L'acte agressif et le jeu

Le sens caché du discours du groupe apparaît quand, faisant lever le protagoniste principal, le thérapeute l'invite à jouer. Le jeu, en mettant le corps en mouvement, lui révèle à la fois l'existence de son agressivité, reflet de celle du groupe, et transforme en agression les tensions voilées par les paroles. Mais, en favorisant leur détente, il intensifie aussi les affects et montre aux sujets quelles actions leur sont possibles et lesquelles ne le sont pas.

1. Au cours d'un séminaire de deux jours, deux jeunes femmes ont joué une relation agressive avec leur père. Grâce à leur jeu, elles ont pris d'une tout autre façon qu'elles ne l'auraient fait au moyen du langage la mesure exacte de leurs sentiments.

Dans le premier cas, la fille qui exprimait contre son père des vœux meurtriers s'est laissée battre à nouveau par lui contre toute attente. Elle voulait lui faire mal mais sa parole, comme autrefois, n'a pas pu se traduire en actes. Dans le second cas, une autre fille qui racontait l'histoire d'une gifle de son père, s'est révélée incapable, dans le rôle de celui-ci, de gifler l'ego auxiliaire qui avait, avant le changement de rôle, incarné son père et qui demeurait une image paternelle puisque c'était un thérapeute ; elle ne s'est montrée capable que d'en recevoir les coups.

Dans les deux cas l'inhibition à l'acte agressif contre le père révélait la persistance de la fixation infantile du respect et de l'amour que celui-ci leur inspirait encore.

Il peut apparaître étrange qu'aucune des deux jeunes femmes n'ait pu réaliser l'une ce qu'elle avait annoncé (faire le plus de mal possible à son père), l'autre prendre le rôle du père. Une telle impossibilité révèle l'importance de l'affect en psychodrame. C'est lui qui, dans les deux situations, accompagnait le souvenir et permettait de le revivre. C'est aussi le surgissement simultané d'un affect tendre et d'une crainte inhibitrice de l'agression qui apportait aux intentions exprimées son démenti : si elle n'a pas eu lieu, c'est que ce qui était éprouvé a rendu l'acte impossible.

Un cas de gifle réussie nous en apprend un peu plus sur l'acte psychodramatique. Armand n'est pas davantage en face de son père lorsqu'il gifle Roger. Pourtant le coup part spontanément. Le défi de Roger : « Essaie ! » a suffi. La réponse d'Armand était un autre défi. Ce qui l'a mise en jeu, c'était un automatisme de répétition soutenu par un fantasme inconscient. Moins que chez la fille, en effet, joue la tendresse à l'égard du père chez le garçon ; quand elle est réactivée, l'angoisse chez lui tend à remettre en route la pulsion du meurtre du père.

Réapparition de l'affect et réitération des mécanismes de répétition prennent ainsi, quand on joue, le pas sur le récit. Ils montrent au sujet qui il est parce qu'ils le restituent dans son présent et dans son corps. Au contraire de la parole qui raconte une action passée, on anticipe sur ses possibilités.

Ces trois exemples de gifle nous font toucher du doigt le ressort de l'action psychodramatique et comprendre pourquoi il est important que le jeu intervienne : il permet un autre mode d'approche de l'agressivité : la détente de l'agression libère le sujet présent physiquement du langage et lui apporte la démonstration de l'action avant qu'il n'ait pu en pressentir les linéaments. En un mot elle surprend.

Il est courant, par exemple, qu'une personne voie apparaître en elle des virtualités qu'elle ignorait. Jean, doux, généralement, devient, dans le rôle d'un percepteur, extrêmement agressif. C'est une révélation pour lui-même, sa douceur habituelle lui apparaît ce jour-là pour ce qu'elle est : une formation réactionnelle. Nous citons aussi souvent cet autre exemple d'un sujet qui déclarait qu'il préférait persuader plutôt qu'imposer sa volonté et qui, ce faisant, écrasait le bras de son fauteuil : ceci ne passa pas inaperçu aux témoins qui le lui dirent. Et il vit que là où sa parole lui mentait son corps disait vrai.

Il serait erroné de croire cependant que le jeu oppose absolument les mouvements du corps et ceux de la parole : il ne fait pas autre chose au contraire que de leur restituer la simultanéité qu'ils devaient avoir aux origines ; selon l'hypothèse de J.-J. Rousseau, ce n'est que la dissociation critique du jugement qui fait que la parole, devenue méthodique et froide, raconte plus qu'elle n'agit. Mais il y a, comme dit Lagache, des mots qui font balle : qui sont les équivalents d'un coup, d'une gifle. Ce langage-là est celui de la passion. Il reste en prise directe sur l'affect, l'agression et l'automatisme de répétition. Il rend le sujet présent à lui-même.

2. Après le jeu, l'analyse reprend ses droits. Le sens surgit des commentaires des témoins et des thérapeutes. L'acte est alors raconté à son auteur, chaque témoin dit ce qu'il a ressenti : c'est autant de facettes de lui-même qui lui sont ainsi révélées.

— J'ai ressenti le désir meurtrier d'Armand, dit Roger, après la gifle.

— J'ai ressenti la peur d'Armand et de Roger, dit un autre.

Cette peur que s'inspirent mutuellement les deux rivaux est aussi une composante de leur relation dans le groupe.

— Il y avait sous cette peur une demande d'amour, dit un troisième, qui révèle ainsi la composante libidinale des rapports fils-père.

La gifle était une sorte d'acting-out : elle condensait une signification massive, obscure, avant que la parole l'habitât.

L'action donc permet par d'autres voies que la parole de retrouver ce qui sépare le sujet de son corps et de son image, elle est un autre moyen de lui permettre de se rejoindre. Le jeu psychodramatique ne fait pas autre chose que de rendre possible une agression qui ne se serait pas exprimée autrement et dont l'essence aurait été perdue. Il situe l'action avant l'analyse. L'agressivité en psychodrame ne prend tout son sens que de ce qu'elle est d'abord agie. Mais un geste ne prend valeur d'action que parce qu'il est répété. Cette répétition revécue est déjà symbolique : l'élaboration et la mise en scène lui donnent après coup son sens et sa dimension.

C'est cet aspect symbolique de la répétition qui, dans le jeu, conserve à l'agression sa dimension efficace. Si le thérapeute veille à ce que les antagonistes ne perdent pas de vue le fait qu'ils répètent et agit de manière que le psychodrame ne devienne pas règlement de comptes, c'est donc moins par peur qu'on ne se fasse mal que pour éviter que la querelle ne bascule hors du champ du symbolique qui seul est thérapeutique : au lieu de demeurer répétition, l'agression risquerait de devenir une action entièrement nouvelle, l'affrontement de deux membres du groupe.

C'est pourquoi le thérapeute a évité qu'Armand et Roger n'en viennent à vider un différend qui n'en était pas moins latent chez chacun ; sinon, comment Armand aurait-il pu choisir Roger pour père ?

Tout l'art du psychodramatiste consiste à permettre à l'affect de retrouver un niveau d'intensité suffisant pour que soit restauré le langage de la passion et du corps. L'agression qui est détente est aussi tentation : elle est sur le chemin de la destruction, elle agit dans le champ de la pulsion de mort.

La signification ultime de l'agressivité c'est donc la poussée monotone de la pulsion de mort qui règne en maîtresse à l'origine de la vie vers une destruction qui ramène à l'inanimé. Mais l'union de celle-ci avec la pulsion de vie maintient chez l'individu son goût pour une destruction assurée qui sauvegarde la jouissance. Dans son ambivalence, il tend par rivalité à la destruction et par identification à la conservation de l'autre.

C'est à cause de cela que l'agressivité peut ne pas se traduire en actes ; elle rencontre d'autres affects qui l'empêchent de se réaliser, les pensées de mort se heurtent à des sentiments tendres car l'autre haï c'est encore soi-même. Dès le stade du miroir, la césure qui s'opère entre mon corps, mon image et moi-même ouvre, en effet, la porte à toutes les ressemblances inconscientes.

Mais on a vu aussi quelle est la fonction fondatrice de l'agressivité pour le développement : il est nécessaire que la mort du père soit réalisée symboliquement et le danger de castration encouru pour que le sujet se constitue dans son sexe. La raison de ce meurtre, c'est un désir érotique ; un désir d'inceste qui ne peut être réalisé. C'est sur cet empêchement que se rassemblent le désir et la loi. Cette loi, c'est, on le voit, la loi du sexe. C'est à partir d'elle que le surmoi impose ses règles aux hommes et aux sociétés.

Cette loi du sexe qui s'enracine dans le corps se retrouve dans le psychodrame : en régressant, les membres du groupe reconstituent leur famille et ses règles, et c'est dans le groupe qu'ils vont revivre leur rôle. C'est-à-dire projeter sur les autres leurs identifications régressives et transformer par le jeu leur rivalité en action. Retrouvant alors les émotions et les angoisses physiquement sous-jacentes.

Le jeu montre quelles actions sont possibles. C'est la précession de l'action sur la parole qui leur révèle leurs véritables intentions. La première place donnée par le jeu à la surprise fait resurgir la répétition. C'est là que l'agression prend dans le groupe son véritable sens : elle commence par toucher le corps qui est le véritable lieu de l'angoisse et du plaisir.

LA LOI INTÉRIEURE
(Plaisir et jouissance)

C'est sur la violence et la culpabilité que se fonde la loi. Freud nous l'apprend dans *Malaise dans la civilisation.* Nous savons que ce sont les sujets pathologiques qui souffrent le plus de sa pression. Le psychodrame est-il susceptible de les ramener dans les voies du désir ? De modifier leur surmoi par la révélation des enracinements dans l'Œdipe du plaisir et de la jouissance ? Telles sont les questions auxquelles nous allons tenter de répondre.

Nous partons de la loi extérieure pour voir ensuite comment elle s'articule avec la loi intérieure.

1. La loi extérieure

Si la violence extérieure de la loi est intériorisée sous forme de sentiment de culpabilité, c'est à cause de l'éducation des parents où s'allient, on le sait, la sévérité et l'amour. C'est aussi à cause de la part personnelle d'agressivité mortifère que contient le surmoi infantile. Lorsque le surmoi est pathologique et l'individu faible, la loi extérieure puise dans le surmoi des motifs renouvelés d'étouffement.

A l'extérieur, le droit oppose à la raison des plus forts des limites qui, nous dit Freud, ne sont autres que celles qui résultent de la coalition des faibles, plus nombreux, contre les forts. Mais ces barrières extérieures sont fragiles et il suffit d'un tyran pour les renverser. Même en régime démocratique la violence garde ses ressorts. Ce qui nous intéresse, c'est que sa menace soit intériorisée de manière fort diverse selon la plus ou moins grande force du sentiment de culpabilité. Commençons par ce dernier, nous verrons ensuite comment le droit intervient.

a) *Le sentiment de culpabilité.*

Le sentiment de culpabilité engendre le malaise dans la société moderne qui devient de plus en plus pathogène ; au fur et à mesure qu'elle se diversifie, se multiplient les interdits ; elle exige de ses membres de plus en plus de renoncements et d'efforts. D'où le colossal développement que prend de nos jours la psychiatrie.

Que perdent les hommes dans leur obéissance aux lois ? Le plaisir. La Révolution française avait appris à Sade que dans les périodes révolutionnaires par contre les lois s'ajustent de manière adéquate au désir du plus grand nombre : « Ce n'est jamais dans l'anarchie que les tyrans naissent, vous ne les voyez s'élever qu'à l'ombre des lois ou s'autoriser d'elles. Le règne des lois est donc vicieux, il est donc inférieur à celui de l'anarchie : la plus grande preuve de ce que j'avance est l'obligation où est le gouvernement de se plonger lui-même dans l'anarchie quand il veut refaire ses constitutions. Pour abroger ses anciennes lois, il est obligé d'établir un régime révolutionnaire où il n'y a point de lois. Mais ce second Etat est nécessairement moins pur que le premier puisqu'il en dérive, puisqu'il a fallu opérer ce premier bien, l'anarchie, pour assurer au second bien la constitution de l'Etat [1]. » Dans les périodes révolutionnaires, les lois sont vécues de manière vivante comme des règles du jeu au lieu de se figer dans des cadres rigides qui ont perdu jusqu'au souvenir du désir qui les avait fait naître.

On pourrait comparer ce qui se passe pendant et après la révolution à ce qui se passe chez l'individu. Le surmoi oublie ce qu'était à l'origine le désir pour la mère et ne retient que la culpabilité d'avoir voulu éliminer le père. C'est là plus qu'un parallélisme : si les citoyens résonnent si fort aux drames de la rue, c'est parce qu'ils y revivent une tragédie qu'ils n'ont jamais cessé de vivre au-dedans d'eux-mêmes,

1. Sade, *Histoire de Juliette.*

la tragédie œdipienne, et qu'ils y retrouvent le désir de mort qui présidait à l'inceste et qui s'est enlisé par la suite dans la culpabilité.

b) *Le droit*

Quand la violence du tyran fait loi, le plus fort l'emporte sur les plus faibles et le principe du droit se retourne contre eux puis le droit, fait pour endiguer l'arbitraire, est « récupéré » par le tyran. Les fils qui avaient tué le père ont fait usage pour rien de leurs forces groupées. La loi se redouble comme dans la parole de ce père paranoïaque qui, pour les siens, se voulait la loi. « Je te le dis et je te le répète », affirmait-il à son fils, un jeune homme de nos groupes, écrasé par l'insistance de cet ordre insupportable. Grâce au psychodrame, il a appris à le contester et à opérer en sa faveur un retournement. Les tyrans ne règnent que grâce à la complicité de leurs sujets.

Et quand le sceptre leur tombe de la main, les sujets refont des lois. Car la loi n'est pas mauvaise, mais la violence qu'elle fait à chacun fait oublier qu'à l'origine elle était là pour protéger l'individu.

2. La loi intérieure

Le sentiment de culpabilité pèse sur le plaisir au point de rendre, dans les cas pathologiques, sa réalisation impossible.

Il agit synchroniquement avec un autre frein purement intérieur qui limite la jouissance : si le désir n'est jamais totalement réalisé, s'il est nécessaire qu'une certaine insatisfaction persiste, c'est parce que son achèvement en jouissance supposerait un sommet mythique qui aurait pour résultat l'anéantissement de toute tension : extrémité jamais atteinte, le principe de Nirvana est, comme l'on sait, l'équivalent, pour Freud, de la pulsion de mort. Ils visent tous deux le repos des pierres. Ce sont deux systèmes, l'un extérieur légal, l'autre intérieur œdipien, qui endiguent l'excès de plaisir.

Comment l'Œdipe devient-il la structure qui interdit l'inceste et permet le plaisir ? Pourquoi la mère est-elle le paradis perdu mais aussi la malédiction du fils qui la possède ? Nous nous posons ces questions en psychodrame : l'Œdipe y est en effet revécu *in situ*.

Nous emprunterons à Lacan ses repères théoriques afin de bien situer par rapport à l'Œdipe normal les avatars de l'Œdipe pathologique. Mais auparavant, nous rappellerons que c'est en levant l'hypothèque de la loi extérieure, en lui substituant de simples règles [1] que le psychodrame permet la reconnaissance du désir et de la castration.

a) *Le psychodrame, le désir et la castration*

En remplaçant les lois par les règles du jeu, le psychodrame abolit la violence et l'exigence sociales pour faire régner le principe de plaisir et l'imaginaire. Les pulsions, débarrassées de leurs contraintes extérieures, montrent du même coup ce qu'elles doivent au désir de l'autre (identification) et ce qu'elles visent (le plaisir). Le partage avec l'autre d'une même expérience fournit aux participants d'un groupe l'occasion de dramatiser ce qui est par eux vécu.

1. La dramatisation met en acte l'imaginaire. La règle du jeu interdit le réel. La participation extrême à l'aventure du jeu du protagoniste, des egos auxiliaires et des témoins opère une transfiguration qui s'apparente davantage à la possession qu'à l'action. Si on y réalise un désir, outre les désirs fantasmatiques, c'est un désir de participation. Ce qui se passe dans le jeu ressemble, dans les limites que nous avons indiquées ailleurs [2], à ce qui arrive dans des cérémonies religieuses, comme le N'Doep ou le vaudou. La même libération se

1. Cf. chap. I, La règle du jeu, p. 18.
2. Chap. I, p. 18.

produit grâce à la mise en acte des affects : l'exaltation du désir d'un sujet y prend une dimension collective qui rompt le cercle de solitude et de culpabilité du surmoi [1].

En psychodrame, l'affect est également amplifié par les résonances qu'il trouve en chacun et resurgissent les signifiants qui lui étaient appendus. Mais le drame individuel est exprimé ; ce qui est libératoire, cependant, c'est, comme dans le N'Doep, la mise en acte de l'imaginaire.

En voici un exemple : un participant, par crainte de ressembler à un père dont, enfant, il désapprouvait les colères, n'osait pas être agressif. Dans un jeu, il attaque durement, avec violence, un membre du groupe en qui d'ailleurs il se reconnaît quelque peu et dont les autres critiquent la trop grande propension à annuler ses affects. Sa colère reçoit donc l'approbation collective, elle lui rend sa possibilité de travail intellectuel éteinte depuis des semaines. Elle le libère. L'important a été que la culpabilité soit vécue et qu'ainsi soit retrouvée, au tréfonds de lui-même, l'expérience première de la colère paternelle malgré l'oubli des signifiants premiers.

Cet exemple montre qu'une expérience revécue en psychodrame opère par la seule dramatisation ; tout jeu, si modeste soit-il, participe d'un tronc affectif commun. Aussi nous préférons faire jouer une rencontre, si banale soit-elle, que de laisser un sujet quitter la salle sans avoir rien fait. Quelle qu'elle soit, une expérience psychodramatique prend racine dans l'histoire entière du sujet.

A travers la diversité des récits, cette histoire est cernée de façon de plus en plus précise ; au fur et à mesure du traitement les principales identifications sont repérées ; elles sont, on l'a vu [2], au nombre de trois :

— l'idéal du moi ;
— le surmoi ;

1. Cf. Le N'Doep, chap. III, p. 187.
2. Cf. Le cas de Bertrand, chap. II, p. 116.

— l'identification inconsciente au parent qui a servi de modèle et dont la reconnaissance est nécessaire pour que la castration soit assumée.

Le savoir que le sujet acquiert sur lui-même prend, en psychodrame, une dimension collective qui le fait se reconnaître dans le regard des autres et, en premier lieu, comme un corps. Les relations affectives sont fonction de rapports libidinaux qu'il a noués avec les autres ; sa place, le rôle qu'il joue, sont tributaires des projections et des identifications des participants, c'est-à-dire de l'imaginaire du groupe. Si chacun devient le thérapeute de l'autre, c'est à cause des modifications que subissent ces relations qui déplacent le sujet par rapport à lui-même. Mais c'est aussi parce que la dramatisation lui a permis de vivre, libéré de la loi extérieure, sa colère par exemple, comme il ne l'avait jamais vécue.

2. Parce qu'il se sent regardé, il y a toujours une limite que tout participant refuse momentanément de franchir, parce qu'elle le ferait changer de statut : celle où il accepte de reconnaître l'identification au parent qui lui a servi de modèle. Il serait obligé de se voir autrement. L'intensité de la dramatisation l'entraîne, bien souvent, au-delà de lui-même. On n'est pas toujours maître de s'arrêter quand l'ego auxiliaire vous entraîne.

Bertrand a ainsi peu à peu égrené tous les niveaux de ses identifications : un ancêtre guerrier lui tenait lieu d'idéal du moi, sa grand-mère maternelle qui l'avait élevé lui servait de surmoi, mais on n'avait pas encore perçu son père. La découverte du jeu, on s'en souvient, fut celle de l'identification inconsciente à un homme anxieux et coupable — ce qu'il était lui-même. Dès lors, il ne lui était plus possible de se présenter autrement ; ce qu'il lisait dans le regard des autres participants ne le lui aurait pas permis.

Le groupe assume l'histoire de chacun. Le moi idéal — la façade que tous cherchent au début à interposer entre les autres et eux — craque au fur et à mesure que se découvrent les identifications. En psychodrame, la castration se réfléchit dans le regard des témoins. Elle comporte une perte, ici une perte de prestige. C'est cette perte qui sanctionne le passage de l'imaginaire où nous étions au symbolique où nous sommes.

Mais si l'identification de Bertrand à son père était pour lui si difficile à reconnaître, c'est parce que ce père était névrosé. La lézarde dans le moi idéal est celle de toute identification : la castration est liée à la faille du père, c'est là que l'on voit l'importance du père réel ; s'il est névrosé, l'identification devient pathologique — la faille du père n'est autre que son désir, c'est-à-dire son manque, sa castration.

On verra que ce n'est cependant qu'à travers la castration que l'accès à la jouissance peut devenir la visée dernière du plaisir. L'Œdipe, qui est en somme l'histoire d'un échec, donne à un sujet la possibilité de se servir plus tard de son sexe avec une autre femme que sa mère, si c'est un garçon, avec un autre homme que son père, si c'est une fille [1].

Ce qui, en psychodrame, est revécu de l'Œdipe l'est essentiellement sous la rubrique des identifications, principalement dans les cas pathologiques.

b) *L'Œdipe pathologique*

La place du père dans l'Œdipe pathologique apparaît comme voilée soit par une culpabilité qui empêche le plaisir sexuel, soit parce que l'idéal du moi ou le surmoi substituent au père carent des pères imaginaires [2].

La puissance qui manque aux parents biologiques est fantasmée comme existant ailleurs. Ceci est la preuve que le père occupe une place : l'Œdipe endigue la montée menaçante de la jouissance, mais aussi c'est à partir de lui que pourra

1. Cf. ce que dit F. Dolto dans *Le cas Dominique*.
2. Cf. Le Cas de Marie, chap. I, p. 40.

être vécu un plaisir qui ne sera ni trop culpabilisé ni impossible.

1. De la culpabilité, l'histoire d'Œdipe nous procure un modèle : la tragédie de la peste fait payer à la cité une dette de vie avant que le coupable, qui ne le savait pas, se découvre lui-même et se punisse dans sa chair en s'arrachant les yeux.

Autrefois les châtiments étaient corporels, le voleur avait la main coupée. Et l'incestueux ? L'exemple que nous allons citer montre que la loi symbolique a sa sanction dans le réel : la castration s'opère physiquement quand, par exemple, la culpabilité d'un sujet le rend impuissant.

Un homme encore jeune joue une scène où, surpris dans le lit de sa sœur par son père, qui ne lui en fait pas la remarque, il éprouve une grande angoisse devant ce personnage silencieux. Il devient plus tard incapable d'aborder aucune femme. Il se fait d'ailleurs religieux ; il a au couvent de nombreux ennuis de santé et en sort conscient de ce que ses troubles sont en rapport avec la vie monacale. Donc l'excès de sévérité du surmoi agit ici de telle manière que la castration devient symptôme. On voit ainsi comment la culpabilité s'en prend au corps pour exiger rançon : l'impuissance sexuelle en est l'aboutissement.

On s'étonne de ce que, venue en renfort pour l'étayer, la loi de l'Œdipe en vienne à étouffer tout désir. Tout se passe comme dans l'allergie qui est une exagération de la défense et de l'adaptation. Dans la lutte qui l'oppose à Thanatos, le principe de plaisir se révèle souvent trop faible. Cela d'autant plus qu'il est menacé de deux côtés à la fois : par la culpabilité mais aussi par la jouissance, alliée elle aussi de Thanatos.

2. On assiste aussi en psychodrame à des efforts pour susciter des parents imaginaires quand les parents biologiques sont incapables de garantir l'intégrité du phallus. Le psychodrame de Bertrand nous a montré que ce sont eux qui sont en définitive choisis comme modèle d'identification dernier, mais que c'est un modèle refusé.

Voici deux autres exemples particulièrement illustratifs de cette substitution.

Nous parlons plus loin de René, connu au cours d'un séminaire de médecins [1]. Le comte qui avait séduit son arrière-grand-mère, et qu'il n'a pas connu, est son père idéal : il possède ce phallus dont son propre père était dépourvu. Quant à sa mère, elle a été également supplantée par une tante plus prestigieuse, qui est la mère idéale. Ce refus de filiation est typique de l'Œdipe obsessionnel : quand les parents sont trop humbles, ou trop humiliés pour représenter la loi, l'enfant grandit en s'inventant, à l'aide d'un roman familial, d'autres parents idéaux qu'il pare des attributs de puissance phallique qui font défaut à ses vrais parents [2].

Mais l'accent peut être mis aussi sur le manque d'autorité du père : le surmoi qu'il se forge se charge de toute l'agressivité que lui procure le sentiment d'insécurité. Il devient cruel, exige de lui une morale très stricte. C'est au sadisme du surmoi qu'on est sensible chez Maurice, cet autre obsessionnel dont il a été également question plus haut.

N'ayant trouvé de modèle de père ni chez son père, ni, comme René, chez son ancêtre mort, n'ayant trouvé personne dont la parole puisse tenir lieu de loi, il n'a que sa propre parole pour référence : une parole nouvelle d'un nouvel ordre politique vient à la place du phallus manquant.

Quant à la femme, elle est hors d'atteinte car pour lui il n'y aurait de place pour le plaisir que dans le commencement : or, la loi qui limite l'angoisse de la jouissance est celle du recommencement. La loi de l'Œdipe est vouée à se répéter. Parce que le sien est demeuré inachevé, Maurice préfère la castration.

Cet exemple nous intéresse en ceci qu'il montre que les ressorts du plaisir sexuel sont liés à une identification à

---

1. Cf. l'exposé complet du cas René, chap. V, Etude de cas, p. 295.
2. M. Jouhandeau a écrit une merveilleuse nouvelle, *L'Oncle Henri*, qui illustre parfaitement notre propos.

un porteur de phallus. Mais qu'est-ce qu'un phallophore ? Une interrogation de la théorie de l'Œdipe va nous faire voir que c'est un porteur de parole.

c) *L'Œdipe*

L'histoire d'Œdipe nous apprend que l'interdit de l'inceste est fondé sur un dire. Tant qu'Œdipe ignore son origine, il vit heureux. Quand il l'apprend, il est précipité du faîte de sa puissance.

— Pourquoi la mère est-elle interdite, alors qu'elle est voulue dans l'inconscient, voire possédée en rêve ?

— Pourquoi était-il nécessaire que soit sauvegardé l'écart entre le vœu inconscient et sa réalisation consciente ?

Que signifie qu'Œdipe tue d'abord son père ? Celui-ci n'est plus là pour prononcer l'interdiction qui l'eût protégé. Quand l'inceste se réalise, le père est mort et le fils châtré.

Quand le père est mort, il n'y a plus d'accès possible à une parole qui compte. La présence charnelle de la mère empêche pour le garçon la naissance de l'ordre symbolique lui-même. Pour que cet ordre advienne, il faut une distance, que la mère soit absente (voyez le *fort-da* du petits-fils de Freud) et que l'enfant ne soit pas son phallus. S'il lui reste assujetti ou si, du fait de l'inceste, il revient vers elle, l'ordre symbolique est bouleversé.

Voici d'ailleurs quelles sont, d'après Lacan, les trois étapes théoriques de l'Œdipe :

— Dans un *premier temps,* l'enfant désire être désiré par sa mère, il désire son désir. Mais la mère désire le père.

Quand l'enfant est l'objet de ses caresses ambiguës, quand il a vécu, comme Henri, un patient d'un groupe de psychodrame, dans l'intimité du lit conjugal, il reste fixé à elle. Bien que les femmes ne lui soient pas indifférentes, Henri demeure, quand il est dans leur lit, impuissant. Toutes ses tentatives sont restées infructueuses. Il semble qu'une limite ait été franchie et que celui qui a joui de sa mère ne puisse la remplacer ; le jeu de substitution n'ayant pas eu lieu, il ne peut accéder au plaisir.

— *Deuxième temps :* si le père est désiré par la mère, c'est parce qu'elle dépend de lui pour un objet qu'elle n'a pas. La mère manque de quelque chose, elle n'est pas toute-puissante. L'objet est possédé par un autre à la loi duquel elle se soumet. Le père, donc, peut la priver, de même qu'il prive l'enfant de sa mère. C'est le père terrible, le père qui dicte à l'enfant la loi de l'interdiction de l'inceste. Mais il dicte aussi à la mère cette autre loi sécurisante pour l'enfant : tu ne réintégreras pas ton produit. Les fantasmes de réabsorption jouent quand l'interdiction paternelle n'est pas entrée en scène. Ce deuxième temps comporte ainsi deux aspects :

— l'interdiction, faite à l'enfant, de l'inceste ;

— l'interdiction à la mère de jouir de son enfant.

— Le *troisième temps* est celui de l'humanisation de la loi. Le père cesse d'être le privateur redouté parce qu'il est aussi potent, parce qu'il donne à la mère le phallus qu'elle n'a pas (il comble son besoin instinctuel mais aussi son désir œdipien d'être une femme et de recevoir du père le pénis et l'enfant). Il entre ainsi avec elle dans un rapport de désir réciproque. Quand elle lui refuse l'assouvissement de son instinct sexuel, elle l'empêche en même temps de réaliser son désir œdipien d'être homme, autrement dit elle a le pouvoir de le castrer — et en ce sens, son mari dépend d'elle. Ce désir du père, qui est sa faille, est aussi ce par quoi le petit garçon pourra s'identifier à lui : il pourra, quand il sera grand, avoir une femme comme lui. Car si le père désire, il a lui aussi d'ores et déjà, du fait de son identification virile, le titre en poche, il sera un petit mâle.

Ainsi le père a une fonction normative pour le garçon ; il est celui grâce auquel est possible le désir masculin. Pour une fille, il est l'homme de la promesse ; elle accepte la castration dès le début de l'Œdipe mais elle sait qu'elle recevra le pénis du père sous forme d'enfant. Dans les deux cas, il fait passer l'enfant du monde charnel maternel à l'ordre de la loi.

La parole œdipienne ordonne ce qui ne serait, autrement, que lien maternel et jouissance, et en même temps, angoisse, folie et démesure.

On a vu que :

— l'identification au père biologique se révèle surtout dans les cas pathologiques où on s'aperçoit qu'il n'a pas occupé sa place. Car l'important, c'est que sa parole vienne à une place qui l'attend depuis toujours et qui prenne la suite de cette fonction de substitution symbolique que crée avec sa bobine l'enfant pour remplacer sa mère.

C'est donc un simple dire extérieur qui tempère la crainte de perdre le contrôle de soi et de s'abîmer dans les eaux d'une jouissance sans fond, d'une mère qui abolirait l'ordre symbolique et la possibilité de la parole. Ce dire relaie un autre frein qui maintient le sujet à un niveau de tension intérieure constante.

La loi extérieure n'est que redoublement fragile de cette parole nécessaire à l'ordre social.

La loi vise avant tout à éviter ce que le sujet perçoit comme désagrégation possible de l'ordre de son être ; ses pulsions l'entraîneraient dans des gouffres sans fond. Ce gouffre, c'est, pour la fille comme pour le garçon, l'abîme de cette mère originelle seule aimée parce qu'elle les a supportés sans doute dans la plus grande détresse. Le père les arrache à ce monde charnel pour les aider à achever le travail de substitution commencé quand, pour éterniser la mère durant ses absences, ils constituent leur monde propre de symboles.

C'est l'histoire de cette symbolisation qui est explorée en psychodrame. L'exploration est facilitée par l'abolition de la loi extérieure ce qui vient diminuer la culpabilité à laquelle se substitue une simple règle du jeu qui libère le participant de la contrainte du surmoi. Les conditions propres au jeu (la mise en mouvement du corps et la participation des témoins) sont favorables, on l'a vu, à la mise à nu de l'Œdipe et au repérage du désir.

L'ordre institué par le phallus évite aux passions leur excès et dans l'expérience du plaisir laisse subsister la tension nécessaire à son renouvellement. Ce n'est pas dans la jouissance que le sujet peut rencontrer la vérité. Car la vérité appartient à l'ordre renaissant sans cesse d'un plaisir qui ne se soutient que d'un manque, et ce manque serait zéro si ne subsistait la tension intérieure du désir qui est la mesure de l'être.

LA MORT RÉELLE

Depuis que Lacan et nous à sa suite avons distingué les trois catégories du symbolique, de l'imaginaire et du réel, il en a été fait un usage tel qu'elles sont devenues quasiment des institutions ou, du moins, des sortes de catégories spatiales coexistantes qui partageraient l'individu en casiers. En outre, l'inflation de la linguistique a entraîné celle du symbolique : tout est langage donc tout est symbole et hors du symbole point de salut. Mais comme tout être humain a accès, pense-t-on, à la parole, il n'y a pas de mauvais sang à se faire...

Ce qu'on dit

C'est ainsi qu'à chaque vague de « peste » amenée par la progression analytique, la société trouve son contrepoison. Soit ! les fils tuent leurs pères, couchent avec leurs mères !

Mais c'est purement symbolique. Ainsi les trois catégories étant établies, il suffit d'ajouter « purement » devant celle qui a nom symbolique ; pour lui enlever toute efficace, sauf évidemment celle qui va dans le sens du bien : la guérison.

Et du moment que les meurtres sont symboliques, vive le symbole qui nous dispense de bien des maux, c'est-à-dire des meurtres et de la mort.

Tout se passe, dit-on encore, sur le plan symbolique et donc sur le plan du langage. Ah, ces plans et ces niveaux ! Jamais ces mots ne sont revenus aussi souvent dans nos textes. Il suffit de bien choisir son plan ou son niveau donc et le tour est joué : la mort n'est pas encore pour tout de suite. Cela sent, et de loin, la résistance.

C'est ainsi qu'on tue à tour de bras dans les groupes. On s'y habitue vite. Il paraît que ça fait le plus grand bien de tuer ainsi symboliquement, c'est-à-dire par la représentation théâtrale. On appelle cela la catharsis. Comme c'est commode ! Il se produit ainsi une décharge qui dispense d'aller décharger ailleurs de vrais revolvers sur de vrais corps.

C'est vrai et c'est faux. C'est vrai que l'homme réussit ainsi à tromper son désir et même de quelque manière à se satisfaire. C'est vrai que décharger un vrai revolver sur de vrais corps est l'opération exactement inverse de l'opération représentée et qu'elle manque son but car le sujet ne sait jamais ce qu'il a fait. Il n'y a aucune commune mesure en effet entre le désir de tuer et l'effet de l'acte dans le réel. Celui qui tue ne saurait en aucune manière savoir ce que c'est que la mort de l'autre, et d'abord il ne sait pas ce qu'est le corps de l'autre, encore moins sait-il ce qu'est sa propre mort, que cependant il croit désirer, ni son propre corps. Peut-on désirer et savoir ce que l'on désire ? Autrement dit : y a-t-il coïncidence ? Il ne semble pas.

Toutefois le symbole a peu à voir avec le tour de passe-passe qui consiste à se satisfaire d'un jeu imaginaire et qui est précisément l'illusion et dont le désir ne se satisfait pas aussi aisément qu'on le voudrait pour la commodité de la chose. La différence est dans cette livre de chair et dans le caractère d'implication réelle propre au symbole. Aujourd'hui le symbole, nous ne savons plus bien ce que c'est. Il n'est plus vivant. L'inflation du symbole a suivi l'inflation du langage. Où donc a fui le réel ?

Qu'est-ce qu'un symbole ?

Nous prendrons la mère comme terme d'une relation parce qu'elle est évidemment centrale. Quand la mort de la mère est représentée, elle n'en meurt pas. Quand Jocaste se tue, personne ne meurt ni sur scène ni dans la salle. Mais le désir de mort ici manifesté s'acharne à détruire un personnage symbolique, qui est la mère. Autrement dit, ce n'est pas parce que Jocaste est Jocaste que son mariage avec Œdipe est impossible, mais parce qu'elle est sa mère. Couchant avec elle, il a, en somme, réintégré son sein et renoué sur le mode érotique, sexuel, le lien biologique qui faisait de la mère et du fils à l'origine une même chair.

Le lien sexuel, encore qu'il soit déjà symbolique puisqu'il repose sur la différence des sexes, est cependant le plus biologique des liens. Nous voulons dire que la différence des sexes est déjà de l'ordre de ce qui est dit, jugé, établi entre deux personnes qui veulent échanger quelque chose. C'est donc déjà de l'ordre du langage, et si la mère est interdite, c'est que l'union avec la mère est la mort du langage. Mais, en même temps, parce que interdite au premier chef, elle est la jouissance suprême. L'interdit majeur préserve donc en droit la suprême jouissance, qui fonde toute jouissance possible. Nous croyons qu'on pourrait en dire autant de la fille. Le lien symbolique fondé sur l'interdit est le lien par excellence, comme le dit bien le verbe συμ δαλλειν jeter ensemble, réunir, avec cette idée de saut par-dessus quelque chose. Le symbole est donc d'abord un lien qui réunit deux termes après les avoir séparés et permet à chacun de se reconnaître comme appartenant à l'autre en somme, encore que séparés. Le symbole, dit Voltaire, c'était chez les Grecs les paroles, les signes auxquels les initiés aux mystères de Cérès, de Cybèle, de Mithra se reconnaissaient.

Le fils et la mère, le frère et la sœur, la fille et le père sont reliés symboliquement parce que, par naissance, ils ont été séparés et ne peuvent plus biologiquement s'appartenir. La mère est un personnage symbolique en ce qu'il n'existe pas en dehors d'une relation elle-même symbolique. La mère biologique, en effet, cesse d'être, en même temps que le besoin biologique du nourrisson (s'il cesse jamais !). Elle est à ce moment-là nommée et devient un personnage symbolique. On voit bien ce que le nourrisson perd sur le plan biologique et ce qu'il récupère sur le plan symbolique — mais cette façon de parler que nous avons déjà adoptée [1] prête à confusion si l'on n'insiste pas sur le fait qu'il n'y a pas de relation symbolique sinon à partir d'une relation biologique. C'est ce qui rend l'adoption difficile. Il convient donc d'insister sur la livre de chair qu'emporte avec soi toute relation symbolique qui en est son prix — et la distingue radicalement de la relation imaginaire.

L'important c'est que l'enfant reste lié à la mère, fût-ce symboliquement. Ce lien symboliquement continué et rituellement consacré dans les sociétés religieuses (et sans doute aussi les autres) est constitutif de la société. Le symbolique suppose l'autre.

La relation symbolique vient donc à la place d'une continuité biologique impossible à vivre puisque précisément il s'agit de se séparer pour être. C'est ainsi que la mère et l'enfant ont deux désirs contradictoires : perpétuer le lien et le trancher. La cruauté de l'enfant, la révolte de l'adolescent, son indifférence n'ont pas d'autres causes que ce désir de trancher un lien mortel. Ces sentiments rendent possible la coupure. Les mères sublimes sont celles qui vont, pense-

1. Cf. chap. I.

t-on, au-devant de la rupture ; mais il ne se passe pas de jour où nous n'entendions la plainte de l'enfant que sa sublime mère condamne à l'aliénation perpétuelle en raison même de sa sublimité. C'est pourquoi Freud sans doute disait qu'il n'y a pas de bonne façon d'élever des enfants.

Ainsi donc, délivré du lien biologique, par l'accès au symbolique, l'enfant s'acharne à détruire le lien symbolique qui devient aliénant à son tour quand l'enfant a à se constituer comme adulte.

A ce moment-là, s'il n'est plus l'enfant de sa mère, qu'est sa mère ?

Si elle n'était que ce personnage symbolique, autant dire qu'elle n'est plus rien.

L'enfant, en effet, n'a de cesse qu'il n'ait détruit ce personnage qui le maintient enfant. L'effort de la mère qui résiste à cette destruction a un impact dans le réel ; car l'enfant se développe mal, parle tard, fait des phobies, refuse de marcher, etc. Comme sa mère, seul objet d'amour, lui reste tout de même interdite, il reste, lui, sans désir. L'interdit, que nous avons dit fondateur de toute jouissance, joue alors négativement.

L'impact dans le réel

Nous voudrions insister davantage ici sur les effets de ce meurtre symbolique dans le réel. Le désir de mort, qui se manifeste dans la destruction de l'autre et s'exprime dans les jeux psychodramatiques, a un effet de mort dans le réel à longue échéance — telle est notre thèse —, suivant un processus que préfigurent assez bien les procédés magiques des peuples dits primitifs ou de notre société moyenâgeuse : planter une épingle dans le cœur d'une statuette, par exemple ; nous choisissons à dessein ce procédé-là, bien qu'il y en ait beaucoup d'autres, parce que la statuette représente assez bien pour nous le personnage symbolique, le double, l'effigie.

Quand l'effigie est atteinte, c'est la personne réelle qui meurt.

Certes, c'est une simple comparaison que nous faisons là. Il reste que, lorsque l'enfant porte atteinte au père ou à la mère, c'est l'homme et la femme ainsi atteints qui dépérissent. Il s'agit d'une mort lente par dépérissement. De même un enfant dont la mère désire la mort dépérit. Il n'y a ni magie blanche, ni magie noire, ni fluide malin là-dedans. C'est que l'homme vit de désir autant que de pain, et si l'on tue son désir, on tue son corps. L'enfant pris dans le désir mortifère de la mère a donc à retrouver son désir propre. C'est une question de vie ou de mort. Tant qu'il ne l'a pas retrouvé, il répète. C'est cela qu'il vient jouer en psychodrame ; c'est cette répétition qui s'analyse, c'est-à-dire se dénoue, et c'est pourquoi la représentation — disons en gros — du meurtre a un effet libérateur.

Si le fils ou la fille en thérapie se libèrent, c'est la mère ou le père alors qui périssent de leur passion désormais sans objet et qui, tel le feu de Phèdre, les dévore. Si l'enfant coupe, la mère se trouve, elle, coupée sans l'avoir voulu, assumé. Elle se retrouve sans désir. C'est la mort du désir. Les thérapeutes connaissent bien ce balancement : on guérit l'enfant, ce sont les parents qui tombent malades. On guérit un conjoint, c'est l'époux ou l'épouse qu'il faut alors soigner. La personne larguée fait de l'abandonnisme, de la dépression, voire de la mélancolie. Sa santé physique se détériore. Point n'est besoin d'invoquer de mystérieuses correspondances entre le moral et le physique pour l'expliquer.

La psychosomatique

Si on ne commençait pas par les séparer, on n'aurait pas besoin ensuite de se poser tant de questions sur cette correspondance. Que de gens disent : « On prétend que c'est psychosomatique, mais je vous assure, j'ai mal. » Bien sûr ? Bien sûr, les maladies psychosomatiques sont réelles.

Il y a des réflexions très justes de Starobinsky à ce sujet[1]. Toute maladie, en somme, peut être dite psychosomatique, si l'on veut bien renoncer à la conception rationaliste traditionnelle qui séparait l'âme et le corps, quitte à introduire dans le corps ensuite un objet tiers — la maladie — qui, pensait-on, en gênait le fonctionnement et qu'il suffisait d'extirper — et c'était l'affaire du dieu médecin ! Le dieu médecin se contentait le plus souvent, en attendant d'en savoir plus, d'administrer des remèdes efficaces ou bidons, dont la vertu essentielle consistait dans le fait qu'ils étaient un don fait par le dieu médecin audit patient. Le patient vivait alors son mal, sa passion, dans l'impuissance totale. C'était le médecin qui était censé avoir le pouvoir de lui restituer son intégrité. Par quel tour de passe-passe, on ne le saura jamais. Comment rendre libre un patient en effet ?

Un thérapeute psychosomaticien comme Alexander en reste, lui aussi, à la « maladie-reflet » et au parallélisme psychosomatique — comme le mot le dit bien. Mais si la maladie n'est pas surajoutée au corps, il faut admettre qu'elle lui est consubstantielle et que par conséquent « tout homme veut obscurément sa mort ». C'est peut-être ce que Freud appelle la pulsion de mort. Tout homme veut obscurément sa mort, en effet, à laquelle il est, dès sa naissance, voué, et il la trouve.

Ainsi, vouloir mourir, c'est déjà mourir et vouloir tuer, c'est déjà tuer. La destitution symbolique, c'est-à-dire la destruction de l'image parentale, fait du père et de la mère des êtres comme les autres et des enfants qui ne peuvent en supporter l'idée. On dit, avec raison, qu'ils n'acceptent pas la castration. Plutôt que de briser le lien, certains parents préfèrent s'asservir et devenir les enfants de leurs enfants, retournant ainsi la relation symbolique en relation imaginaire.

Il s'agit donc d'une lutte à mort bien décrite par Hegel,

1. Cf. *La relation critique,* chap. « La maladie comme infortune de l'imagination », Ed. Gallimard.

quand il dit que le devenir de l'enfant est la mort des parents, et que les parents sont pour l'enfant *der sich aufhebende Ursprung,* l'origine qui se supprime.

Il serait intéressant sans doute d'étudier dans le détail l'effet mortifère du désir de mort sur le corps. A. Artaud a noté quelque part cette sensation de piqûres d'épingle que ses crises d'angoisse suscitaient dans tout son corps. Et Nietzsche a eu ces mots, avant Freud : « Rien ne vous fait vous consumer plus vite que le ressentiment. Le dépit, la susceptibilité maladive, l'impuissance à se venger, l'envie, etc., ce sont là de terribles poisons... » Et c'est lui encore qui parle des « intestins affligés » de certains Allemands par opposition aux bien-portants, aux joyeux qui aiment la vie. C'est que pour Nietzsche, la grande maladie ç'a été la séparation de l'âme et du corps qui était déjà désir de tuer le corps. « On a imaginé l'existence d'une âme, d'un esprit pour faire périr le corps », dit-il encore.

Si le désir de mort et la mort du désir sont des poisons, il faut s'attendre à l'efficacité de certains produits chimiques, et nous avons la chimiothérapie. Mais cette efficacité, si elle est immédiate, est aussi éphémère. Il ne s'agit pas d'être pour ou contre, mais de la mettre à sa vraie place, comme la psychosomatique.

En psychodrame, le sujet qui représente sa mort ou la mort de l'autre détruit l'effigie, la personne (masque) et atteint du même coup son corps ou le corps de l'autre. Les corps atteints sont mutilés, blessés, castrés en langage analytique. Mais c'est, dirons-nous, *la part du feu*, qui permet au sujet, ensuite, de repartir avec son désir propre préservé.

Il s'est réellement passé quelque chose. Le jeu n'est pas anodin. Le risque est réel ; l'enjeu est réel. Faute de quoi, nous restons tous la proie de l'imaginaire qui, pour continuer notre métaphore, serait alors l'incendie.

ÉROS

Le médecin et la mort

La profession de médecin est la seule où le corps de l'autre soit livré. Il s'ensuit certains avatars qui tiennent au fait que le praticien se trouve, du moins lorsqu'il n'a pas dépassé spontanément ou par le psychodrame l'Œdipe ou ses angoisses prégénitales, confronté à une sorte de limite à la fois logique et éthique, celle de la mort physique. Il n'est point de logique qui tienne quand le discours bute sur l'inexplicable, c'est-à-dire sur la mort. La proximité du corps du patient fait que le praticien y est confronté, en ce sens que le discours médical trouve ici son point d'arrêt. Parce que c'est pour lui une nécessité éthique de lutter contre l'angoisse que son impuissance engendre, le médecin adopte une attitude réactionnelle qui le fait réintroduire Eros au sein de ce réel. Souvent son narcissisme est grandement concerné par cette réaction car le mort, c'est lui, on verra pourquoi. C'est en effet cette limite-là, la pulsion de mort qui est en question.

Le désir inconscient de mort était ce qui, dans nos groupes de médecins, nous avait, au commencement, le plus souvent frappés. Pour le praticien inapte à le secourir, la maladie fatale du patient peut être vécue au niveau de son propre corps comme une menace mortelle. Il l'évite par une attitude de rejet ou de réparation, ou par la pure et simple annulation.

Dans les cas moins désespérés, il cède volontiers à la fascination de la maladie à cause d'un trait identificatoire.

Mais aussi, on le voit revivre de manière totalement inconsciente son Œdipe, et c'est la répétition du montage œdipien qui explique que ce soit dans des circonstances toujours analogues qu'il rencontre, avec toujours le même type de patients, les mêmes difficultés. C'est en rejouant la consultation que celles-ci se révèlent à son insu, pourrait-on dire.

Dès lors qu'on en parle et qu'on joue, le désir du médecin, d'ailleurs, se transforme. Ce désir ne vise plus tant le corps du malade que l'incarnation de sa parole. Le symptôme corporel est une parole figée, du moins quand rien n'assure que ce symptôme soit organique, car on va voir que le réel de la mort le laisse souvent sans voix. C'est cependant ce retour, grâce au psychodrame, de la parole libérée par le médecin, qui fait échapper le symptôme à l'impasse : son discours se réarticule sur le désir œdipien et le dépasse, car il est peu à peu ramené à une enquête prénatale, une enquête sur la névrose des parents et souvent de leur lignée ; c'est ainsi qu'on remonte aux origines, c'est-à-dire à la scène primitive.

Quand le médecin se trouve en présence de la mort du corps, son angoisse peut le conduire à trois sortes d'impasses :

— prégénitale,
— identificatoire,
— œdipienne ;

elles l'amènent à se laisser prendre, en somme, dans le circuit libidinal du patient et à ne plus conserver son sang-froid.

1. La mort, dès lors que le médecin se sait impuissant à remédier à la maladie, est souvent vécue comme une menace personnelle. C'est pourquoi il lui arrive de se poser des problèmes qui, dépouillés de leur habillement moral, anticipent sur l'anéantissement physique du patient. Faut-il débrancher l'appareil quand il s'agit d'un de ces décérébrés morts-vivants en sursis ? Faut-il forcer la dose de palfium chez ce cancéreux qui souffre et dont l'existence est désormais perdue ? Dans ces interrogations est posée la question de la mort réelle et non pas seulement le vœu fantasmatique. Le mauvais corps est vécu comme persécuteur : comme cet ennemi que deviendrait son propre corps s'il était atteint, lui, le médecin, du même mal. Tout discours lui est devenu inutile. Dès lors qu'il s'oppose à la fatalité du réel, l'angoisse surgit de la pulsion de mort et elle prend la forme d'une persécution. S'il rejette

son patient, c'est pour échapper à sa propre angoisse : parce qu'il s'agit de vie ou de mort, c'est lui ou l'autre.

2. La mort réelle est encore présente dans la relation identificatoire du médecin fasciné par la maladie du patient. C'est le cas en particulier du médecin atteint du même mal. Le médecin asthmatique a appris à composer avec son corps, a établi avec lui de nouveaux rapports, et c'est pourquoi l'identification au malade et à la même menace suscite son intérêt. Au lieu de le rejeter, il épie les traits qui les font se ressembler et ceux qui leur permettront à tous deux de vaincre le mal. Si le désir de mort existe, du moins est-il ici voilé par l'identification narcissique au trait unaire : il est comme moi.

3. Mais c'est la répétition inconsciente des impasses de son propre Œdipe qui, chez le médecin, reste la plus surprenante et c'est à en parler que nous passerons encore quelques instants en citant des exemples.

Prosper, pédiatre consciencieux et compétent, a commis un terrible acte manqué. Il voyait depuis quelque temps le bébé, âgé d'un an, d'une psychologue divorcée qui avait pour lui de l'amitié. Une nuit, elle l'appelle pour une fièvre chez l'enfant qui présentait une tumeur bénigne [1] intra-intestinale qu'il avait déjà diagnostiquée. Il institue une chimiothérapie, mais prescrit une dose trop forte (dix fois plus forte que la normale). L'enfant sombre dans le coma et, lorsqu'il en sort, c'est avec des troubles moteurs qui semblent devoir être irréversibles.

On lui fait jouer sa consultation avec la mère. Il accuse la mauvaise organisation de la médecine de provoquer un surmenage continuel qui enlève au médecin sa disponibilité et sa capacité d'attention. Mais on s'aperçoit que c'est la relation avec la mère qui est en cause : il ne veut pas être le

1. Un sympathoblastome. « Il va parfaitement bien, probablement nettoyé par cette thérapeutique de cheval ! Mais je n'ai pas revu la mère pour mettre à profit ce que le groupe a pu m'enseigner sur le type de relation à rétablir avec elle », nous écrit Prosper deux ans après.

substitut paternel qu'elle voudrait qu'il soit, et c'est à cette paternité qu'il veut échapper.

Nous citerons brièvement encore l'exemple d'une collègue qui conseille à une jeune femme cancéreuse et au bord de l'épuisement, de placer sa mère, bien que sachant que c'est condamner la vieille dame qui ne survit que grâce aux soins attentifs dont elle est l'objet. Cette femme médecin avait elle-même soigné sa mère avec dévouement, mais elle réalise à travers une autre le désir mortifère alors éprouvé.

L'important, dans ces exemples, est le caractère inconscient, chez les médecins, de la répétition œdipienne.

Le vœu de mort de l'Œdipe est d'ailleurs un vœu de mort réelle qui vise le corps comme représentatif du personnage symbolique dont est souhaitée la disparition. Seule la mort, en effet, peut, à défaut d'évolution désaliénante qui fasse prendre la mesure de la répétition, délivrer un sujet qui y demeure aliéné des personnages intérieurs de son enfance : père, mère ou fratrie. Car le souhait de mort est vécu par l'inconscient comme un fait réel. Or, le médecin, lorsque son Œdipe n'a pas connu le déclin, reste celui qui a voulu préserver au fond de lui l'image identificatoire du parent du même sexe, ou celui qui est demeuré aliéné de façon paranoïaque à la mère des premiers mois et se met à retrouver vis-à-vis de son malade les mêmes impulsions meurtrières imaginaires. Il faut avoir liquidé le souhait de mort réelle envers le parent de son propre sexe au risque d'encourir, nous en parlerons, la castration, c'est-à-dire être passé par cette épreuve lors des premières années pour que ces craintes ne se renouvellent plus en présence du patient.

Donc qu'il régresse de manière persécutive, qu'il s'identifie à un trait unaire de son malade ou qu'il répète inconsciemment un montage œdipien, le médecin qui n'a pas achevé son Œdipe est mis en échec par la réalité physique de la mort et se sent pris à partie ; parce qu'il touche à travers le corps de l'autre son propre corps, il y retrouve le miroir de sa propre impuissance et peut souhaiter pour s'évader la mort de son patient. Mais ce mort, c'est lui-même, ce souhait atteint son narcissisme, aussi l'angoisse-t-il.

Il y a donc chez le médecin, dont l'Œdipe et les angoisses prégénitales n'ont pas été liquidés, une impuissance logique et éthique à affronter la maladie et la mort. Le médecin, autrefois, croyait posséder une arme : le médicament. De nos jours, donner le bon médicament, ce n'est plus être bon médecin.

Pierre Benoit faisait remarquer à Aix-en-Provence, au Congrès de l'Ecole freudienne de Paris, combien la médecine a évolué depuis l'ère pasteurienne et encore plus de nos jours ; vaccins et antibiotiques font la preuve de leur efficacité, et la relation au médecin s'est transformée. Autrefois, le pharmakon était cette substance ambiguë dont la nature vénéneuse et bénéfique correspondait assez bien à l'ambivalence du médecin et du malade, et à leur croyance religieuse en la médecine. Bien que le chaman ait cessé d'être médecin, la foi n'en avait pas pour autant disparu. Mais on assiste de nos jours, en même temps que persiste ce phénomène suggestif, à l'avènement d'une attitude réflexive et scientifique.

C'est donc l'efficacité des médications modernes et de la psychanalyse qui, introduisant l'une la science, l'autre la parole dans la médecine, a transformé l'art de guérir et qui a scindé les maladies en accidentelles et nécessaires. La distinction, en deux espèces, des maladies est de Renaud, médecin des hôpitaux des années 20 ; elle prend acte de ce que certaines maladies, nécessaires au malade, sont moins justiciables de la pharmacie que de la parole. De même que la psychanalyse a pris chez Freud la place de l'hypnose, de même la parole, devenue objet médical, a pris la place du médicament, objet magique lié à la personne du prescripteur, donc à son emprise passagère.

Comme l'a bien vu Balint, la révolution moderne consiste en ce que la parole thérapeutique, parce que c'est la parole juste, est réfléchie par le médecin au patient — c'est en effet la parole du patient et non celle d'un autre (mais seul le médecin averti peut l'entendre, voire l'aider à surgir). C'est la parole qui fait qu'on est désormais capable de se passer du pharmakon pour éliminer le symptôme. La colite spasmodique du patient, dont nous parlons dans le passage sur le Mythe [1], se révélait être une colique d'accouchement. De le faire savoir a eu un effet curatif plus durable que tout médicament. On a fait découvrir au patient quel rôle avait la douleur : elle relançait sa culpabilité et punissait de mort partielle un organe, à défaut du corps tout entier. Etre mort, c'est s'identifier à celui qu'on a tué — l'organe mort est à la place du parent. C'est cela la castration régressive du symptôme : réagir contre la mort de son semblable en se mutilant.

Ce que le psychodrame, fondé sur la découverte freudienne, révèle en outre, c'est que le désir du patient est concerné par le désir des parents. Ce n'est pas métaphore de remarquer que le corps lui-même prend origine de leur rencontre, et que leur désir est l'étincelle qui allume celui de leur enfant. Ne pas avoir existé, ou avoir mal existé dans leur amour équivaut à ne pas avoir de place réelle, à être supprimé en tant que corps. Le symptôme correspond à un compromis où le désir de mort est isolé et morcelé, où c'est un organe qui devient l'enjeu symbolique d'une parole érotisée à la place de la totalité du corps propre, lequel est, on l'a vu, le miroir du corps de celui qu'on a tué lors de l'Œdipe. Mais l'existence du corps (ou son avortement) prend avant tout origine dans la scène primitive et l'Œdipe en est le relais.

Cette scène première n'est elle-même qu'une limite logique, un moment imaginaire.

Il a fallu, et Lacan nous l'apprend, pour que l'Œdipe, moment symbolique, rassemble le sujet, non seulement le désir maternel mais la puissance sexuelle du père, il a fallu que ce réel de l'acte sexuel s'inscrive à nouveau dans une parole

1. Cf. chap. VII, p. 367.

symbolique, celle du père. C'est pourquoi la reconnaissance du père par la mère, en tant qu'homme, a une grande importance pour l'enfant. Mais ce n'est qu'une parole et elle acquiert, après coup, valeur fondatrice pour un autre corps. Sans cela, le sujet est voué à chercher dans le passé de la lignée ce personnage paternel qu'il n'a pu trouver dans son père, ou un grand-père, ou un ancêtre — c'est ainsi que se crée le roman familial.

Ce que le médecin, passé par le psychodrame, trouve, c'est d'abord cette parole, et il l'interroge au niveau du symptôme. Mais elle contient en même temps que le désir de vivre du patient la névrose des parents, et le retournement de cette névrose en désir, c'est le processus de l'Œdipe. Retrouver chez un malade colitique qui accouche d'un enfant du père, le désir du père homosexuel, c'est remonter jusqu'au désir qui l'a fait naître, retourner à la scène primitive. Mais le désir d'enfant du père, c'est le désir œdipien, le désir du patient, c'est dire l'écho de cette scène.

L'écoute du médecin restitue donc le patient à la fois dans un Œdipe qui le relie à une parole (symbolique) et dans la scène primitive qui le relie à une lignée (imaginaire). C'est là une voie nouvelle puisqu'elle modifie la pratique de la médecine elle-même.

En remontant aux sources de la parole et à la préhistoire du patient, le médecin fait reculer ainsi la butée de la mort, sinon la mort elle-même.

CHAPITRE V

LES FORMES ANNEXES

LE TRAITEMENT D'UNE PSYCHOSE EN PSYCHODRAME INDIVIDUEL

On substitue le psychodrame individuel à la psychanalyse chez le psychotique. Pour lui, la psychanalyse est le plus souvent contre-indiquée en raison du caractère insupportable de l'angoisse qu'elle soulève. Et si elle est parfois réalisable, on ne tarde pas, au bout de quelques séances, à réveiller le délire. « Je suis un chat », disait quelques jours après le début de son analyse un jeune Sud-Américain bourré de marijuana. Cette expérience du début de notre pratique nous servit de leçon.

Nous n'avions pas, à cette époque, à notre disposition le psychodrame individuel. Aussi n'est-ce pas de ce malade que nous parlerons, mais d'un autre : R. Avec lui l'analyse, d'emblée, se révéla impossible : il ne parla pas sur le divan. Mais après plusieurs séances silencieuses, le délire éclata dans sa propre vie : il commit une série d'actions délictueuses contre son analyste. Celles-ci culminèrent en une crise qui rendit l'internement nécessaire.

Donc, quand nous le vîmes pour un psychodrame individuel, ce fut après une psychanalyse manquée et une expérience psychotique aiguë.

1. Histoire de la maladie

R... est bijoutier dans l'affaire de son père. Il a quarante ans et est resté célibataire.

Il avait été adressé au pasteur C..., alors que celui-ci débutait comme psychanalyste, par un aumônier militaire de sa connaissance, le pasteur Y...

C'était un de ses premiers patients. Aussi prit-il la précaution de faire confirmer son diagnostic par un analyste plus ancien dans le métier, didacticien et médecin par surcroît, ce qui, on va le voir, eut son importance. Le diagnostic de névrose obsessionnelle fut confirmé par le collègue, malgré la présence discrète, disait celui-ci, de quelques éléments paranoïaques. Mais le patient s'était bien gardé de parler d'un délire d'influence qu'il avait fait vers l'âge de dix ans: une femme de province lui racontait que la télévision enregistrait ses moindres gestes et il la crut dur comme fer.

On voit se profiler, en arrière-plan, la mère persécutrice, celle à laquelle il est asservi aussi bien qu'il l'asservit. C'est sa relation privilégiée. Le personnage fait partie de son monde nocturne ; il le traque, l'observe, l'attaque. Après les entretiens préliminaires, l'analyse fut décidée. Elle se révéla impossible, le malade ne supportait ni la position allongée ni le silence du thérapeute : furieux, il le quitta au bout de quelque temps, persuadé que l'argent que sa mère payait pour lui, avait été indûment encaissé. Car ce fut toujours la mère qui régla les honoraires. Le patient déposa une plainte contre le pasteur C... à l'ordre des médecins. Mais celle-ci ne fut pas retenue, le pasteur C..., couvert par un médecin, exerçait légalement, et l'accusation de compérage qui eût été la seule à pouvoir être retenue contre lui n'était pas fondée.

C'eût été mal connaître R. que de croire qu'il se serait avoué vaincu. Après tout, le pasteur C. était religieux. N'était-ce pas au religieux que le pasteur Y. l'avait adressé ? Un religieux est-il fondé à réclamer des honoraires sans faillir à sa mission ? La réponse, pour R., ne faisait aucun doute. On l'avait donc gravement lésé.

Alors commença une série de persécutions destinées à rétablir une justice trop indulgente et injustement bafouée. Il téléphonait en pleine nuit au pasteur C. et laissait la sonnerie retentir jusqu'à ce que celui-ci répondît au téléphone. Puis, de plus en plus furieux, il passa aux voies de fait : il s'introduisit plusieurs fois de force dans la salle d'attente, puis dans le cabinet du pasteur C., refusant de sortir ; il lacéra les pneus de sa voiture et en défonça à coups de pied les portières. Que faire ? Déposer une plainte ? C'eût été le faire interner d'office. Cependant, un soir où R. s'était à nouveau introduit au domicile du pasteur C. et refusait de le quitter, celui-ci fit appel à un autre collègue analyste, un médecin, qui établit un certificat d'internement. Deux infirmiers vinrent le chercher. Il était alors en plein état d'excitation et dans l'incapacité de se contrôler, confus, quasi délirant. Cet épisode eut un rôle décisif pour l'avenir des relations du pasteur C. et de R., la relation de persécution avait été inversée : le persécuté (le pasteur C.) devenait persécuteur. C'est pourquoi, au début de la cure psychodramatique dont nous allons parler, R. tente encore de renverser la situation en menaçant C. de lui en « faire baver », suivant sa propre expression. Il faut que le persécuteur redevienne le persécuté.

Le fait qu'il y eût trois thérapeutes — le pasteur C., Gennie et Paul Lemoine — eut pour effet de démobiliser le transfert principal fait sur C., en lui fournissant trois supports différents. Peu à peu les projections cédèrent la place et nous acquîmes une densité toute différente. Le pasteur C. n'était plus seul à jouer un rôle dans le traitement : les deux autres personnes que nous étions n'hésitaient pas à contester ou à contredire le pasteur C., avec son plein accord. Nous nous comportions comme des participants d'un groupe thérapeutique. Du moins jusqu'à un certain point, car aucun de nous n'oubliait pourquoi il était là : il n'entrait dans le groupe que pour les besoins de la cure. Il n'empêche que lorsque Gennie Lemoine lui refusa son indulgence quand il refusa de payer elle suivait son propre tempérament. C'est pourtant à Gennie qu'il décréta aussitôt qu'il voulait avoir affaire désormais pour sa cure.

Le paranoïaque s'adresse à des entités plutôt qu'à des personnes. Pour R., Paul Lemoine était, au début, le médecin. Mais il devint peu à peu une autre personne : quelque chose comme son père. Il ne l'attaquait jamais de front et tenait compte de ses avis ; il lui manifestait parfois une tendresse analogue à celle qu'il portait à ce vieillard de soixante-dix-huit ans dont la moindre maladie l'inquiétait. Au bout de quelque temps, Paul Lemoine put se permettre, dans une scène, de le secouer avec rudesse, comme R. l'avait fait au cours d'une manifestation de rue où il avait rencontré le docteur F. C'était le docteur F. qui l'avait reçu lors de son internement à l'hôpital. Maintenant qu'on avait, dans le jeu, renversé les rôles, R. était le docteur F. et Paul jouait le personnage de R. dans son rôle d'agresseur. Il ne l'aurait pas fait au début de la relation thérapeutique. Dans les débuts, il personnifiait encore le médecin persécuteur de son enfance — celui vis-à-vis duquel sa mère se démettait de ses fonctions dès le moindre incident de santé. Le malade racontait avec douleur et délice les après-midi passés chez le pédiatre et parlait du moment attendu où, horreur exquise, celui-ci lui palpait les organes génitaux. Depuis, les mises en scène imaginées par lui lors de ses masturbations nocturnes rééditent ce scénario : sa mère l'accompagne chez un médecin qui va l'examiner. La mère, dans la mise en scène, reste semblable à elle-même, invariable, mais ce qui change et qui déclenche son plaisir, ce sont les modifications fantasmées du médecin (dont le sexe et l'allure varient d'une fois à l'autre), et de son bourreau.

Notre triple participation au psychodrame fit évoluer sa relation avec C. Bien que celui-ci demeurât l'objet privilégié, R. mit fin à ses menaces (ou s'il continua par moments de les proférer, elles ne dépassèrent plus le niveau verbal) et continua son activité professionnelle : il se rendait régulièrement à son travail et s'y appliquait.

Dans le jeu, ses affects étaient devenus susceptibles de déplacement ; le jeu du représentant qui vient offrir au marchand une montre ancienne est exemplaire. Quand Gennie Lemoine, dans le rôle du représentant offrant ses articles, dit :

— Cette montre, vous ne la trouverez que chez les antiquaires, on n'en fait plus.

— Oui mais, réplique-t-il, cette montre existe chez le pasteur C.

— Mais le pasteur C., lui répond-elle, vous renvoie chez les médecins.

La montre ancienne, c'est sa mère-nourrice vis-à-vis de laquelle il déploie tantôt sa violence, tantôt sa demande insatiable —, les montres neuves, ce sont les médecins dont il ne veut à aucun prix. A aucun prix puisque — nous ne l'avions pas encore dit — le traitement est gratuit. Il l'obtient sans payer. Ce fut l'un des écueils de cette cure. C'est d'ailleurs sur un nouveau refus de payer que Gennie Lemoine quitta la pièce et que prit fin le traitement.

Nous butions ici, en effet, sur sa relation maternelle, et nous ne parvînmes pas à rétablir avec lui, sur ce point, le rapport à double sens d'échange symbolique, matérialisé par l'argent. Ce niveau d'échange est à situer sur le même plan que celui de la parole. Il ne satisfait pas son érotisme comme le faisaient autrefois les attouchements maternels. Il n'est pas immédiat comme l'action (motricité, agressivité).

Existe-t-il en psychodrame une possibilité théorique de passage de la relation maternelle et charnelle à la relation d'échange ? Ou bien le fait de mettre en jeu le corps est-il assez satisfaisant en soi pour que le patient, non frustré, éprouve le besoin d'un autre type d'échange ? On sait qu'en analyse la guérison passe par la frustration et l'absence.

L'accès à l'anal paraît être plus difficile en psychodrame. Mais nous verrons que c'est aussi la raison pour laquelle cette thérapeutique est précisément indiquée dans les cas de psychose. Si ce passage était problématique, ne convenait-il pas cependant, dès le départ, de fixer la mise, de poser d'emblée les règles de l'échange et de débuter ainsi à un autre niveau ? A un niveau tel que celui-ci par exemple : « Vous nous paierez tant, et nous ferons de notre mieux. »

Le patient refusa tout paiement, même symbolique. Et pour éviter qu'il ne rechute, nous continuâmes le traitement. D'ailleurs, nous l'avions pris en cours de route.

Quand nous l'avions vu pour les entretiens préliminaires, longuement la première fois (plus d'une heure et demie) et assez brièvement la seconde (une demi-heure environ), nous ne lui demandâmes donc pas d'honoraires, sans nous douter que là se trouvait l'un des points aigus de sa revendication vis-à-vis des médecins.

Ceci eut une double conséquence : d'une part il ne nous annonça que très difficilement et à contrecœur les bénéfices qu'il tirait de nos soins — et surtout, d'autre part, il resta sur le bord d'un échange. C'était le même pas qu'il avait autrefois refusé de franchir avec sa fiancée. Quand il nous dit qu'il l'aurait épousée si les parents de celle-ci ne l'avaient pas autant pressé et si son psychiatre d'alors ne l'en avait pas dissuadé, on peut se demander s'il n'aurait pas, au contraire, indéfiniment reculé le moment de payer, là encore, par le mariage.

Quelle est la racine de sa passivité ? Remonte-t-elle à l'époque où, à neuf mois, après avoir passé les premiers mois de sa vie dans une pouponnière, il fut rendu mourant à sa mère ? Celle-ci dut en éprouver une culpabilité telle, qu'inquiète à jamais, elle se précipitait chez le médecin pour le moindre incident.

En dehors de ces visites destinées à la rassurer périodiquement elle-même, sa mère comblait tous ses besoins. Elle est d'ailleurs restée, à soixante-quinze ans, celle qui lui sert le petit déjeuner et qui entretient son linge. Mais à saturer son désir, elle l'a rendu à jamais insatisfait. Son fantasme fondamental, celui qui se précisa comme exprimant sa réclamation essentielle, c'est une gêne physique : les pantalons qu'on lui confectionne ne lui vont jamais, ils le serrent toujours trop ou manquent d'élégance. Il ne faut pas s'aviser de rire de ce détail ou de le considérer comme insignifiant, on déclencherait sa colère.

C'est là une revendication essentielle, une revendication-écran, pourrait-on dire. Donc à prendre ce fantasme à la lettre, rien ne lui va. Un proverbe que la sagesse populaire met dans la bouche des parents dit : « Tu trouveras savate à ton pied. » Lui, il ne trouvait pas, il ne voulait pas trouver et payait son refus de sa folie.

Nous ne lui devions rien quant à nous. Etait-ce suffisant ? Ne demeurions-nous pas, bien que trois, cette mère coupable de son univers enfantin ? Pour qu'il y ait traitement, il faut que la demande formulée par le patient soit claire, qu'elle vienne de lui et non pas du thérapeute. Or, nous demeurions, en quelque sorte, demandeurs, puisque rien n'avait été clairement fixé et que le patient pouvait penser que nous achetions de ce prix la tranquillité du pasteur C. Là gisait l'ambiguïté.

Le psychodrame ou le réinternement, c'était l'alternative de départ. Ce fut tellement vrai que, durant notre voyage au Canada qui eut pour conséquence une longue interruption de la cure, R. commit une déprédation dans les locaux du dispensaire d'hygiène mentale. Il cassa une vitre. Et le Dr F. le persuada d'entrer volontairement dans son service. Ce ne fut cependant qu'un incident mineur comparé aux dramatiques circonstances qui avaient précédé sept ans auparavant son premier internement.

Notre sentiment, donc, est qu'un progrès important a été accompli, bien que le traitement ait été grevé au départ par l'absence de contrat analytique. Mais il en est toujours ainsi avec les psychotiques. Le psychodrame a tout de même permis à ce patient de ne pas retomber dans sa violence furieuse ou dans la folie de persécution de ses débuts.

2. Pourquoi le psychodrame individuel ?

RÉPONSE : à cause de la nature du transfert chez le psychotique.

Comme en analyse, le transfert en psychodrame est une résistance ; le malade sait que la vérité seule peut le guérir ; mais il vient demander de l'amour en place de savoir. Le transfert est plus exigeant chez le psychotique que chez le névrotique, et c'est pourquoi il réclame un autre maniement. Il est massif. Et pourtant, il entre dans le choix du thérapeute une grande part de hasard. C'est souvent sur celui qui reçoit le malade que le transfert s'opère. C'est donc tout d'abord un affect disponible qui se fait sur n'importe qui, il n'y a que secondairement choix de la personne. On a vu que tout notre effort consistait à rendre moins massive la concentration sur un seul thérapeute. Pour provoquer cette démassivation, il faut que les autres participants de l'équipe thérapeutique soient des gens en qui le malade ait une pleine confiance. C'est pourquoi la structuration du transfert latéral est une nécessité essentielle.

Dans le psychodrame collectif, le participant n'est pas un thérapeute mais un témoin comme le membre du chœur antique. Ce qu'il doit n'a qu'une valeur de proposition, non de savoir. Il se situe sur le même plan que le patient. On a vu comment. Dans le psychodrame individuel, les transferts latéraux s'opèrent sur les thérapeutes qui, seuls, peuvent les manier.

Une autre question pourrait être celle-ci : pourquoi ne pas prendre plusieurs patients en traitement et ne faire jouer comme ego auxiliaires que les seuls thérapeutes ? La réponse a été apportée par Kestenberg à la Journée de la Société de psychothérapie de groupe (1969) : chez les psychotiques, les phénomènes prégénitaux sont prévalents. Ils collent à l'analyste comme à la mère ; s'ils sont plusieurs, un seul colle, les autres sont rejetés. Voilà pourquoi on tient compte, en prenant un seul patient, de la nature du transfert psychotique.

Une dernière question pourrait être celle-ci : pourquoi le patient qui supporte la présence des thérapeutes se sent-il moins persécuté en face de cette mafia que dans la relation avec un seul analyste qui lui demande de s'allonger sur un divan ?

La réponse est complexe et celle que nous donnerons incomplète ; mais comme il s'agit là d'un point essentiel en ce qui concerne la spécificité du psychodrame individuel, nous tenterons néanmoins d'y répondre.

En premier lieu les thérapeutes doivent savoir se dissocier, ne pas faire bloc. En outre le patient, du fait qu'il contrôle par la vue ce qui se passe, vérifie sans cesse qu'il n'est l'objet d'aucune agression. Ce qui limite ses projections et son délire ; sur le divan, rien ne pourrait y apporter de frein puisque le thérapeute est invisible.

Mais cette explication ne suffit pas. Françoise Dolto traite quant à elle les psychotiques en les faisant asseoir de dos. La vérification par la vue ne joue donc pas ici. Mais elle préserve, nous dit-elle, leur sécurité anale (motricité, possibilité de réagir à l'agression par l'agression ou par la fuite) et rend possible la régression orale.

La position verticale est aussi celle du psychodrame. Dans le psychodrame collectif, il est remarquable de noter (nous l'avons fait dans Psychanalyse et Psychodrame [1]) combien nombreuses sont les attitudes de prestance et combien elles disparaissent dès que le même patient s'allonge sur le divan.

Le moi idéal prend appui sur l'anal. C'est cette sécurité

---

1. Cf. chap. VI, p. 323.

qu'on ne touche pas quand on laisse le patient debout, on la préserve. Et c'est peut-être tout d'abord grâce à la position verticale que le psychodrame peut être un mode de traitement spécifique des psychoses.

La position verticale (parce qu'elle ne menace pas la sécurité anale), mais aussi l'implication du corps dans l'action et le jeu, apparaissent essentielles pour l'abord du psychotique. Ces positions et implications sont spécifiques du psychodrame en ceci qu'elles épargnent au sujet une angoisse et une frustration trop grandes.

En outre, la précession dans le jeu de l'action sur la parole permet de traiter des patients qui ont perdu l'usage commun de la parole. Dans le renversement des rôles, ils reconnaissent l'autre peu à peu comme existant. Cet autre cesse d'être seulement l'autre pôle de la relation duelle (qui risquerait, en analyse, de se répéter). La pluralité des thérapeutes les en sauve, pourvu qu'ils ne commettent pas la faute de se coaliser.

ÉTUDES DE CAS DANS LE GROUPE DE MÉDECINS

L'application de la méthode psychodramatique

Le groupe médical d'études de cas est composé de médecins généralistes et spécialistes, d'internes et de médecins des hôpitaux psychiatriques ; il comprend également d'autres membres des professions médicales, infirmières, assistants sociaux hospitaliers, kinésithérapeutes. Ces derniers apportent une optique légèrement différente car le corps du thérapeute et celui du patient sont impliqués dans la relation.

L'originalité de la méthode psychodramatique pour l'étude

de cas consiste en ceci que le thérapeute joue la consultation au lieu de la raconter comme il le fait dans le groupe Balint. Cela n'est pas sans conséquence sur l'esprit des participants ; car ils assistent à l'entretien et à l'examen médical, les vivent et s'identifient au narrateur au lieu d'exercer à son égard un esprit critique parfois acerbe.

Mais voyons d'abord l'utilité d'une telle étude de cas. Celle-ci était apparue à Balint lorsqu'en 1950 il réunit pour la première fois des médecins généralistes pour discuter de leurs consultations.

Il était alors conscient de ce que beaucoup de malades sont atteints de troubles physiques que leur inquiétude est souvent seule à créer. Bien plus, ils « offrent » leur maladie à leur médecin, ils se présentent à lui avec un symptôme (colite, migraine, etc.) qui devient non le prétexte mais le support de leur relation avec lui. Dans les cas où existe une maladie organique, elle est amplifiée par l'attitude psychologique du patient. Bref il était indispensable de révéler aux médecins leur rôle dans la relation qu'ils entretiennent avec la maladie, de leur enseigner la façon d'y faire face et de les former à la psychothérapie.

Cette urgence est d'autant plus grande que de nos jours environ 80 % des consultants présentent des troubles relevant non pas de causes physiques mais de causes psychiques et que le nombre des médecins psychothérapeutes est actuellement, et pour longtemps, trop réduit pour qu'on puisse espérer les traiter autrement qu'en éduquant les somaticiens généralistes et les spécialistes.

Pour comprendre le malade, il est nécessaire que le médecin connaisse les modalités de son action. Alors sa parole agit sur son patient à la manière d'une drogue, elle en a l'efficacité, c'est ce qui fait dire à Balint qu'il doit apprendre à se prescrire lui-même. Mais il se débarrasse, ce faisant, de cette méconnaissance de soi qui entre trop souvent dans la relation médecin-malade, augmentant chez ce dernier son besoin de dépendance au lieu de le résoudre.

Dans le groupe Balint, le médecin choisit pour la narration du cas un patient lui ayant fait problème, et essaie de rendre compte aussi fidèlement que possible de ses propres difficultés. Les participants l'argumentent moins sur la thérapeutique instituée que sur la manière dont la consultation s'est déroulée. Ils lui montrent, ce faisant, comment ils auraient conduit l'entretien, et sur quoi, à leur avis, l'attitude de leur confrère achoppe. Cela ne va pas parfois sans que d'assez vives critiques se fassent jour et sans que certains y manifestent une agressivité qui vise plus le participant lui-même que la conduite de la cure.

C'est là, à notre avis, que la méthode de Balint trouve son défaut et sa limite. L'agressivité n'y est pas résolue, non plus que n'est analysée la place qu'occupent les participants les uns par rapport aux autres : tel sera leader et s'imposera, tel autre sera rejeté — pour des raisons de moindre compétence, professionnelle par exemple.

L'accusation portée contre un confrère n'est pas un bon moyen pour lui montrer ce qui se cache derrière ses défenses, c'est au contraire un moyen pour les renforcer. Il faut donc analyser les tensions de groupe afin de les dissoudre, mais ce n'est pas l'objet des réunions Balint, aussi s'efforce-t-on de les éviter. Elles sont, par contre, prises en considération par le groupe d'études de cas selon la méthode psychodramatique.

Cette méthode substitue le jeu au récit. Au lieu de raconter la consultation, le thérapeute, comme il a été dit, la joue.

Quand le thérapeute se met dans son rôle de médecin, l'ego auxiliaire, un médecin choisi par lui parmi les participants, se met à la place du patient. Mais le thérapeute, renversant les rôles, prend aussi celui de son client — ce qui l'amène à ressentir en lui-même ce que l'autre ressentait. Il peut ainsi montrer comment le patient se comportait et permettre à l'ego auxiliaire de mieux ajuster sa réplique. Chaque participant assiste à l'entretien ; bien plus, il le vit.

Cela a pour conséquence, pour les membres du groupe et pour le thérapeute, de les inciter à se mettre « dans la peau » de l'autre : dans celle du malade auquel ils s'identifient, dans celle de leur confrère dont ils comprennent mieux l'attitude et s'ils formulent des critiques, ils le font autrement que dans le groupe Balint.

L'application du psychodrame à l'étude des cas a donc modifié profondément le style des groupes de thérapeutes. En substituant l'action au récit, elle a permis à l'identification de prendre le pas sur l'agressivité. En mettant l'accent sur le vécu et l'attitude corporelle, elle valorise ce qui est ressenti par le médecin et le malade et s'oppose à un comportement plus critique et plus intellectuel. Il s'agit là d'un changement d'optique radical.

Un groupe de médecins

L'expérience du groupe de médecins nous montre que c'est son implication personnelle qui crée pour le médecin des situations thérapeutiques sans issue : des situations où c'est le malade qui détient les clés de la relation médecin-malade.

Le groupe de médecins est l'instrument de choix pour révéler quelles complicités — quelles projections ou identifications — alimentent ces attitudes inconscientes. Il nous apprend que le médecin répète une situation œdipienne ; et s'il se trouve dans l'impasse, c'est parce que l'Œdipe est et reste, sauf s'il est éclairé par l'expérience du groupe, inconscient.

1. Une expérience de week-end

Commençons, pour le faire sentir, par donner des exemples cliniques. Il s'agit d'une expérience de week-end de médecins faite dans un pays étranger. Elle nous montre comment intervient la problématique œdipienne lorsque la relation thérapeutique se révèle sans issue.

Le cas Fernand

Donc, un groupe de douze médecins de diverses disciplines, généralistes et spécialistes, s'est réuni pendant deux jours pour procéder à des études de cas. C'est Fernand qui prend la parole. Il est psychiatre. Il raconte qu'un couple névrotique est venu le consulter.

La femme est une grande hystérique, le mari un play-boy d'apparence inconsistante. Il semble que ce soit une consultation banale. Pourtant Fernand ne parviendra pas à maîtriser la situation thérapeutique, bien qu'il ait l'habitude de ce genre de clients.

Commençons par la consultation. Il la raconte très longuement et n'épargne vraiment aucun détail.

Un médecin généraliste lui a téléphoné pour lui dire : « Prends cette patiente, je ne la supporte plus, c'est une grande hystérique qui ne se déplace pas. »

Cependant Fernand n'ira pas la voir à domicile et le couple arrivera en retard, après que la malade se soit excusée par téléphone. C'est une femme de quarante-cinq ans qui a l'air d'en avoir trente, fardée, élégante. Le mari a cinquante ans ; il semble très ennuyé. Pour monter l'escalier qui mène de la salle d'attente au bureau, elle s'accroche au bras de son mari, hésite et tangue. Elle s'effondre en arrivant dans un des deux fauteuils, le mari reste pendant toute la scène immobile, accoudé aux bras du siège, distant et visiblement gêné.

Elle tend à Fernand une brassée de papiers, un long dossier médical, qu'il ne regarde même pas. « Je vous écoute », dit-il. Elle proteste. Puis se lance dans une longue histoire. Palace à Cannes, chaleur insupportable. Mari si compréhensif ; panégyrique du mari.

C'est leur second mariage de part et d'autre. Ils ont de gros problèmes d'enfants. Elle a deux fils qu'elle adore. Larmes.

Le diagnostic apparaît trop facile, pense Fernand. C'est l'image classique de l'hystérique qui tente de mettre le médecin dans son camp, voire de le séduire (« mais ne me touchez pas »). Une fois lancée, Fernand ne parvient pas à l'arrêter. Si l'on compte le quart d'heure de retard, le temps de la consultation va bientôt être écoulé. C'est elle qui tire les ficelles.

Elle demande à son mari de descendre dans la salle d'attente. Dès qu'elle est seule, elle se lève d'un bond, s'approche du bureau : « Mon mari est un monstre, Docteur ! Vous savez ce qu'on va faire ? Vous allez me mettre en congé et comme ça je pourrai aller voir mes enfants en cachette de lui. »

Fernand ne répond rien. C'est elle qui décide. Lui se sent coupé. « Ce sont les ciseaux », se dit-il.

Il réussit enfin à la faire descendre dans la salle d'attente et lui dit de faire monter son mari. Elle ne titube pas, sauf dans la dernière partie de la descente où elle s'accroche à la rampe et feint de ne pouvoir avancer.

— Ma femme est mythomane, dit le mari en s'asseyant.

— Vous êtes marié depuis dix ans, observe Fernand.

— J'aime ma femme. Mais il n'y a rien à faire pour elle, c'est une imbécile.

Il les revoit tous deux ensemble, fait un commentaire neutre, demande vingt dollars, alors qu'il n'en prend que sept habituellement. Ils ne reviendront plus le consulter, il est débarrassé.

On fait jouer à Fernand la consultation.

Le jeu montre que Fernand écarte la relation thérapeutique dès le départ et qu'il est mal à l'aise en face de ce couple. Pour justifier son refus de soins, il se dit qu'il ne faut pas toucher aux couples pathologiques, il rationalise. Il apparaît à tout le monde que ce n'est pas sa crainte de défaire ce mariage qui a commandé sa conduite mais celle de subir la loi de cette femme (comme autrefois celle de sa mère, pense-t-on à la fin de la session, quand, enfin, les choses s'éclaircissent).

Il ne la domine que par le refus. Son seul souci est d'échapper au piège, il ne s'agit plus de soigner mais de s'en tirer. C'est un rapport de forces, dans lequel il sera envahi.

Quand il imite sa patiente, lors du renversement des rôles (on a vu [1] que c'est une technique du psychodrame où le médecin joue le rôle de sa patiente, l'ego auxiliaire étant alors à la place du médecin), il la représente très bien. Mais il ne sait pas ce qu'elle ressent. C'est une fausse identification, d'ailleurs il la caricature. Elle apparaît comédienne et calculatrice. Pourquoi cette facilité d'identification apparente dès la présentation et ce refus en profondeur ? On n'a eu la clé, répétons-le, que le lendemain, lors de la dernière séance.

Donnons-lui la parole :

« Derrière la malade, il y avait ma mère, une hystérique, et le monsieur à côté de la malade, qui avait l'air si châtré, ressemblait à mon père. En apparence il est très rond et très gentil, sucre et crème ; en dessous, il y a quelque chose contre quoi on se heurte qui est rigide et défendu. »

Ses paroles choqueront peut-être. Mais s'il dit cela et l'ose, c'est parce qu'une très grande familiarité s'est créée entre les participants durant ces deux jours qui autorise tous les excès de parole.

Mais c'est aussi le style de Fernand de lancer des défis. Il n'aurait d'ailleurs pas parlé de ses parents si Paul-Henri n'avait été là : Paul-Henri sait que c'est surtout lui que Fernand a affronté. Ecoutons-le.

PAUL-HENRI : C'est par rapport à moi que Fernand a raconté cette histoire. Nous sommes deux psychiatres en rivalité. Tu me sens plus âgé.

FERNAND : Comme mon père.

PAUL-HENRI : Je suis ton point de référence. D'autant plus que je connais ton père. Tu me ressens dans ce groupe comme passif. Comme lui, dis-tu.

---

1. Cf. le paragraphe précédent : Le groupe médical d'études de cas.

Donc, parce que Fernand projette sur Paul-Henri l'image de son père, et répète avec lui son attitude de défi vis-à-vis du personnage absent paternel, une tension s'est créée entre eux qui fait partie de la dynamique de la séance.

« Tu me mettais en mauvaise disposition d'écoute : tu m'as empêché de te comprendre et de te sentir », proteste Paul-Henri.

Le père de Fernand ne réagit pas autrement avec son fils.

Ainsi, dans le groupe même, s'est recréée la relation œdipienne. Mais au lieu de recommencer perpétuellement le malentendu, sans en sortir, Fernand s'explique avec Paul-Henri et sa réaction est pour lui génératrice de sens.

Le cas René

Ce sont aussi des projections qui ont fait réagir René, un autre médecin. Quand il reproche au thérapeute de n'avoir pas suffisamment souligné une phrase de Fernand parlant de la malade hystérique — « ce sont les ciseaux » —, il reproduit son attitude familière vis-à-vis des hommes : il le conteste et le minimise. Quant à la thérapeute, il se sent en opposition avec elle, comme avec sa tante, femme autoritaire et intelligente qui, ayant fait un mariage noble et riche, joue dans sa famille le rôle de providence et de tyran, notamment vis-à-vis de la mère de René, sa sœur, et pendant un temps vis-à-vis de René lui-même. Maintenant encore, s'il ne la voit plus, c'est par crainte de retomber dans ses filets. La peur des ciseaux est donc crainte majeure.

Cette crainte joue autant dans sa rivalité avec les hommes dont il cherche à prendre la place que vis-à-vis d'une femme plus forte avec laquelle il ne connaît, comme Fernande, que la rupture. Car c'est elle qui détient les ciseaux. Mais cette tante est aussi toute la sécurité de sa famille.

Aussi ce sera avec la thérapeute qu'il accouchera dramatiquement de son roman familial. Il se sent avec elle en sécurité.

Il commence par raconter une consultation toute simple : ayant été appelé en visite chez une dame déjà âgée, mais d'allure encore jeune, il a fait une erreur : il a cru qu'elle était grand-mère alors qu'elle était en réalité arrière-grand-mère. Il se trompait de génération.

Le mari de la vieille dame lui rappelle son père, artisan modeste, pur et loyal. La vieille dame est comme sa tante le vrai personnage féminin. (On apprend pendant ce temps que sa tante a été élevée avec la fille du château et qu'elle est en fait la sœur naturelle de cette jeune fille ; lui-même est, par son arrière-grand-mère, le descendant de cette famille noble. C'est un roman qui se déroule sur deux générations).

RENÉ : Il y en a un que je ne connais pas c'est le vrai père de ma grand-mère. Le comte, c'est lui qu'il faudrait tuer.

(C'est lui le vrai rival œdipien et non son père qu'il n'a pas eu besoin de tuer pour le supplanter.)

LA THÉRAPEUTE : Voudriez-vous rencontrer ici le comte ? Comment l'imaginez-vous ?

RENÉ : Il est grand et mince, roux, habillé en bleu. Le mari de ma tante était colonel anglais avec une grande cape bleue. Pourtant lui je l'aimais bien.

René éclate brusquement en sanglots. Il sort. Quand il rentre, après un long moment, il se reconnaît dans l'arrière-grand-père vêtu de bleu.

RENÉ : Cet homme en bleu c'était moi. Je porte moi-même un ensemble bleu.

Telle est la découverte qu'il fait au cours de ce séminaire.

A son père châtré, il avait substitué un père idéal. A sa mère, sa tante ; car elle seule était digne d'être l'épouse de cet ancêtre mythique, du comte, et elle avait d'ailleurs épousé un autre comte. Elle seule était digne aussi de cette arrière-grand-mère dont il descendait.

C'est par son Œdipe donc que s'explique son comportement vis-à-vis du mari de la vieille dame : il méprise les hommes qui lui rappellent son père au nom d'un idéal viril très exigeant. C'est pourquoi aussi il reproche au thérapeute de n'avoir pas bien entendu et pourquoi il veut substituer son écoute à la sienne. Mais en mettant l'accent sur les ciseaux, il révèle ce qui est important pour lui, la castration de l'homme au nom d'une image idéale, celle de cet ancêtre, mort avant sa naissance, auquel il ne pourra jamais se mesurer, et celle de l'homme par la femme phallique.

On est passé, avec René, du groupe d'études de cas au psychodrame. La narration d'un cas (une erreur de génération sur une vieille dame), une expression relevée par lui chez un des participants (les ciseaux) et, auparavant le récit par un participant (Rodrigue) de sa consultation avec une vieille dame qui rappelait sa grand-mère, ses projections sur les thérapeutes, tels ont été les éléments qui ont réveillé en lui le drame de son Œdipe. Il a donc fallu que soient réunies les trois conditions : le récit de Rodrigue, une identification (à Fernand), une projection (sur les thérapeutes) pour provoquer bien plus qu'un récit, une répétition et, avec elle, des sanglots.

Pourquoi tant de drame ? pourrait-on dire.

Sa complicité avec cette vieille dame était après tout moins gênante que la répétition de Fernand vis-à-vis du couple névrotique qui l'avait obligé à rompre la relation thérapeutique. Après tout René maîtrisait bien la situation et son attitude un peu hautaine faisait partie de son style. On peut répondre que dans les deux cas, du fait de la méconnaissance de leur répétition inconsciente, les deux médecins avaient des relations faussées avec leur malade et que cela n'est pas indifférent. Et René tient à en apprendre beaucoup sur lui-même.

Nous allons raconter maintenant deux cas d'impasse totale, où les médecins n'arrivent même pas à trouver d'issue dans la relation, où c'est le malade qui reste le maître de la situation.

On verra que, pris dans le circuit libidinal du patient, le médecin ne parvient pas alors, faute de lucidité sur lui-même, à trouver la parole thérapeutique adéquate.

Dans le bourg où Jacques exerce, sa cliente, une femme de quarante ans, est une fille d'ouvrier, mariée à l'un des gros industriels du pays. Hystérique elle aussi. Elle lui a fait des avances lors d'un dîner en présence de son propre mari et de la femme de Jacques.

« Cette femme est un danger public, nous dit Jacques, elle est capable de dire que j'ai couché avec elle (ma femme ne le croira pas, mais son mari peut le croire et la ville entière, suggère le double). »

JACQUES : Dans le pays, il faut être sérieux — même si je ne le suis pas tout à fait.

(LE DOUBLE : Il s'agit de mon statut)

On joue une consultation. Jacques est dans le rôle de la femme. Paul-Henri sera le médecin.

PAUL-HENRI : Puis-je vous demander ce qui vous amène ?

JACQUES : Les jambes. Le cœur : j'ai des palpitations (Elle me regardait, montrait volontiers ses jambes).

A ce moment, on intervertit les rôles : Jacques reprend son rôle de médecin, Paul-Henri joue le rôle de la femme. On voit Jacques allumer une cigarette (Je m'entoure d'un nuage de fumée, c'est ma façon de m'abstraire).

PAUL-HENRI (la femme) : Je sais que vous allez pouvoir m'aider.

JACQUES : Débarrassez-vous.

Il prend le pouls, la T.A., ausculte Paul-Henri.

PAUL-HENRI : Je suis émue.

JACQUES (avec brusquerie) : Ça va passer.

Il examine les jambes.

La consultation est terminée.

LA THÉRAPEUTE à JACQUES : Je n'ai pas vu le danger.

JACQUES : C'est dans ce que je sais qu'il y a danger.

LA THÉRAPEUTE : Elle n'a pas eu un geste. Il y a une différence entre les deux histoires, celle que vous racontez et celle que vous jouez.

RODRIGUE : Tu prends tes désirs pour des réalités.

RENÉ : Tu as parlé de ton désir de quitter le village. Si cette femme parle, tu perdras des clients. Elle est un prétexte qui te permettrait de ne plus être là.

On entrevoit comment cette relation a pu tourner au rapport

de forces : Jacques a été complice du désir de cette femme. Il s'en défend, elle le sait. Il a peur d'elle aussi et c'est pourquoi il est dans sa dépendance, mais le danger c'est ce double désir qu'éprouve Jacques lui-même : désir d'aventure et désir de trouver un prétexte pour partir exercer en ville, ce à quoi il ne se résout pas. Il n'arrive jamais à prendre la décision : là est le problème.

Quant au second médecin, Harry, il n'a pas la même peur de sa malade, il a seulement le sentiment de ne pas l'avoir aidée comme il l'aurait dû. Par ignorance, nous dit-il. Voyons comment les choses se sont nouées.

Une jeune fille est venue, voici quelques années, le consulter avec sa mère pour quelques menus troubles de la puberté. La mère était si parfaitement désagréable avec la fille qu'Harry en souffrait pour elle. Aussi, lors de la consultation, il lui adressa un clin d'œil de complicité. La patiente revint le consulter seule cette fois ; elle se trouvait un nez épouvantable, elle voulait qu'on lui fasse un nouveau nez (le thérapeute, lors du jeu psychodramatique suggère : un nouveau-né).

De consultation en conversation, elle finit par accepter son nez. Mais elle revient encore pour des troubles gynécologiques. Harry n'ose pas lui faire d'examen gynécologique. Elle part en pension, écrit-elle à Harry. « Elle fait un transfert », lui dit sa femme. Puis un jour, lors d'une consultation : « J'attends autre chose de vous. » Comme elle insiste, Harry lui répond qu'il n'est pas là pour ça.

Elle disparaît quelque temps. Ses études secondaires terminées, elle revient pour des palpitations. Elle lui reproche d'avoir mal tourné à cause de lui. Cet été-là, elle a couché avec un monsieur âgé et s'est fait entretenir. Elle demande une psychothérapie : Harry se récuse, il n'est pas psychiatre mais généraliste.

« Elle revient pour me remettre mon échec sous le nez », conclut-il, sans voir l'angoisse de la patiente. Sans doute c'est un échec de repenser à ce nouveau nez au lieu de comprendre pourquoi la jeune fille, persécutée par sa mère, a pu renverser la situation. C'est Harry le persécuté.

Dans ces deux derniers cas, seuls les jeux ont permis de dévoiler l'Œdipe de Jacques et celui de Harry et d'apercevoir la répétition d'une relation persécutive. On n'est pas allé plus loin que ces deux confrères ne le voulaient. Le rôle du thérapeute est de suivre chacun et de le mener aussi loin qu'il veut, mais pas plus loin que là où il veut aller.

2. Groupe psychodramatique et groupe Balint

Peut-être l'exposé de ces quatre exemples répond-il à la question que vous vous posez : pourquoi le psychodrame et non le groupe Balint ? Avant tout pour reporter le groupe sur la scène fantasmatique, bien sûr — mais aussi et plus modestement, pour des raisons pratiques de bon fonctionnement :

1. Nous pensons avoir montré que la méthode n'est pas indifférente et que le médecin apprend mieux à se reconnaître en revivant ses expériences qu'en les racontant. Par les projections et les identifications qui se produisent dans le groupe psychodramatique, l'Œdipe, c'est-à-dire la relation avec les personnages qui continuent de le hanter, est dramatisé.

2. En outre, on a pu voir que le récit de Jacques ne correspondait pas à son jeu et que le décalage entre l'un et l'autre lui en apprenait beaucoup sur son désir. L'expérience nous enseigne que lorsqu'un membre du groupe reproduit une scène, il est souvent plus vrai que lorsqu'il la raconte. Le récit laisse place à plus de reconstructions et de rationalisations que lorsque l'histoire est revécue.

Beaucoup de gestes, d'intonations, de séquences oubliées réapparaissent à son insu avec l'émotion du jeu. Dans le cas de Jacques, rien ne s'est passé de ce qu'il nous raconte, tout était pris dans son fantasme. Ce décalage entre récit et jeu favorise la prise de conscience de la contradiction logique entre le désir et l'expérience vécue. Le jeu est donc un moyen de révélation du désir.

3. Enfin, chaque médecin peut s'identifier au client, puisqu'il est amené à jouer le rôle de celui-ci lors du renversement des rôles. De plus, les autres médecins participent à ce qui se déroule devant eux en s'identifiant aux acteurs — au médecin ou au malade. Ce n'est pas toujours le cas dans le groupe Balint où l'on constate que l'agressivité contre le praticien en difficulté prévaut le plus souvent. Ce n'est pas un climat favorable à l'expression de la vérité et on a vu à quelle profondeur de sincérité le médecin doit parvenir pour tirer au clair l'impasse de sa relation avec son patient. Une vérité si pénible à découvrir ne peut se manifester que si tout le groupe coopère.

L'identification joue aussi à un autre niveau : lorsque le médecin prend le rôle du patient, il éprouve à sa place ce que c'est que d'être en situation de malade. Ainsi de Rodrigue qui ne pouvait supporter chez un patient asthmatique l'anxiété qu'il éprouverait lui-même s'il ne pouvait faire face aux obligations de son métier. Il découvre que cet asthmatique, c'est lui.

Une remarque s'impose ici. Le concept d'identification est un concept ambigu. Il s'applique aussi bien à l'identification *hic et nunc* des membres du groupe de médecins entre eux qu'au processus inconscient de l'Œdipe.

On a vu que le médecin doit aller jusqu'à l'Œdipe pour prendre conscience de sa difficulté inconsciente et qu'une séance de psychodrame suffit souvent à la lui révéler. En commençant par montrer à René son mépris, on en est venu à lui montrer ses quatre identifications inconscientes (à l'aïeul et au père, à la tante et à la mère).

La différence entre l'identification en groupe et l'identification de l'Œdipe tient en ceci que, dans le groupe, un *trait* suffit à un participant pour s'identifier à un autre. Les ciseaux ont suffi pour que René s'identifie à Fernand, leur dissymétrie étant par ailleurs flagrante. Ils n'ont en commun que ce trait signifiant qui est repris par eux dans leur discours.

Par contre, l'Œdipe de René comporte de multiples traits inconscients, des traits empruntés aux deux pères et aux deux mères dont il a été question.

La relation entre ces deux formes d'identification est celle-ci : c'est par la reprise et la venue au jour, un par un, de ces traits identificatoires et par leur dramatisation que se noue et progresse le discours du groupe qui aboutit à les fragmenter en signifiants et à les mettre en circulation autant qu'à leur donner un sens (le sens n'étant d'ailleurs que le remplacement d'un signifiant par un autre — mais à l'intérieur d'un groupe, il prend signification à cause de sa cohérence). Puisqu'il n'y a pas de méta-langage, il ne peut y avoir que des systèmes logiques et cohérents faisant fonction de vérité.

Pour cette raison, c'est plus de ces traits d'identification que du sens verbal que le groupe de psychodrame tire son efficacité.

La méthode psychodramatique nous apparaît être la méthode la plus efficace pour permettre au médecin de prendre conscience de sa relation avec son malade. Quand il est en difficulté, c'est parce qu'un nœud inconscient n'a pu être dénoué. Ce nœud est libidinal et prend racine dans son Œdipe. C'est de cette racine qu'il est ignorant et c'est jusqu'à elle qu'il faut aller pour en extirper son implication. Une telle recherche n'est possible que dans un climat de confiance et de sincérité qui ne peut être atteint que si les scènes sont revécues et non simplement racontées — on a vu l'écart qui peut exister entre le récit et le jeu.

Aussi, dans le groupe hebdomadaire que nous animions, la séance était-elle conduite comme une séance de psychodrame. Il n'en a pas été toujours ainsi. Au commencement, on demandait, comme dans le groupe Balint, à un médecin de raconter un cas et on le jouait. On négligeait un phénomène essentiel : la dynamique du groupe dans un groupe réel.

Ainsi, de séance en séance, se prolonge un discours où concurremment avec le récit des cas, les signifiants opèrent, puis sont élucidés et analysés. Dans l'exemple cité de René, on a vu que ce sont deux signifiants (les ciseaux, la grand-mère) qui l'ont amené à reprendre le fil du propos du groupe.

Il ne faut pas voir dans notre choix du psychodrame une prise de position ni une critique systématique à l'égard de la méthode Balint. C'est Balint, en effet, qui a été le premier à comprendre quels bénéfices les médecins pouvaient retirer de ces groupes où ils apprendraient à reconnaître leurs contre-transferts. Et le mérite lui en revient. Les groupes Balint ont d'ailleurs considérablement évolué au cours des dernières années.

Mais le psychodrame nous est apparu comme la seule méthode susceptible d'analyser suffisamment les défenses et l'agressivité pour permettre aux médecins d'aboutir à l'essentiel : la prise de conscience de la racine inconsciente du conflit qui les empêche de trouver avec le patient la parole et l'action thérapeutiques. Cela n'est possible que si l'on remonte jusqu'à l'Œdipe ou jusqu'au fantasme, c'est-à-dire, selon une remarque d'André Schlemmer, si l'on transforme le contre-transfert en transfert.

PSYCHODRAME ET MARIAGE

Le mariage est une institution qui, en un siècle à peine, s'est transformée. Notre société est passée d'une certaine forme de mariage qu'on dit prescriptive (puisque les intéressés y sont soumis à des règles et à des volontés qui ne sont pas les leurs), au mariage préférentiel (où ils décident eux-mêmes de leur destin).

Les auteurs des siècles passés se sont fait les échos de la protestation des jeunes gens contre les mariages imposés. Une telle littérature émeut encore de nos jours, preuve que les formes voilées que prend la volonté des parents s'exerce encore dans l'inconscient. C'est ce que révèle d'ailleurs le psychodrame de couples.

Il est intéressant de noter que le mariage prescriptif est celui qui existe dans les sociétés dites primitives. La prescription la plus fréquente y est celle de l'alliance du garçon avec la fille du frère de la mère.

Le mariage préférentiel se fonde sur l'idéal individuel et c'est pourquoi les représentations imaginaires l'emportent sur les règles sociales. Mais par le refus d'un ordre imposé, le sujet se place face à son manque et à son incomplétude. Un autre est interpellé qui se révèle être celui auquel chacun s'adresse en lui-même et qui ne pourra totalement répondre. C'est lui l'objet d'amour.

En psychodrame, sa reviviscence est facilitée par la présence physique des participants.

1. Quel est cet objet d'amour ?

C'est une psychanalyste anglaise [1] qui a appelé « mascarade » les moyens dont la femme se sert pour séduire l'homme. Pour séduire la femme, l'homme affiche, quant à lui, sa force et son assurance. Ces attitudes correspondent à une attente : l'un et l'autre attendent que soit comblé un manque.

Et si la vie quotidienne n'épargne pas les faux-semblants, si le mariage est fait de leurs désillusions, que signifie que cette première séduction mutuelle soit nécessaire ? Qu'est-ce que cette parade ?

Pourquoi un homme prend-il, par exemple, l'attitude décidée de son père et sa voix, au point de se faire illusion à lui-même, pourquoi un autre fait-il des promesses impossibles auxquelles il lui arrive de croire, ou pourquoi un troisième se fait-il passer pour un prince, comme ce participant d'un séminaire de couples, au point que, vingt ans après, sa femme lui en demande raison ? Dans ce séminaire, quatre

1. Joan Rivière.

maris sur sept disent avoir bluffé pour conquérir leur épouse.

La séduction de la femme consiste, elle aussi, en une conduite de parade. Ce n'est pas la même, mais la coquetterie, la lascivité provocante, les regards tendent également à ce que l'homme l'identifie au phallus imaginaire.

Car c'est autour de la possession du phallus que s'articule finalement ce jeu du leurre réciproque qui efface la castration. « Un seul et même repère donne tout le registre de la relation du sexué », dit Lacan, en nous rappelant la leçon de Freud (séminaire du 14 mai 1969). Le $+ \varphi$, phallus imaginaire, est là pour masquer le trou laissé par le manque de l'homme et de la femme. On pourrait appeler $- \varphi$ ce manque. Voyons comment fonctionne cette algèbre.

La situation de la femme et de l'homme est dissymétrique, c'est parce que la femme ne l'a pas qu'elle veut l'être ; mais elle veut l'être pour l'avoir (pour le recevoir de l'homme et qu'ainsi s'accomplisse la promesse de pénis ou d'enfant reçu du père). Quant à l'homme, il ne feint de l'avoir que pour ne l'être pas, puisqu'il a dû renoncer à être le phallus pour sa mère du fait de sa relation à son père. Il ne l'a qu'au niveau imaginaire comme venant combler le manque de la femme et au niveau réel comme ce dont la femme est privée. Mais nul ne l'a au niveau symbolique, car ils sont à ce niveau châtrés l'un et l'autre. L'effervescence de l'imaginaire qui naît de la séduction est due à un jeu de miroirs où la vue joue un rôle essentiel, où le désir de chacun enflamme l'autre et le transporte ailleurs qu'en lui-même, dans le manque de l'autre.

C'est l'autre qui fixe au phallus imaginaire son statut. Aussi la position devient-elle, au bout d'un certain temps, intenable. D'autant plus que chacun réclame autre chose, comme en ce dialogue :

— L'important pour moi est que tu existes, peu importe ce qui arrivera, dit Renaud à la femme qu'il désire depuis longtemps.

— Choisis entre ta femme et moi, répond Julie, ou bien remporte cette image avec toi.

Renaud demande à Julie de lui permettre de rêver d'elle ; Julie demande à Renaud de l'assurer de la possession de ce phallus que lui seul peut lui donner.

Un objet a été perdu, ce n'est pas le même : en gros, la mère chez l'homme, le père pour la fille. Cette retrouvaille est comparée par Freud à l'hallucination : c'est la répétition d'un premier plaisir qui n'est plus et qui est de nouveau recherché. C'est dire que, dans le présent, il y a toujours maldonne. Cela d'autant plus que la réalité de la castration consiste en la chute de cette chose essentielle que projette l'imaginaire.

C'est d'ailleurs ce qu'enseigne le psychodrame de couples.

2. Le psychodrame de couples

Le psychodrame de couples nous apprend en effet que, bien que préférentiel au départ, le mariage tend à devenir prescriptif : l'idéalisation cède la place en un temps second à la désillusion : avant de se choisir, les époux connaissent une période de crise où le côté obligatoire de l'institution les garantit contre une rupture du lien.

Mais cette contrainte serait sans effet si sa solidité ne se fondait que sur l'arbitraire. Les identifications aux parents jouent de manière inconsciente et, outre que les conjoints imitent le couple parental, les demandes qu'ils s'adressent mutuellement prolongent des demandes qui n'ont pas été satisfaites dans l'enfance. La méconnaissance de cette répétition inconsciente, qui rappelle la répétition hallucinatoire, explique l'aveuglement réciproque des époux sur leurs motivations, aveuglement dont Freud s'étonnait ironiquement, et fait qu'au-delà d'eux-mêmes ils sont les supports, voire les victimes d'une histoire qui continue.

Quand la répétition névrotique d'un des parents en vient à affecter la famille, c'est la névrose familiale. Ce nom a été donné par Laforgue à cette complémentarité pathologique des membres d'une famille dont le destin est littéralement obstrué par la maladie et se confond souvent de génération en génération avec le destin de toute une lignée.

Donc, bien que le mariage apparaisse plus libre de nos jours, parce que l'imagination a été libérée de ses entraves, il n'en est pas moins la suite inconsciente d'une histoire ancienne.

Les trois rubriques qui suivent en illustreront quelques aspects :

1. L'idéalisation et le second choix ;
2. L'aveuglement des époux ;
3. La névrose familiale et le désir des parents.

1. *Idéalisation et second choix*

Gertrude est mariée depuis vingt ans. Elle fait une analyse ; elle vient cependant au psychodrame de couples pour tenter d'éclaircir ce qui ne va pas dans son ménage. Elle reste accrochée à une image d'homme idéal. On lui propose, puisqu'elle en parle, de confronter dans un jeu l'homme réel qu'est son mari, tel qu'elle l'aperçoit, à l'homme qu'elle choisit — un homme à qui sa propre femme reproche une certaine faiblesse — pour incarner l'homme idéal. Elle désigne Arthur, un participant qui, dans la première séance, s'est révélé infidèle, puis impuissant avec sa femme. Tout, donc, jusqu'aux personnes choisies, est déjà en place pour illustrer ce que sont pour elle ces deux hommes.

On assiste à un démembrement progressif de l'homme idéal. Physique d'abord. Les mettant côte à côte, pour les accoler symboliquement, elle constate que l'homme réel est le plus grand, contrairement à ce qu'elle croyait. Celui qui incarnait son idéal est à ce point une projection de son personnage intérieur qu'elle ne l'a pas même vu tel qu'il était (petit). De même, son choix d'un personnage trompeur n'est pas le fait du hasard. Peu à peu, elle réalise que c'est de son identification à cet homme qu'il s'agit : il représente son désir inconscient de virilité. Et si elle l'a pris châtré « comme elle » (telles sont ses paroles), c'est que faire choix de la féminité a été pour Gertrude satisfaire son aspiration à vivre en sacrifiant son rêve d'être homme.

— *Je ne voulais plus du fantôme, je voulais un vivant,* dit-elle, en rejetant Arthur.

Quant à Arthur, il a ressenti beaucoup de gêne à être l'objet de cette rêverie :

— *Je jouais le mauvais rôle,* dit-il, *je ne pouvais que me conformer à ses désirs.*

On voit à quoi correspondait pour Gertrude l'homme du premier choix. L'homme idéal représentait la négation de sa castration. C'est une attitude fréquente chez la femme que cette recherche de l'homme qu'elle n'a pu être.

Le jeu de Gertrude montre aussi que le mariage opère un changement essentiel qui fait évoluer le lien imaginaire. Ce changement, c'est l'entrée dans un ordre qui, par un acte symbolique, prend à témoin un troisième terme et donne à la relation le sens de l'engagement, c'est-à-dire de la castration. Tandis que la relation imaginaire est duelle, la relation symbolique est ternaire. C'est essentiel. Mais, dans un couple névrotique, ce choix second peut être lui-même altéré.

Le couple d'Isabelle et d'Arthur nous fournit, en effet, un curieux exemple de gauchissement de la relation symbolique. Leur mariage était apparu comme un cadre essentiel à Isabelle, petite fille de la campagne qui avait épousé en Arthur le monsieur intelligent, brillant et cultivé de la ville. Malgré l'infidélité et l'impuissance de son mari, tant que le couple tiendra légalement, elle refusera de renoncer à cette image d'Arthur : elle exige de lui qu'il occupe ce cadre vide. Et elle n'en veut pas d'autre : pas question de tourner ses regards vers un autre homme, elle a engagé, dit-elle, sa parole. Elle persiste même à lui réclamer tous les soirs les services du lit, alors qu'elle sait qu'il ne fait que se conformer ainsi à la fonction qu'il est censé remplir.

Il est étrange que ce soit cette image vidée de son contenu, cet Arthur, qui ait incarné pour Gertrude l'homme idéal. Ce choix prouve que Gertrude a été si sensible au désir d'Isabelle qu'elle lui a répondu en choisissant son mari.

Pour chacune d'elles, l'ordre a été ce qui se substitue à la première promesse non tenue de complétude imaginaire. Observons qu'on retrouve dans leur ralliement à un statut social ce mariage prescriptif dont on croyait le mariage moderne délivré. Le maintien du lien social prévaut dans l'institution du mariage comme dans la société « primitive ». D'ailleurs, qu'est-ce que le mariage, sinon le consentement donné à une obligation ? Mais cette prescription ne se fonde pas que sur une nécessité sociale, elle correspond dans l'inconscient à la nécessité d'assurer la continuité de la lignée.

2. *L'aveuglement des époux*

Le psychodrame nous apprend que c'est le besoin d'assurer une continuité qui fait que l'histoire d'un couple est faite pour une grande part de la répétition inconsciente des relations qui existaient entre les parents. Même lorsqu'il s'oppose à eux, le sujet inconsciemment les imite. Ce sont leurs fantômes qui peuplent l'univers des futurs époux et qui influencent leurs décisions. Ce sont également les désirs refoulés de l'enfance que les époux tentent d'accomplir dans le mariage. Citons encore deux exemples, l'un positif, l'autre négatif de ce qui est ici avancé :

a) Marianne, qui est fiancée, doit épouser Georges prochainement. Dans leur couple, elle prend les initiatives, décide de tout, mais déclare : « *Georges me fait penser à mon père.* »

Georges a pris le relais des désirs refoulés de son enfance. Un trait a suffi pour qu'il ressemble au père de Marianne. Ce trait commun, c'est leur manière calme et silencieuse d'aborder tous deux la vie. Peu importe que, par ailleurs, ils diffèrent totalement.

Cette retrouvaille du trait essentiel d'un objet perdu, désiré dans l'enfance, est ce qui permet de réaliser la promesse faite par le père. Un trait est nécessaire à Marianne et il n'en faut point d'autre (c'est ce qui explique que des frères et sœurs racontent des histoires si différentes au sujet de leurs parents : quand on les entend, on se demande souvent s'il s'agit des mêmes personnes).

Ce que les sujets recherchent dans le mariage, c'est la poursuite de leur lignée.

b) C'est précisément parce que Janine ne peut inclure Gaston dans la sienne que, malgré un lien physique très puissant, elle veut rompre leur liaison. Elle est venue au psychodrame de couples pour comprendre. Ce qu'elle voit, c'est que Gaston ne comble aucune de ses attentes — il n'a rien à faire avec son passé.

3. *La névrose familiale et le désir des parents*

Le psychodrame nous apprend que c'est encore un besoin de répétition qui est responsable de la névrose familiale. Dans les familles névrosées, l'enfant a été non pas le gage de l'amour des parents mais leur symptôme, et il le reste — sauf psychodrame ou psychanalyse — à la génération suivante. Il est l'enjeu ; chacun des époux l'accapare et l'inceste sous-jacent à cette relation ne reste ignoré qu'à cause de l'absence de réalisation physique.

Le couple mère-fils est le type de ce rapport névrotique dont il suffit que la menace existe dans l'inconscient de l'enfant pour qu'elle soit presque aussi ravageante que si elle avait été réalisée.

Il suffit parfois que le père ait été seulement dénigré — et c'est ce qui arriva à Gaston — pour que la relation incestueuse se noue dans l'inconscient et se répète : il a suffi que la parole de son père ait été niée par sa mère. Lacan a insisté sur l'importance de la métaphore paternelle. C'est la reconnaissance par la mère de la parole du père qui décolle l'enfant de la relation charnelle et qui lui permet d'accéder à un univers de langage qui ne soit pas pervers.

C'est lui qui procure le recul nécessaire, la liberté de dire non. Le symbole est meurtre, reproduction métaphorique dans l'inconscient de l'arrachement à la mère et plus tard du meurtre du père.

On rencontre aussi, en psychodrame, un autre type de répétition tout aussi perturbant. La haine de sa mère précipite la fille vers son père. Haine où l'on trouve en dernière analyse le reproche de l'avoir fait naître fille. Mais cet amour substitutif reste marqué par un manque affectif que le père ne peut combler ; d'où une perpétuelle revendication d'amour. Plus tard, cette revendication s'adressera, comme l'illustre cet exemple, au personnage le plus proche, au mari.

Quand Henriette rencontra Louis, elle fut éblouie :

— Quand, m'invitant à danser, il posa ses mains sur moi, ça ne me fit pas ce que me faisaient les autres, nous dit-elle.

Son mari lui ouvrit l'immensité ; il était pilote de ligne. C'était un beau mariage. Tant qu'ils vécurent peu ensemble, il resta conforme à l'image infantile de ce père qu'elle avait beaucoup aimé. Mais quand il trouva un emploi stable, la vie quotidienne changea leurs relations. Henriette n'attendit plus son prince charmant, elle retrouva sa paralysie et son aboulie, elle se sentit désormais, comme autrefois auprès de sa mère, enfermée dans une cage.

Le psychodrame lui fit constater que c'était elle qui reproduisait la situation passée et que ses reproches à son mari étaient inadéquats. Impuissant à rien changer il était redevenu celui qui suppléait aux tâches ménagères délaissées.

On montre à Henriette qu'il ne mérite pas ses reproches et que la plainte s'adressait à sa mère. Cela n'empêche pas Henriette de continuer à se plaindre de lui, tant il est vrai que le poids du passé oblitère le présent.

La propension à recréer dans le couple une situation passée est d'autant plus forte qu'elle est plus aveugle. L'inconscient a des ruses et des détours si subtils que, bien souvent, il gomme, en les rationalisant et en les déplaçant sur les enfants, les conflits des parents.

C'est ainsi qu'un jeu montre que dans le couple d'Henriette et de Louis, leur fille était celle qui permettait à Henriette de justifier sa revendication vis-à-vis de Louis. Quand elle demandait à son mari de conduire leur fille à l'hôpital, c'était encore d'elle qu'il s'agissait, c'était pour elle qu'elle lui demandait de faire ce qu'il devait (puisqu'il ne la comblait pas physiquement). On retrouve là la relation d'Arthur et d'Isabelle, en ceci que la revendication légitime, voire légale, fondée sur le mariage, sert à combler le vide de la relation amoureuse.

Dans le couple névrotique, l'enfant est un pion dont les époux se servent pour jouer l'un contre l'autre. Quand le conflit entre les parents atteint des proportions tragiques (ce qui n'est pas le cas dans le couple de Louis et d'Henriette), on comprend que l'enfant ait du mal à s'en tirer : il lui faudrait une lucidité qu'on ne peut espérer puisque tout s'est fait sans lui.

L'enfant cherche en effet à réaliser les désirs contradictoires de ses parents, à combler leurs attentes. Avant même de naître, avant de faire lui-même son Œdipe, le premier enfant est le plus souvent investi comme l'enfant de l'Œdipe de ses parents. Il est le gage de la réussite ou de l'échec de leur couple, de leur amour ou de leur névrose familiale, de leur entente ou de leur déchirement. Même dans les couples réussis, il arrive que l'enfant soit si sensible aux désirs divergents de ses parents qu'il tente d'en réaliser la synthèse. C'est ainsi que la mort de sa sœur aînée fut si durement ressentie par la mère de Marc que son quatrième fils devint pour elle le remplaçant de cet enfant œdipien. Quant à son père, il désirait qu'il devînt médecin, c'est-à-dire qu'il fût celui qui, pour son inconscient, protégerait les siens de la mort. Il suivit le vœu de son père et devint donc médecin, et pas tout à fait homme pour obéir au désir de sa mère de retrouver en lui la fille morte. Les désirs de ses parents agirent sur lui d'autant plus fortement que ceux-ci étaient eux-mêmes inconscients de leur motivation et que lui-même ne découvrit que fort tard ce que sa destinée devait au décès de ce premier enfant [1].

Ce sont donc les conduites aveugles fondées sur les désirs parentaux, c'est-à-dire les identifications et les répétitions, que le psychodrame met ainsi en lumière. Il montre leur puissance dans l'inconscient. Si elles fondent le mariage, elles peuvent également perpétuer la névrose.

Le témoignage des participants apporte à ces conduites un éclairage que la pure et simple notion des faits ne suffirait pas à donner : d'être revécus et élaborés devant des tiers, mis en scène dans le jeu psychodramatique, permet de retrouver et de présentifier les affects.

Mais le surgissement des affects pose un important problème théorique et par conséquent de méthode.

3. Le groupe imaginaire et le groupe réel

La question qui se pose est celle-ci : doit-on faire jouer ensemble les conjoints, comme le fait Moreno ? Ne risque-t-on pas le règlement de comptes et le retour aveugle des mêmes situations ? Quand les affects envahissent un sujet, ils donnent à la situation une couleur qui fait qu'un événement perpétue une situation ancienne, le passé est comme halluciné dans le présent. Ne convient-il pas dès lors de modifier radicalement par une mise en scène différente les conditions de l'explication : de ne faire jouer en aucun cas un participant avec son conjoint et de demander à un autre personne de le faire ?

Bien évidemment. Et c'est le moment d'expliciter un peu cette fameuse règle constante qui veut que dans les groupes de couples les conjoints ou les amants ne jouent jamais ensemble.

Car ils ne pourraient faire autrement alors que de conti-

---

1. Cf. chap. I, La répétition, p. 45.

nuer leur querelle, de perpétuer leur relation dans la vie quotidienne et, dans ce cas, que signifierait leur entrée dans le groupe ?

Ils y viendraient, comme au tribunal, comparaître devant une instance parentale qui les départagerait, ou bien devant des voyeurs qui jouiraient du spectacle. De toute façon, ils introduiraient ainsi dans leur vie réelle un tiers, tout en restant, en fait, séparés de ce tiers, et enfermés dans leur relation duelle. Il ne suffit donc pas qu'un couple vienne au groupe pour participer effectivement au groupe.

Henriette, par exemple, assiste régulièrement aux séminaires de couples et y traîne son mari en dépit de notre recommandation majeure [1]. Mais elle garde l'espoir tenace et toujours déçu que nous dirons à son mari qu'il a tort de ne pas faire l'amour plus souvent et plus passionnément ; elle espère que nous la plaindrons d'être obligée de faire les premiers pas et — en somme — de faire tous les frais de la relation conjugale. Elle essaie même d'apitoyer le groupe ; elle pleure ; elle nous prend à témoin : « Il est mort, dit-elle. Rendez-le-moi vivant. »

Hélas ! ce n'est pas de jeu. Le groupe n'est pas une instance supérieure juridique, objective, extérieure et désintéressée. Chacun, dans le groupe, est partie prenante et tiers tout à la fois. C'est cela la règle du jeu. Elle se traduit par cette recommandation majeure : les deux conjoints ne jouent jamais ensemble. Henriette choisit « son mari » dans l'assistance. Elle dit comment elle le voit ; l'antagoniste choisi se loge donc dans un personnage qui est non pas le conjoint réel, tel que lui, par exemple, le voit, mais tel que le voit son épouse : dans le cas choisi ici, comme mort-vivant. La personne réelle du conjoint n'est pas en question. Henriette, d'ailleurs, peut choisir un jeune garçon ou un homme plus âgé que son mari ou une femme pour des raisons qui échappent à tout

1. Cf. chap. I, La règle du jeu (nos recommandations et nos règles ne sont pas des règlements).

un chacun, mais qui décident, en fait, du choix de l'antagoniste. Le choix est, on l'a vu, déjà révélateur.

Dès lors, le jeu est commencé et devient, de proche en proche, l'affaire de tous. Car il ne s'agit plus pour l'un des conjoints de continuer à exiger satisfaction de l'autre ; de lui arracher une promesse ou de le condamner. Aucun ne trouvera dans le groupe quelque chose à emporter. En somme, il ne s'agit pas pour le groupe de répondre à la demande explicite du groupe : avoir ou tuer l'autre — c'est-à-dire jouir de l'autre et devant un tiers (les parents). Mais de donner l'autre en représentation selon l'image que le sujet a de lui ou d'elle, image qui dénonce la relation duelle particulière au couple. Quand l'antagoniste ne remplit pas son rôle, le thérapeute recommande la permutation des rôles, qui est de règle dans les séminaires de couples.

Alors éclate avec évidence le désir inconscient du sujet. Ce désir exprimé dans une certaine demande faite à l'autre, elle-même concrétisée dans l'image que le sujet donne de l'autre. On peut dire que, toujours, c'est l'image de ce qu'il voudrait être, lui, et qu'il n'ose pas être — à savoir ce personnage paternel, maternel ou fraternel, pivot de ses identifications, qui lui a servi de modèle et qu'il sécrète à nouveau dans sa relation actuelle. La relation jouée ici, vidée de la personne réelle de l'autre, apparaît comme décantée.

Il est vraisemblable que, de son côté, l'autre, qui ne joue pas, a sécrété, pareillement à l'occasion de son amour actuel, une relation préférentielle qui s'est trouvée complémentaire de celle du conjoint. Ils sont donc enfermés, dans la vie, dans une impasse et il n'y a pas de raison pour que ça finisse parce que, en dépit des souffrances et des conséquences parfois tragiques de ce nœud, chacun y trouve une satisfaction profonde.

C'est ce nœud qui est tranché par notre recommandation majeure et par le changement de rôles. On fait ainsi prévaloir la représentation sur la répétition. C'est pourquoi nous critiquons Moreno quand il fait jouer par les membres du couple des scènes qu'ils ont vécues : il ne dissocie pas le réel de l'imaginaire.

Voyons comment il agit avec Frank, le mari, Ann l'épouse et Ellen la maîtresse, dont il raconte l'histoire dans deux articles parus dans *Les Temps modernes* en 1950 (n°s 59-60) [1].

Frank est assistant à l'université de Boston. Il est marié avec Ann, mais il a rencontré Ellen et il en est tombé amoureux. Bien qu'ils se connaissent depuis près d'un an, il ne le lui a jamais dit. Mais sa nomination à New York modifie la situation et précipite leurs aveux.

Frank veut quitter sa femme, Ann, mais il ne voudrait pas lui faire de peine : elle s'accroche désespérément. Moreno fait jouer leur situation par les époux eux-mêmes. Puis devant Ann, le rôle de la maîtresse, Ellen, est tenu par Rose, l'ego auxiliaire : ils vont à l'hôtel, au restaurant, au cinéma. Ann sanglote, « les larmes font partie de la catharsis ». Elle demande à jouer le rôle d'Ellen, pourquoi pas puisqu'on confond imaginaire et réel ? Frank, furieux, refuse. Moreno fait jouer à Frank sa rupture avec Ellen. Il explore ainsi devant Ann tous les aspects de la situation et toutes ses éventualités.

Question de Moreno à Frank : « Si Ellen ne veut pas vous épouser, vous vous séparerez quand même d'Ann ? »

Frank : « Oui. »

Conclusion de Moreno : Ann lutte très fort à présent pour essayer de ramener Frank. Mais, si elle perd, un divorce purement mécanique ne serait pas satisfaisant. Dans ce cas, notre tâche sera d'aider Ann à quitter Frank aussi spontanément que lui-même la quitte, ce sera une « catharsis de divorce ».

Dans la troisième séance, Ellen, arrivée de Boston, est là avec Frank. Ann est absente. Ellen refuse d'abord de jouer, puis se laisse convaincre. On représentera la scène où ils se sont avoué leur amour après que Frank eut su qu'il partait.

Soliloque de Frank après l'aveu :

---

1. Et dans *Psychodrama* (Moreno).

— C'est drôle, on épouse une femme. Et puis on en rencontre une autre. Je n'aurais jamais cru que je puisse aimer autant quelqu'un.

Ellen raconte après le jeu : « Quand Frank est parti, j'ai cru que j'étais morte au monde. Ce fut nouveau pour moi qu'il ne m'ait pas quittée. Il y avait une attirance constante entre nous, au-delà du présent. »

Pour Moreno, le test du mariage est la productivité de l'équipe. La prochaine séance, dit-il, montrera si l'équipe Frank-Ellen est plus productive que l'équipe Frank-Ann.

P.-S. de Moreno : « Dans le psychodrame idéal, la vérité des noms, des lieux et des faits est indispensable. »

Ainsi Moreno fait représenter par des personnages réels qui ont des noms réels des scènes réelles. Sans doute, pour lui, « l'espace scénique est-il une extension de la vie au-delà des expériences dans la vie réelle. La réalité et la vie n'y entrent pas en conflit, mais deviennent toutes deux fonction d'une sphère plus vaste qui est le monde psychodramatique composé d'objets, de personnes, d'événements. Selon sa logique propre, le fantôme de Hamlet est aussi réel et d'une existence tout aussi légitime que Hamlet lui-même. La scène incarne les illusions et les hallucinations et les élève au même niveau que les perceptions sensorielles normales ». Donc, Moreno nous dit que, dans le psychodrame, réel et imaginaire sont mêlés au point de se confondre entre eux. Cela est conforme à sa doctrine, puisque c'est la catharsis, c'est-à-dire la purge émotionnelle, qui amène les personnages de ces drames réels à explorer dans des situations réelles les limites de leurs propres sentiments.

La productivité, après coup, ne peut être atteinte que si les vrais protagonistes sont en présence l'un de l'autre. Mais n'est-ce pas dangereux ? Est-il certain que ce choc soit toujours salutaire ? Et comment opère-t-il ? Moreno affirme que c'est par la catharsis, mais il ne démontre rien. Si Ann avait été une furie, n'aurait-il pas provoqué un règlement de comptes inutile au lieu d'une attitude dépressive (cathartique, mais aussi répétitive) qui la faisait sangloter ? Que lui dira-t-il d'ailleurs en conclusion, sinon : vous le voyez, votre équipe n'est pas aussi productive que celle de Frank et d'Ellen. Et au nom de quoi une équipe doit-elle être productive ?

Si Moreno a inventé quelque chose d'important en apercevant que la mise en scène d'un drame est un moyen de le porter en un autre lieu, peut-être a-t-il eu tort de ne pas séparer suffisamment le lieu imaginaire du lieu réel. Que signifierait cette confusion, sinon que la vie est un rêve ; ou que le rêve est réalité ? C'est en tout cas l'étape que nous avons franchie quant à nous.

C'est pour cette raison que, dans nos séminaires de couples, les époux ne jouent pas ensemble. Ils sont présents, mais l'un des deux, seul, est acteur. Ce qui n'empêche pas celui qui est resté spectateur de commenter ou de répondre. Ainsi, quand on évoque Isabelle apprenant qu'Arthur la trahit, ce n'est pas son mari qui joue son propre rôle, mais le mari d'Henriette, Louis. L'explication avec Louis est orageuse. Elle dit sa désillusion avec la même colère amère et la même violence qu'autrefois. Les arguments de Louis sont ceux de son mari : je m'ennuyais, tu me négligeais, tu me faisais trop souvent la tête, je ne supportais pas la présence de ta famille. Ce n'est pas la même chose de les réentendre de la bouche d'Arthur et de les retrouver dans celle d'un autre. Les propos de l'ego auxiliaire prennent plus d'importance d'être analogues. Le changement de rôle sert à faire imaginer à Isabelle ce qu'éprouve Arthur : il perdait son prestige et ne supportait pas l'humiliation que la dureté de ses propos lui infligeait.

On sait la suite de cette histoire : l'impuissance d'Arthur qui apparaît comme la conséquence de l'agressivité que la scène qu'elle lui fit provoqua. Ce qui était exact.

On a vu que ce mariage prit dès lors pour Isabelle, qui conserva envers et contre tous et parce qu'elle en avait besoin son admiration à son époux, la signification d'un lien d'obligations auxquelles elle se raccrochait puisqu'il ne lui restait rien d'autre.

La résonance de cette première scène entraîna, on s'en souvient, la suggestion de Gertrude à Arthur dans la troisième séance : tu étais l'homme imaginaire, accepte de devenir l'homme vivant, réel, châtré. Et à Isabelle : accepte que cet homme ne soit plus celui que tu croyais, accepte de le reconnaître tel qu'il est pour qu'il redevienne pour toi vivant, conduis-toi comme une femme et pas comme un homme manqué — elle ne leur tint pas tout à fait ces propos mais c'est ce qu'ils signifiaient.

Ces réponses, elle ne les formula d'ailleurs pas aussitôt, mais elle les reprit ; dans le discours du groupe, un progrès, dans la suite des séances, a permis qu'il soit retrouvé, prolongé, élargi. Ainsi, grâce à cette méthode, s'organise dans un groupe un discours imaginaire qui fait qu'un propos est rarement laissé sans réponse.

Si une telle réponse est possible, c'est parce qu'à la différence de Moreno nous privilégions l'imaginaire provoquant ainsi l'analyse des identifications et des répétitions plutôt que la catharsis, effet utile, certes, du psychodrame, mais épiphénoménal.

4. Le mariage et le corps

On parle assez peu en psychodrame de couples de ce réel, toujours ouvert à la symbolisation ou à l'exaltation imaginaire qu'est l'acte sexuel. C'est plus souvent de sa carence dont il est question, encore qu'il apparaisse sous une forme voilée à travers les somatisations.

Disons explicitement que les somatisations sont des équivalents de satisfactions imaginaires substitutives. Il faut, pour comprendre la fonction du phallus, se référer aux trois niveaux sur lesquels se fonde la satisfaction et expliquer ce qu'est le réel dans l'acte sexuel.

1. C'est Lacan qui différencie, on le sait, les trois catégories de l'imaginaire, du réel et du symbolique, alors que Freud,

lorsqu'il utilise la distinction entre Principe du Plaisir et Principe de Réalité, appelle cette réalité, ce qui, par-delà le processus primaire voué à l'imagination et à la répétition hallucinatoire, nous fait retarder le moment d'agir.

Pour nous situer au niveau du mariage, quand une femmme perd son rêve (on en a vu un exemple avec Gertrude) et doit envisager son conjoint autrement qu'elle le voyait, c'est-à-dire moins prestigieux, moins fort, plus angoissé — châtré —, elle se soumet au Principe de Réalité si elle s'adapte et si elle adopte l'attitude réaliste de rester mariée, malgré tout.

2. Le terme de réel mérite d'être introduit à propos du pénis, parce que c'est au niveau du pénis (φ) que joue la dissymétrie essentielle de l'homme et de la femme — la différence des sexes. Le pénis, le garçon le reçoit symboliquement du père, quitte à s'arranger plus tard avec le réel du pénis ; pour autant qu'au moment de son Œdipe il renonce à sa mère, la promesse symbolique qu'il obtiendra plus tard, une femme, sera tenue. Mais la femme ? Elle n'accepte ce manque qui la motivera à trouver appui, voire réparation auprès de l'homme, manque qui fondera aussi sa revendication et sa haine vis-à-vis de sa mère, que parce qu'elle a espéré de son père son pénis ou un enfant. Mais bien souvent, comme pour l'homme, son Œdipe demeure inachevé.

L'orgasme féminin apparaît comme la métaphore de la promesse symbolique tenue. Par son intensité même, il va aussi saturer l'imaginaire. C'est pourquoi il lie si fortement les couples.

Si le pénis réel de l'homme vient compenser la privation réelle de la femme, l'expérience montre cependant :

a) que l'orgasme est insuffisant à tenir ensemble les membres d'un couple quand certaines conditions imaginaires ou symboliques ne sont pas remplies ;

b) qu'il peut subir d'ailleurs des éclipses au cours de la vie du couple et que celles-ci sont dues aux déceptions liées à des frustrations ou à des manquements imaginaires (comme chez Henriette) ou symbolique (paroles non tenues par un époux infidèle ou trompeur).

Il est nécessaire que les promesses soient tenues pour que le phallus occupe sa place. Si la déception est provoquée par la non-réalisation d'une parole, la femme ne peut jouir. Si l'orgasme a lieu sans satisfaction imaginaire (on l'a vu à propos du couple Janine-Gaston où le phallus fonctionne sans que Janine ait intégré Gaston à son histoire), la déception remet en cause cette relation réelle qu'est la jouissance.

L'expérience du psychodrame de couples montre la fréquence des troubles psychosomatiques chez les conjoints insatisfaits sexuellement. On sait que le symptôme est la manière régressive de prendre une satisfaction solitaire dont, selon la logique infantile, le côté désagréable représente la punition. Les maux de tête d'Henriette et ses angines sont la compensation de la raréfaction de ses rapports sexuels avec son mari. Les maux de ventre de Nathalie restent l'équivalent d'un orgasme jamais atteint. Même la revendication du lit conjugal par Isabelle peut être considérée comme l'équivalent d'un lien physique qui n'a plus lieu.

Ainsi le réel prend place dans le mariage au niveau de ce pénis qui représente métaphoriquement le lien symbolique institutionnel et par l'intensité le lien imaginaire vers lequel converge le complexe d'Œdipe de l'homme et de la femme. La réalité de la jouissance est cette avoine nécessaire sans laquelle le cheval de Schilda, dont parle Freud [1], ne pouvait survivre. Elle arrache le couple à l'auto-érotisme des jouissances régressives, c'est pourquoi on en fait tellement cas de nos jours, au point que la jouissance est devenue un mythe moderne. Mais un mythe ne naît pas de rien, celui de la jouissance fait place dans le réel à ce qui est refoulé dans le sym-

1. Les habitants de Schilda, par économie, cessèrent de donner de l'avoine au cheval municipal et rationnèrent sa nourriture au point qu'il en mourut.

bolique. Le refoulement qui porte sur le mariage prescriptif n'y est certes pas étranger : la jouissance remplace la règle.

Le psychodrame de couples est cette scène où est représentée, en une action imaginaire, la concurrence des instances sur lesquelles se fondent les nombreuses exigences contradictoires du mariage. Il consacre la dissymétrie profonde de l'homme et de la femme qui est accentuée de nos jours par l'insistance mise sur la jouissance. C'est par elle que le mariage préférentiel prétend effacer les identifications et les automatismes de répétition, issus du passé infantile, qui forment néanmoins le soubassement de cette institution.

Car l'expérience du psychodrame montre que chacun tend à recommencer l'histoire de ses parents et à demander à son conjoint ce qu'il n'a pas reçu. Cette propension à poursuivre dans le mariage le destin inachevé d'un couple et d'une lignée est, par lui, mise en lumière.

P. S.

Les psychodrames de couples qui ont suivi celui-ci ont confirmé l'importance donnée par les couples à la continuité de la lignée. Il s'agit là d'un rapport avec une certaine conception préférentielle du mariage.

Mais le dernier séminaire de couples (1971) témoignait de l'évolution des mœurs. Il nous montrait aussi que l'échange des partenaires entre couples mariés, aussi bien que les communautés sexuelles, butaient sur l'obstacle de la jalousie. La jalousie est-elle une nostalgie de la continuité ? Est-elle destinée à témoigner de son absence ? Elle témoigne en tout cas de l'écart entre une idéologie, pour ne pas dire une simple mode, et le vécu.

CHAPITRE VI

L'OPTIQUE PSYCHANALYTIQUE

PSYCHODRAME ET PSYCHANALYSE

Nous situerons la psychanalyse et le psychodrame en partant d'un exemple. Cela nous a semblé la meilleure méthode pour faire comprendre quels sont leurs domaines respectifs.

Nous reprendrons un exemple susceptible de montrer ce qu'un même individu, Bertrand [1], a retiré du groupe et de l'analyse, et nous nous servirons de son traitement pour repérer les niveaux théoriques de ces deux approches. Puis nous essaierons de poser les indications de deux thérapeutiques. Les lecteurs connaissent déjà le cas de Bertrand. Le voici maintenant face au groupe et à l'analyse.

1. Le groupe et l'analyse

Face au groupe, il crâne et généralement surmonte sa peur comme il le fait habituellement dans la vie. En analyse, il

1. Voir chap. I et II.

accepte humblement de se reconnaître tel qu'il est. Ce qui prévaut en psychodrame c'est la nécessité de maintenir intact le moi idéal. En analyse, c'est de l'idéal du moi qu'on refuse de se dépouiller. Il s'agit là de défenses qui peu à peu se laissent ébranler.

Dans le groupe, les deux étapes importantes ont été celle où il a réussi à parler de la séparation de ses parents et celle où, jouant une scène avec son père, il s'aperçoit qu'il se fait de lui une image erronée. On apprend tout d'abord que son père vit chez une sœur aînée, a des maîtresses, et que sa mère ne se console pas de cette absence. Cet aveu en entraîne d'autres : Bertrand a désiré de façon prolongée et d'ailleurs partagée une femme d'un couple ami ; pendant des vacances passées loin de sa femme et de ses enfants, il a eu une aventure.

L'identification inconsciente au père réel apparaît donc peu à peu. Mais c'est le jour où il joue avec lui la scène d'affrontement que l'on sait que le jeu l'amène plus loin que prévu ; il prend alors vraiment conscience de cette identification.

La séance débute par un propos sur l'escalade et le parachute. « Ils me tentent parce que j'ai peur. » C'est ce qu'il dit en réponse à une participante qui craint le vertige en montagne. « C'est une satisfaction très immédiate ; il y a un plaisir terriblement orgueilleux à se trouver dans une situation pénible. A être le premier à la porte et à sauter 1/10 de seconde avant le commandement. A se dire : « J'ai sauté tout seul. » L'instant de chute libre donne un bien-être physique, d'apesanteur, on ne pense plus, on est bien. »

Pourquoi cette recherche de la peur ? Il nous l'apprend lui-même : « La peur subie n'est pas la peur recherchée. Le matin, lorsque je me réveille, j'ai peur. Ce n'est pas la même peur que cette peur animale, vitale. Quand je saute en parachute, c'est un défi. Ma recherche de la peur est une recherche de paternité. On a besoin d'avoir peur de son père, c'est comme la crainte de Dieu. »

Affronter n'importe quel danger plutôt que son père, telle est la situation, c'est ce que le jeu montrera.

Nous avons déjà raconté la séance où Bertrand découvre dans l'ego auxiliaire le vrai visage de son père [1] : « Je m'étais trompé sur lui, c'est un sentimental. »

Le psychodrame l'a amené à repérer sa place. Cette reconnaissance est essentielle puisque :

1. L'attitude qu'il prend dans le psychodrame est la reproduction de celle qu'il répète inconsciemment dans la vie. Bertrand oscille entre l'orgueil (son moi idéal) et cette attitude de crainte (son identification inconsciente). On peut même dire qu'il se *parachute* dans le groupe, comme dans le vide.

2. Le jeu lui permet de reconnaître dans cette identification inconsciente à son père sa vulnérabilité et une certaine faiblesse, et bien qu'il la réprouve et se défende contre elle, son infidélité.

Son analyse lui montre tout d'abord que le personnage d'autorité auquel il voudrait s'identifier n'est pas son père mais sa grand-mère maternelle : « Ma grand-mère était solide, elle était plus homme que femme, un dragon (son père était général de dragons). Son mari n'était pas très masculin. Elle était ma famille. »

C'est à partir de sa grand-mère qu'il a construit son surmoi mais c'est une femme, et c'est ce qui compliquera sa propre identification à un personnage viril. Il n'accepte pas de s'identifier à un idéal du moi féminin. Il lui faudra pour cela bâtir une image idéale d'homme. C'est pourquoi il s'intéresse tant à ce bâtard de sa famille dont il a retrouvé la trace dans de vieux grimoires en sa possession puis à travers les manuscrits de la Bibliothèque nationale. « Toute sa vie a été un combat pour se remettre dans son nom et l'imposer aux autres », dit-il. Tel Œdipe. Mais chez Bertrand, de cette recherche du nom paternel, de cet attachement que l'on a vu à la terre des ancê-

---

1. Cf. Le Moi auxiliaire et Histoire de Bertrand, chap. II, pp. 105 et 116.

tres, l'analyse a révélé le fondement véritable : il n'est pas un enfant désiré. Ce qu'il reconstitue, c'est lui-même à travers cet ancêtre, ce à quoi il tient dans cette terre c'est à sa propre histoire. Il est ce bâtard noble qui s'est voulu tel puisqu'on ne l'avait pas aimé.

Longtemps les mobiles de son intérêt lui sont demeurés cachés. Il existe en effet entre lui et cet ancêtre une différence essentielle : Bertrand ne connaît que trop son origine et c'est dans sa famille même qu'il a été contesté. Il ne s'agit pas du même Œdipe.

Avant que tout cela ne vienne en lumière, le transfert est marqué par l'insistance qu'il met à revivre son abandon maternel : « Votre attitude est exaspérante, mais elle est. » Parce qu'il cherche une reconnaissance de l'Autre, il exige notre parole et souffre plus qu'un autre de notre silence. Il veut retrouver en nous l'image de la mère qu'il n'a pas eue (et demande que l'on répare le dommage qu'il a subi). Il met aussi son analyste à l'épreuve : en lui reprochant de ne pas posséder l'autorité ou les qualités viriles qui, comme on sait, représentent son idéal. Il commence également à penser politiquement « à gauche », comme nous-mêmes, croit-il, parce qu'il trouve dans la salle d'attente des hebdomadaires de gauche.

A la fin de son analyse, il fait ces trois rêves, le premier à quatre mois d'intervalle des deux autres.

Dans le premier, il voit un cadavre comme une déjection, sa mère en train d'avorter, son père à quatre pattes « en position féminine », dit-il, présentant ses fesses, un enfant dans une coque en céramique, avec sa peau rose si fragile. Ce rêve est important parce qu'il manifeste une grande lucidité sur sa situation.

1. Le cadavre, la déjection, l'avortement de sa mère illustrent son abandon ;

2. L'image du père homosexuel et passif lui montre ce qu'il en est de son identification inconsciente ;

3. Quant à l'enfant si vulnérable, c'est lui en train de naître, mais encore protégé par un rempart de céramique : « Il faut casser cette céramique pour que je puisse avancer. »

Dans le second rêve, il tient à la main sa verge détachée du corps et il se la met « là où je pense ». Très vite elle est éjectée pour deux raisons : « J'ai peur de la perdre, elle est pleine de merde. J'ai envie de pisser, pour ne pas souiller le tapis je dois pisser plus loin, je m'éveille le pyjama trempé. »

Il associe : « Si j'ai peur de perdre ma verge, c'est parce qu'il y en a une. La copulation n'est pas tant inacceptable qu'inacceptée, elle se transforme en éjection. Après cela, les choses se remettent en place et je pisse loin : ça, c'est moi. C'est un état et non un souhait, je tiens ma verge ferme et solide, ce n'est pas un vœu orgueilleux mais un attribut. Ni ablation, ni ostentation, ni masturbation. »

Une image lui vient peu après (troisième rêve), celle d'un retournement en doigt de gant : « Si on retourne une baudruche, on reste dans les trois dimensions, on n'est pas dans la même géométrie mais le centre pourtant est le même. La solution n'est que de devenir, la sécurité n'est-ce pas de ne pas être sûr ? De tenter le coup et non de le tendre (le cou) pour se le faire couper. » Ce sont ses dernières paroles.

Ce bref résumé rend compte de la manière dont s'est opérée l'articulation entre les deux traitements. Les deux récits ne rendent pas le même son.

Tandis que le contenu psychodramatique manifeste met l'accent sur son père, c'est-à-dire sur le moi et les identifications, la psychanalyse rend compte du manquement maternel. Elle désigne aussi quel objet privilégié il recherchait pour pallier son manque : ce pénis fécal de la grand-mère qu'il expulse à la fin en même temps qu'il renaît et assure son sexe en le remettant à la bonne place (deuxième rêve) et en le retournant en doigt de gant (troisième rêve), c'est-à-dire en osant l'exposer, donc le mettre en péril. Mais à l'inverse d'Œdipe, l'issue n'est pas l'aveuglement : oser affronter le père, ce n'est pas le tuer sur la route de Thèbes, ni le méconnaître. Le psychodrame comme l'analyse lui ont permis au contraire de se reconnaître dans sa faiblesse de père réel.

La lucidité est l'autre issue qui, pour n'être pas celle de la colère et du meurtre, ne comporte pas moins ce risque : se mettre en question, c'est-à-dire risquer son phallus sans savoir ce qu'il adviendra, au lieu de s'abriter derrière une image idéale de l'homme et de tout faire pour la rejoindre.

L'heureuse issue du traitement de Bertrand nous permet de délimiter les bénéfices reçus de l'une et de l'autre méthode.

Le psychodrame lui a permis, grâce au raccourci d'une séance, de gagner un temps précieux en repérant son identification inconsciente.

L'analyse a approfondi la reconnaissance de celle-ci, mais surtout lui a fait opérer un certain nombre de renversements. Le pénis retourné en doigt de gant devient le sien ; il n'est plus inclus, protégé dans les replis d'un vagin. Il convient d'attacher une importance particulière au fait que ce renversement s'opère en rêve. Car le rêve dit plus souvent la vérité que le langage de la veille, qui peut être volontariste. Il est, nous apprend Freud, « la voie royale de l'inconscient ».

De même son identification au bâtard à la recherche de son nom n'était qu'un écran qui lui dissimulait le surmoi féminin et l'abandon maternel.

Un pareil approfondissement n'était sans doute possible que grâce à l'élaboration transférentielle qui l'a mené, par-delà le père, à la découverte du désir de sa mère ; et c'est à ce niveau des origines que Bertrand a pu régresser pour retrouver des éléments anaux et oraux profondément enfouis et les réélaborer dans ce transfert : son homosexualité a été analysée, le caractère fécal du pénis inclus découvert, son infidélité dévoilée comme la recherche inlassable du sein.

2. Considérations théoriques

On vient de voir que la psychanalyse et le psychodrame peuvent être utilement associés dans une cure.

Questionnons-nous maintenant sur les raisons pour lesquelles ces deux méthodes ont agi dans un sens si différent. C'est pourtant la même demande qui a été formulée par le patient, en psychodrame et en analyse.

Prenons des repères : de quelle demande s'agit-il ? Le sujet — S — pose à l'autre — A — une double question sur son existence (que suis-je ?) et sur son sexe (qui suis-je ? homme ou femme ?). En psychodrame la réponse du groupe est immédiate : tu comptes ou tu ne comptes pas, tu es homme ou tu es femme. Le sujet se constitue et se définit par rapport aux membres présents. C'est le moi qui est concerné : *a'* sur le schéma L Lacanien [1]. Mais s'il est répondu au niveau du moi, il n'est pas répondu au niveau du *je*. La non-réponse de l'analyse provoque ainsi la prise de conscience d'un manque, elle fait surgir au niveau même de la demande et du fait de l'insatisfaction qui en résulte l'angoisse, le désir des objets partiels du corps, objets perdus : le sein, les fèces, le regard ou la voix : a sur le schéma L.

Schéma L

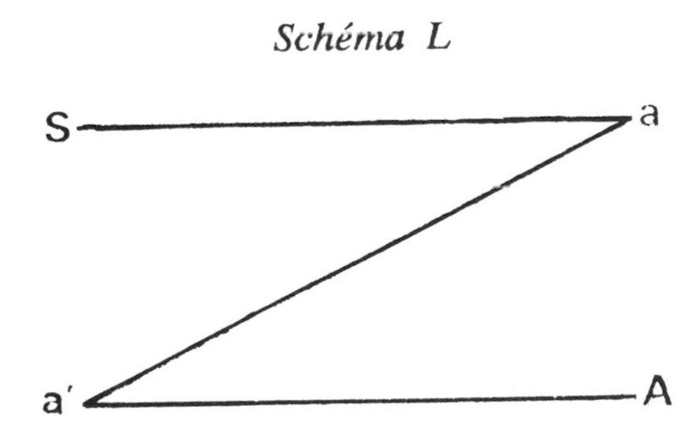

Dans les deux cas, une demande est formulée et l'automatisme de répétition mis en route.

En psychodrame, la réponse à la demande explicite la prise de conscience des rôles, c'est-à-dire des identifications

1. D'après l'enseignement de Jacques Lacan, *Ecrits*, p. 548.

inconscientes et des idéaux du moi. En analyse, la non-réponse à ce même niveau provoque l'insistance réitérée de la pulsion et la recherche de signifiants de plus en plus proches de ce qui est ressenti de désir et d'angoisse, d'où la régression et une réélaboration des signifiants. En psychodrame le groupe peut offrir un support qui retarde la régression un certain temps. Encore ne peut-on dire cela des phobiques.

C'est dire que dans les deux modes de traitement les niveaux auxquels se maintient la répétition ne sont jamais les mêmes au même moment. Mais la différence entre l'une et l'autre thérapie est ailleurs :

— *En psychodrame,* tout le monde est toujours offert au regard et au contact, tout est présent ; c'est le monde de l'image.

— *En analyse, le mot fait exister ce qui n'est pas là,* il remplace l'image, la parole est privilégiée, la présence physique non directement en cause, et le récit, tout en visant le présent et en semblant dire le passé, se déroule en fait au futur antérieur (Lacan) : « J'aurai été. » Tout y est différé et la réponse elle-même ne vient qu'après coup.

Mais la situation de Bertrand était particulière. C'est parce qu'il menait concurremment analyse et psychodrame qu'ils ont agi de façon complémentaire en préservant le transfert analytique. Le vide éprouvé en chute libre et la parade psychodramatique sont homologues et expriment l'absence de désir maternel, analysée en séance individuelle.

Il convient donc de parler d'interaction plutôt que de complémentarité et de niveaux. Un autre participant, Antoine, a été amené à jouer une scène où il demandait à sa plus jeune sœur de lui préparer un riz curatif et de lui apprendre à le mâcher convenablement (cet homme de soixante ans vomissait depuis trois jours tous ses repas). Cette scène a été immédiatement connectée par la thérapeute au fait décisif sur lequel Antoine revient perpétuellement, à savoir qu'à l'âge de six mois, il s'est fait une hernie en tétant. Il a hurlé. Il a failli mourir. Sa mère n'était pas capable ou ne voulait pas lui donner la vie. C'est encore le sein qu'il demande à sa jeune sœur — et au groupe. Il ne veut pas vivre : il veut qu'on le fasse vivre ; qu'on le mette au monde. Il ne trompe pas sa faim par l'héroïsme ni par la recherche de son ascendance. Mais, pour Antoine comme pour Bertrand, le groupe est le creuset où se recompose le fantasme du sein maternel.

Le sujet se rend, par une voie différente, maître de l'absence dans un cas, dans l'autre, de la présence. Il est actif dans les deux. Il s'agit pour lui de re-présentation, c'est-à-dire de reprise de ce qui a été une première fois vécu.

Le psychodrame fait exister ce dont le deuil avait été mal fait pour le reprendre symboliquement. Le moment privilégié est le jeu, c'est-à-dire celui où la relation entre un sujet et son antagoniste est physiquement actualisée. C'est de nouveau la présence des corps, les regards des témoins et c'est aussi les réactions du groupe ; c'est l'intensité du vécu qui abolit le temps et conduit l'acteur aux limites de ce qu'il éprouve. Il se laisse entraîner, surprendre et ainsi peut nommer ses affects, c'est-à-dire se nommer lui-même de façon métonymique : coïncider avec ce qu'il éprouve.

C'est parce que les regards et les corps sont offerts à la vue et au contact qu'à la limite les mots sont inutiles pour jouer : on peut faire mimer à deux participants une scène, où seuls les gestes expriment ce qui se passe. Cela serait impossible en analyse. Donc il existe une différence très nette entre les deux niveaux de représentation du fait de la présence des visages et des corps. C'est ce qui explique que la présence, au sein du groupe, des thérapeutes et des participants, transforme complètement la nature des relations affectives. Le transfert sur les thérapeutes est dilué du fait des transferts latéraux. Les projections ont pour point de départ les présents, et pour point d'ancrage la famille, c'est-à-dire les père, mère, frères ou sœurs, que les participants retrouvent toujours dans le groupe parce qu'ils les y projettent. Si chaque membre tend à s'y comporter comme dans sa famille d'origine, à adopter le même rôle d'aîné ou de cadet, de leader ou d'enfant soumis, de déviant ou de coopérant et à se situer par rapport au couple des animateurs, c'est parce qu'il tend à y reproduire un rôle qui date de son Œdipe.

En groupe, Bertrand adopte les valeurs que lui impose son moi idéal.

Mais le rôle évolue. Bertrand n'a pu demeurer ce qu'il a été après la découverte de sa vraie relation à son père. En premier lieu il s'est vu lui-même dans le miroir de l'ego auxiliaire qui jouait son rôle ; en second lieu les autres membres du groupe étaient là pour refuser de se laisser séduire par les apparences de son courage, car ils savaient que celles-ci lui servaient à dissimuler sa peur.

On saisit en quoi consiste le progrès : la répétition du rôle cesse d'être fatale. De son fait, et aussi du fait des membres du groupe, Bertrand ne pourra plus rester le frère aîné ou le père humilié qu'il était, qui maintenait sa prestance comme une façade. Il devra changer.

Il arrive néanmoins qu'on assiste pendant longtemps à la répétition inconsciente d'un même rôle fondamental. Nous avons cité, dans *Le discours du groupe* [1], le cas d'une patiente qui avait renoué avec une participante la relation d'hostilité qu'elle nourrissait pour sa propre mère. Bien que ces rapports mère-fille aient été joués, la projection n'en demeura pas moins insistante et active pendant longtemps. Ce qui les aida toutes deux à en sortir, ce fut l'évolution même du groupe, qui passa de sa phase d'agressivité à celle d'identification. Elles découvrirent alors le trait qu'elles avaient en commun. La dynamique de groupe est, en effet, un facteur important de l'évolution des rôles. Elle passe par les trois stades caractéristiques d'individuation, d'agressivité et d'identification, et cette évolution retentit sur tous les membres et les entraîne.

Un groupe débute, on le sait, par une période de défense :

1. Cf. chap. II, p. 140.

chacun, sur la réserve, se méfie de l'autre, et c'est pourquoi il affirme ses particularités : c'est ce que Lewin appelle la phase d'individuation. Mais des alliances se nouent qui permettront à chacun d'accentuer ses traits ; par exemple, les gens de même profession ou de même sexe se regroupent lors de la première séance.

A ces alliances superficielles vont se substituer des convenances plus profondes, c'est-à-dire fondées sur des complémentarités de rôles. Mais on reste dans la relation duelle car les rapports entre les membres sont essentiellement fondés sur les projections. Celles-ci se font à double sens, c'est-à-dire sous une forme sympathique ou hostile très immédiate. Chacun trouve dans le groupe la personne qu'il aime ou celle qui l'empêche de vivre. Il tombe amoureux de celle qui lui rappelle une femme autrefois aimée. Mais aussi il règle ses comptes avec celle qui lui rappelle une mère haïe. On est en pleine répétition des rôles. Cependant l'essentiel de cette phase consiste dans l'insistance de la répétition agressive, c'est ce qui fait que nous l'avons appelée : phase d'agressivité [1]. Il faut déloger de son rôle non pas la personne qui est dans le groupe, mais la personne à l'origine de l'attitude répétitive qui est celle d'autrefois. Donc l'existence de tensions aide le groupe à se structurer ; elles ne sont pas un facteur négatif mais, au contraire, un mode de communication et de prise de conscience essentiel. Les deux antagonistes que nous avons citées découvrent que leur hostilité est fondée sur un trait commun : l'identification au père, due au rejet par leur mère qui les aurait voulues garçons.

La découverte de ce trait commun est ce qui caractérise la phase d'identification. La prise de conscience d'une faille commune (avoir été désirées garçons) ne peut que modifier les relations avec une partenaire détestée parce que trop semblable.

Les relations duelles cèdent la place à une relation ternaire,

1. Cf. Le Discours du groupe, chap. II, p. 136.

dont le troisième terme n'est autre que la conscience du trait identificatoire. Chacun est alors devenu, par narcissisme, capable d'accepter l'autre parce que semblable. C'est à la phase d'identification où les participants n'hésitent pas à parler de ce qu'ils n'ont pas encore osé avouer.

Avant de dire ce que comporte comme relation avec la castration cet aveu, résumons les trois aspects de l'identification en groupe et voyons comment ils évoluent.

Le moi idéal c'est la cuirasse. On a vu que Bertrand parade. On finit par apprendre qu'il se veut un héros, c'est au nom de cet idéal du moi qu'il condamne sa peur, en ce nom qu'il fait du parachutisme ou de l'escalade. Cette exigence l'écrase : l'angoisse qu'il éprouve correspond à sa crainte de ne pouvoir faire face. Mais, au fur et à mesure des séances, il s'aperçoit que la question qu'il pose à l'existence (que suis-je ? Réponse : un héros) dissimule sa question sur son sexe (qui suis-je ? homme ou femme ?). C'est là qu'il rencontre l'identification paternelle, identification inconsciente à ce personnage « féminin ». La faille du père réel, loin de constituer un trait négatif, rend possible l'identification. On sait qu'avec le père paranoïaque « sans faille », l'identification du fils présente de nombreuses et ravageantes difficultés. Pour qu'il demeure accessible, il faut que le père réel soit, de quelque façon, châtré.

On peut être assuré que ce qui a été dissimulé au groupe porte sur la castration. Quand Bertrand cache la séparation actuelle de ses parents et n'en parle qu'avec peine, il s'agit d'un événement capital qui touche au fond même de son angoisse (de castration) parce qu'il sous-entend le fait de n'avoir pas été un enfant désiré. Sans doute est-ce l'analyse qui lui a révélé les sous-jacences pré-œdipiennes de son comportement et montré comment il s'était construit à partir d'une mère absente, d'une grand-mère phallique et d'un père humilié.

Mais, loin de se contrarier, les deux discours se sont complétés. L'analyse a mis l'accent sur ce qu'il y avait de plus personnel dans son destin, à savoir son désir ; le psychodrame, parce qu'il favorise la participation de tous, lui a dévoilé les rôles et les places qu'il tendait à reprendre toujours, donc ses identifications les plus inconscientes.

Encore un mot qui répondra à une question que le lecteur se pose peut-être : il se demandera sans doute comment il est possible que le transfert analytique ait coexisté avec celui du psychodrame.

D'abord son comportement en psychodrame différait de celui des autres membres du groupe. Il ne nous attaquait pas, ou s'il le faisait sa contestation ne rendait pas le même son : elle était retenue. Donc le transfert analytique prévalait.

On a vu, d'autre part, comment ce lien transférentiel se créa entre lui et nous. Nous avions adopté les traits de son père en nous laissant, comme moi auxiliaire, induire. « On dirait que vous le connaissez », s'était-il étonné. En lui renvoyant l'image de son véritable moi, l'analyste ne l'avait pas seulement aidé, il était devenu le sujet supposé savoir : le lieu analytique était créé.

3. Indications respectives de l'analyse et du psychodrame

Si psychanalyse et psychodrame ne se contrarient pas, que déduire de ce qui vient d'être dit de leurs indications respectives ? On ne fait pas entrer, tant s'en faut, chaque analysé dans un groupe de psychodrame, et on n'analyse pas systématiquement tout membre d'un groupe. De quels objectifs le thérapeute s'inspire-t-il ?

C'est dans la relation au monde que s'exprime l'angoisse du moi. Cette angoisse présuppose la présence d'un « autre » extérieur ou intériorisé qui s'oppose au désir. Parce que le moi est le siège de l'angoisse, le psychodrame peut modifier la relation à autrui sans qu'il soit toujours nécessaire de révéler totalement au sujet quelle part prend le Ça à la formation de l'Œdipe. Il n'est pas indispensable d'élaborer analytiquement le niveau (*a*), l'expérience montre qu'il suffit souvent d'aborder, grâce au psychodrame, le niveau (*a'*), c'est-à-dire inconscient, du moi et du rôle [1]. De toute façon, qu'elle se fasse grâce au psychodrame ou à l'analyse, la reconnaissance de soi n'est jamais, comme on l'a dit, que partielle, métonymique. Il n'est pas nécessaire de savoir tout à fait qui l'on est pour savoir où l'on va.

On voit que ce qui fait poser l'indication se fonde en définitive sur l'efficacité.

Mais il peut être parfois utile aussi de ne pas laisser un sujet en analyse continuer son activité de groupe. C'est, par exemple, le cas lorsqu'il retire du psychodrame trop de satisfactions narcissiques du fait qu'il y voit son analyste répondre à ses questions ou à celles des autres. Le trop grand plaisir pulsionnel qu'il prend l'empêche d'investir sa libido dans l'analyse. Le psychodrame joue comme une résistance qui empêche alors le passage de (*a'*) en (*a*) (pulsion).

Par contre, lorsqu'un patient obsessionnel tourne en rond dans son analyse, n'y apporte aucune expérience vivante et ressasse, quand il s'enfonce dans la répétition, le psychodrame le restaure dans son présent, l'amène à actualiser les situations, permet de le surprendre dans sa vérité vivante, le saisit à bras-le-corps et l'arrache à cette espèce de mort.

Puisqu'il aide le moi, le psychodrame peut être également utile en fin d'analyse pour permettre à un sujet de ne pas abandonner brusquement tout contact psychothérapique tout en liquidant le transfert analytique.

Enfin l'analyse peut être un refuge pour certains phobiques. L'entrée dans le groupe par contre dessine visiblement la forme de la peur de chacun et permet un travail que l'analyse individuelle ne permet pas. Peut-être le psychodrame viendrait-il à bout de certaines analyses dites interminables.

1. Voir schéma, p. 329.

Mais avec l'angoisse phobique ou psychotique on approche aussi des contre-indications du psychodrame. La phobie comporte d'emblée une menace actuelle. Notre expérience nous a appris qu'elle n'est guère améliorée par le psychodrame, chaque fois l'action dramatique réactualise la castration au lieu de l'élaborer. Or, il ne suffit pas de la montrer à un phobique pour le guérir, il faut analyser son désir, c'est-à-dire démonter tout l'arrière-plan de la phobie ou de l'angoisse, retrouver les objets prégénitaux et cela n'est pas toujours possible. C'est donc tout le contraire de la névrose obsessionnelle, où la castration est tenue à distance par l'isolation : le regard des autres et leur discours peuvent l'obliger à la remettre en question.

Quant aux psychotiques, à qui la parole est refusée, ils peuvent trouver dans la proximité propre au groupe un niveau de symbolisation oublié dans notre civilisation langagière et impossible à atteindre par eux en analyse.

La spécificité de la thérapeutique psychodramatique consiste donc en ce qu'elle utilise l'action ; elle emprunte un circuit différent de celui de la parole, elle commence à un autre niveau, plus immédiat, plus physique, où le corps entre en jeu. Le domaine du corps est celui de la présence. Créer, comme en psychodrame, des circonstances artificielles, c'est un peu faire de la séance un stade où les sportifs opèrent sur leurs muscles une transformation.

En psychodrame comme dans la vie, la preuve est administrée avant tout discours. Jouer n'est pas raconter. Ainsi, bien que les concepts soient les mêmes, les voies sont différentes de celles de l'analyse.

De même, la projection en psychodrame n'est pas abordée au même niveau. En analyse, dans les cas favorables, le patient finit par dire qu'il attribue à l'autre les sentiments qu'il éprouve lui-même. En psychodrame, la preuve est déjà là du fait de la présence charnelle des thérapeutes. C'est elle qui corrige l'imaginaire, induit la relation symbolique, dérange l'automatisme de répétition. Si, dans le cas du patient traité en psychodrame individuel [1], le pasteur C. cesse d'être sa mère, ou nous-mêmes d'être le médecin persécuteur haï-aimé, ou son père, c'est par le démenti de notre seule présence. Si le corps à corps le surprend et lui fait ressentir un affect autre que celui qu'il attribuait à l'autre, c'est parce qu'il est ressenti avant d'être nommé : l'autre cesse d'être une entité, un nom, pour devenir, par identification, un autre lui-même. C'est pourquoi le transfert est abordé différemment en psychodrame qu'il ne l'est en psychanalyse.

L'originalité du discours psychodramatique réside dans la continuité du propos, malgré la diversité des membres. Quand elle n'est pas manifeste, dans le coq-à-l'âne par exemple, le thérapeute en montre l'enchaînement. Celui-ci existe toujours, car, sans le savoir, les uns répondent aux autres. De même le jeu n'est possible que si le groupe y consent parce qu'il ne peut être que le reflet du discours commun : il fait donc prendre conscience du thème.

Le thérapeute a pour la révélation du thème, donc dans le choix du jeu, une influence décisive. Ses critères pour ce choix sont ceux de l'analyse. C'est parce que nous entendons en analystes que nous pouvons saisir les enchaînements et raccourcir le discours en proposant le jeu.

La participation du corps au jeu est ce qui, dans le psychodrame, vient à la place de l'élaboration du Ça en analyse. Elle n'en reste pas moins le lieu commun entre le sujet et sa parole, c'est-à-dire le point où se rencontrent ses deux aspirations contradictoires de sujet : de mouvoir sa pulsion et de l'attacher à ce terme abstrait qu'est le mot, terme où vient se glisser le désir de l'Autre.

---

1. Cf. chap. V, Les formes annexes.

LE REGARD

En psychodrame et en psychanalyse le temps du discours n'est pas le même, tout est différent à cause du regard : en effet, la présence ou l'absence de regard engendrent une autre dynamique de la cure et un autre tempo.

Sans doute l'autre du discours est-il là pour entériner ce dialogue que j'entretiens avec moi-même. Mais je ne parle pas de la même manière.

En psychodrame, sous le regard d'autrui, je ne me vois pas, c'est pourquoi son regard précipite ma propre réponse.

En analyse, le temps de comprendre n'est pas le même car aucun regard ne me sert de repère sauf à me regarder moi-même, c'est-à-dire à ne pas me voir et à suppléer à cet aveuglement en devenant pour moi-même le sujet de mon fantasme.

Ainsi c'est le regard d'un autre qui, en psychodrame, accélère le temps de comprendre comme le temps de conclure, c'est sa présence qui, dans la hâte de juger, engendre une conclusion fort différente de celle de l'analyse et pour tout dire une identification, « il est comme moi ». Au lieu de me laisser, comme en analyse, en suspens et de me faire prendre conscience, du fait du manque de regard et du manque de réponse, du manque de l'objet que je désire, le psychodrame me précipite vers l'autre.

L'objet en analyse et en psychodrame

« Je ne vous connais pas, vous existez dans ma tête, c'est davantage le lieu et le moment que la personne. Je n'attends rien, ni aide ni conseil. C'est l'incommunicabilité, le quiproquo. Il y a ici les odeurs, le silence. »

Ainsi parle une analysante. C'est un discours que ne tiendrait, sans aucun doute, aucun membre d'un groupe de psychodrame.

Le silence, le report sans cesse différé de la réponse de l'analyste renvoient le sujet à un temps et à un espace différents de ceux du psychodrame. C'est en ne répondant qu'à son heure que le thérapeute désigne à l'analysant la place vide du désir et qu'il en devient le support : l'odeur dont il est question est la métaphore de mon silence. Je sais quant à moi qu'un même signifiant n'a pas la même signification chez deux sujets et que deux signifiants semblables ne sont pas identiques. La structure apparaît en effet dans la manière dont le signifiant s'insère dans les rejetons du fantasme fondamental. C'est à repérer la faille qui fait vaciller sa logique que le sujet se reconnaît comme singulier. Alors son discours se fait autre.

Ce que le psychodrame dévoile, quant à lui, c'est moins la structure que l'aliénation, moins le désir que l'implication. Cette implication est due à l'effort pour anticiper ce que l'autre pense. Le regard induit le discours du groupe autant que l'identification des participants les uns aux autres et modifie ainsi le transfert.

Le regard induit trois étapes du discours, selon Lacan :

— l'instant de voir ;
— le temps pour comprendre ;
— le moment de conclure [1].

La réelle inconnue du sujet c'est l'attribut, à savoir comment il est vu par un autre. Comme l'illustre Lacan dans l'apologue des trois prisonniers, il ne peut l'apercevoir que dans un regard et c'est en anticipant sur ce que l'autre pense qu'il réfléchit lui-même et qu'il comprend.

1. Lacan, *Ecrits*, « Le Temps logique », p. 200.

Voici l'apologue lacanien :

Un directeur de prison convoque trois prisonniers et leur dit : « Je dois libérer l'un d'entre vous ; pour décider lequel sortira, j'en remets le sort à une épreuve : voici cinq disques, trois sont blancs, deux sont noirs. Je vais fixer à chacun d'entre vous un disque entre les épaules, c'est-à-dire hors de portée directe de votre propre regard. C'est le premier à pouvoir conclure de sa propre couleur qui franchira cette porte et en fera part. »

— Dans le premier temps, les trois prisonniers se considèrent les uns les autres ;

— Dans le second temps, chacun tente de comprendre, et d'induire de l'attitude des autres l'attribut noir ou blanc qui est le sien ;

— Dans le troisième temps, ils en arrivent dans cet apologue à conclure qu'ils sont blancs tous les trois et ils franchissent ensemble la porte du même pas. Ils sont tous trois blancs et le déduisent :

1. De ce qu'aucun de ceux qu'ils voient ne porte de disque noir (instant de voir) ;

2. De ce qu'en outre les autres ne manifestent pas qu'il porte lui, le sujet, un attribut différent (temps pour comprendre).

Si, en effet, A de voir B et C s'ébranler avec lui, revient à douter d'être vu par eux, noir, il suffit qu'il repose la question en *s'arrêtant* pour la résoudre : les deux autres, en effet, s'arrêtent aussi. Car chacun étant réellement dans la même situation que lui, étant A, rencontre le même doute ou bien s'ils hésitent à tout le moins devront-ils repartir avant lui (puisqu'en étant noir il donne à leur hésitation sa portée certaine pour qu'ils concluent d'être des blancs). C'est de le voir blanc qui fait qu'ils n'en font rien et que A prend alors l'initiative de poursuivre, si bien qu'ils repartent tous ensemble pour déclarer qu'ils sont des blancs.

Pour conclure, il a donc suffi à A d'un instant de regard et d'un moment d'intuition pour comprendre ; ces deux temps de scansion logique ont provoqué des arrêts devant lesquels B et C ont hésité deux fois à sortir, se faisant eux-mêmes le miroir de la réflexion de A. A a anticipé le moment de conclure à cause des deux autres : c'est ce que Lacan désigne comme « l'assertion subjective anticipante » et il en fait la « forme fondamentale d'une logique collective ». En présence du regard de l'autre on ne dispose pas de tout le temps nécessaire pour réfléchir et c'est à qui conclura au plus vite.

L'urgence explique que le discours du groupe se substitue en psychodrame au discours individuel et le remplace.

Avant le jeu, si on parle, c'est parce qu'on voit l'autre sans se voir soi-même et qu'on induit de son attitude l'attribut dont il nous désigne. Il s'établit entre les participants un discours commun qui consiste en assertions subjectives où chacun anticipe la parole de l'autre au point que la réponse se produit souvent à l'insu de celui qui la fait. Ainsi à quelqu'un qui a parlé, un autre participant répond par un rêve qui sous sa forme énigmatique paraît être sans lien avec ce qui se dit mais dont le déchiffrement montre qu'il poursuit son argument. Si, en fait, ce discours du groupe procède ainsi par bonds et si les sujets se répondent les uns aux autres sans toujours être conscients de le faire, c'est parce que ces moments de rupture interrompent un certain état du corps comme chez les trois prisonniers ; une sorte d'imitation mimée est mise en acte à laquelle l'arrêt du mouvement donne le sens d'un doute. Cela parce que ces ruptures, qui semblent n'affecter que le corps, affectent du même coup la pensée. C'est en effet, comme le montre Marcel Jousse [1], le même balancement du corps qui s'imprime dans la parole et dans les inflexions de la voix. Par exemple, le balancement d'avant en arrière, qu'il appelle celui du fardeau, est le même chez le paysan qui abat sa pioche et chez le juif, ce paysan, qui penché sur la torah se relève pour mémoriser une règle. Le balancement de droite à gauche, qu'il appelle le joug par assimilation au

1. Marcel Jousse, *Anthropologie du geste,* Ed. Resma.

mouvement latéral de la tête chez le bœuf, est le même que celui du récitateur qui apprend. Le bercement, enfin, combine ces deux mouvements, c'est le même chez le paysan qui passe le grain au tamis que chez la mère qui berce son enfant en s'accompagnant d'une mélodie.

C'est donc l' « intussusception » des mouvements et de leurs ruptures qui permet d'anticiper le raisonnement logique grâce à une induction précipitante. Se mouvoir et penser s'enchaînent ainsi l'un l'autre. En regardant on mime le mouvement et on le reproduit. Le rythme qu'on épouse est le même que celui de la pensée de l'autre. Les moments où l'on s'arrête sont les mêmes que lorsqu'on doute soi-même ou qu'on s'angoisse. Mouvement du corps, mouvement de la pensée, ce sont ce rythme et cet élan qui habitent nos paroles. C'est en accompagnant les paroles et les scansions du discours et du corps que le thérapeute lui aussi induit le propos. Ce sont elles qui nourrissent sa propre intuition. Il n'est pas nécessairement seul à comprendre car un participant entraîné peut entendre en même temps, mais c'est lui, le thérapeute, qui a pour fonction de raccourcir le moment de conclure.

Faire jouer c'est, en effet, montrer au groupe cet attribut collectif qui caractérise le discours latent : montrer de quoi on parle en fait. Mais l'action met aussi en route les identifications : chacun se reconnaît dans le porte-enseigne qu'est l'acteur principal, si le jeu est bien choisi.

Au moment du jeu, ce n'est plus tant le thérapeute que l'ego auxiliaire qui comprend : induit par les moments d'arrêt du protagoniste principal, il anticipe la reconnaissance de son angoisse et de ses doutes. Les réactions de l'ego auxiliaire n'obéissent pas forcément aux consignes ; il peut modifier les données du problème et trouver dans ce changement la réponse la plus juste.

Après le jeu, l'identification des témoins aux acteurs vient relayer celle de l'ego auxiliaire. Ce sont eux qui montrent les multiples facettes de ce qu'ils ont vu et ressenti et qui mettent en circulation les signifiants des identifications en cause (attributs). Ces signifiants occupent la place qu'occupent en analyse les signifiants de l'interprétation. Mais la situation étant différente, ce ne sont pas les mêmes. En analyse c'est le seul analyste qui scande. Dans le groupe chacun est actif. La spécificité du psychodrame est cette interaction même.

On ne s'étonnera pas dans ces conditions que le transfert dont on parle en psychodrame ne soit pas le même que celui dont on parle en analyse. En analyse le sujet supposé savoir c'est l'analyste. C'est lui le garant du désir et de la vérité. En psychodrame, si le thérapeute est supposé posséder un savoir, il l'exerce au niveau de l'écoute d'un discours de groupe.

Encore n'en fait-il état que dans la première partie de la séance et même là il n'est pas seul. Mais dès la seconde partie, dès qu'on joue, l'ego auxiliaire devient celui qui sait. Après le jeu, ce sont enfin les participants eux-mêmes qui désignent l'attribut et les signifiants qui le supportent. Après la séance, c'est l'observateur.

Comme c'est celui qui sait qui est l'objet du transfert, on comprendra comment en psychodrame les transferts latéraux s'édifient et pourquoi ils prennent tant d'importance, pourquoi aussi le thérapeute est moins investi que l'analyste. Une autre raison de l'affaiblissement du transfert tient aussi au fait qu'étant offert au regard le thérapeute perd l'initiative de la parole : celui qui le voit peut anticiper sa propre assertion. Il s'expose et la vue, donc, modifie le discours.

Le miroir

La vue renforce la réaction de prestance chez les participants d'un groupe. Rien n'est plus frappant pour un analyste que de voir changer le comportement de son patient en groupe : l'humilité en analyse fait souvent place à l'orgueil[1] ; parader

1. Cf. p. 323.

sert souvent à se défendre ; le mot *parade* a les deux sens. C'est que les sujets en psychodrame et en analyse se défendent de deux façons différentes contre l'autre du discours, analyste ou groupe.

C'est en effet grâce à la prévalence du moi idéal dans le cas du psychodrame, de l'idéal du moi dans celui de l'analyse qu'ils résistent, en psychodrame, à la menace de morcellement de l'image de soi (mais ce moment arrive malgré tout) et, en analyse, au danger d'être désapprouvé par l'analyste.

Le moi idéal représente une défense spéculaire, l'idéal du moi est aspéculaire. L'une et l'autre servent à sauver l'unité du sujet en péril, fût-ce au prix d'un mensonge : car c'est en trompant l'autre sur sa couleur, en dupant son interlocuteur que le sujet sauf à accéder à la vérité, reconstitue son unité. Mais à le mimer et à surprendre ses moments de doute, on a vu qu'un autre perçoit, à travers son discours latent, sa castration.

La réaction de prestance réunifie en psychodrame un corps morcelé dont l'image, prenant sens du regard des autres, amène le sujet à tromper le groupe. Lacan nous apprend que l'unité du corps naît dès le stade du miroir. Il nous montre la gesticulation jubilatoire du bébé de six mois devant la glace. Mais aussi sa dépendance à l'égard du regard de la mère. C'est pourquoi le mouvement par lequel l'enfant de six mois « se retourne vers celle qui le soutient pour appeler son assentiment est essentiel, en ceci que le regard lui rend possible la reconnaissance de son unité [1] ». C'est ce qui se reproduit donc en psychodrame : pour demeurer intact, le sujet prend un rôle et, s'il dupe autrui sur lui-même et au besoin impose son image par la violence, c'est pour conserver sa cohérence. Mais, en contrepartie, il risque ce moi idéal en l'exposant au groupe et le résultat est un morcellement salutaire.

L'identification en psychodrame du sujet à ce moi idéal est appendue à deux autres identifications refoulées non spé-

1. Cf. Lacan, *Ecrits,* Seuil, p. 93.

culaires, l'une constituée par l'idéal du moi, l'autre par une identification inconsciente au parent de même sexe (généralement) et refusée.

C'est l'idéal du moi qui, en analyse, réassure le sujet. En fait, si l'analysant suggère à son analyste qu'il est lui, l'analysant mieux qu'on ne le croit c'est parce qu'il ne le croit pas lui-même. De même, quand il lui fait opposition, il se sent divisé. Aussi le lieu de l'analyste est-il un lieu de tension et d'angoisse. Si on lui demande de rassurer c'est pour mériter l'objet partiel dont il détient le secret (cet objet peut être aussi bien projeté à l'extérieur dans un modèle, ou dans le passé sur les insignes d'un ancêtre mort pris comme référence, c'est le roman familial, ou dans le transfert sur l'analyste lui-même), cet objet en tout cas lui donne l'illusion de son achèvement.

Mais, on l'a dit, l'idéal du moi est là comme défense pour masquer une identification refoulée bien plus profonde et inconsciente au parent de même sexe (ou de sexe différent) dont le sujet refuse la castration. Celle-ci est reproduite dans la névrose qu'il a reçue lui-même en héritage [1].

En psychodrame comme en analyse le sujet commence par refuser sa castration. Mais en psychodrame deux couches successives de défenses constituées par le moi idéal spéculaire et l'idéal du moi, aspéculaire, sont à franchir, tandis qu'en analyse l'écran est seulement constitué par le fantasme et le désir qui promeuvent l'idéal du moi. L'analyse analyse, semble-t-il, plus abruptement le désir.

Mais s'il y a retard en psychodrame, en comparaison de l'abrupt analytique, il est rattrapé par la précipitation du discours : le discours du groupe est celui de la ressemblance. C'est dans la séance d'analyse sa mise momentanée hors du temps qui donne à l'analysant la possibilité de franchir immédiatement le miroir et de vivre sa division et à la fin sa solitude structurale. L'idéal du moi où le désir projette un ins-

1. Cf. Le cas de Bertrand, chap. II, p. 116.

tant son illusion n'aboutit encore qu'à la méconnaissance de sa propre castration. Il s'agit d'autre chose que d'une identification au parent castré : d'un manque fondamental qui est au-delà de la ressemblance. Mais l'urgence du discours psychodramatique met finalement aussi bien le sujet en péril, en dépit du jeu illusoire des ressemblances et il faut bien qu'il se décide à dire : *je*. Ainsi donc c'est de franchir ou non le miroir qu'il s'agit, et ce n'est possible que dans certaines conditions et avec certains modes de discours. Le mode psychodramatique ne met pas le sujet au pied du mur. Il est moins périlleux. C'est au sujet à savoir s'il veut courir le risque et la situation de groupe lui permet d'abord d'éprouver sa force. Certains (c'est rare) s'en vont comme ils étaient venus : intouchés.

Les altérations du miroir

Le psychodrame, donc, met l'accent sur la castration. Un bon exemple de l'influence menaçante du regard nous est donné par le phobique en psychodrame : la hâte induite par la présence de l'autre lui enlève la possibilité de reconstituer une unité corporelle imaginairement détruite. C'est que dans la névrose actuelle la position du sujet par rapport au miroir n'est pas la même que dans la névrose de transfert.

Le regard y actualise sans cesse la jouissance et donc la menace de castration vécue comme dislocation et comme angoisse de morcellement. Non que cette menace soit absente, on l'a vu, de la névrose de transfert, mais le sujet y est mieux défendu : il se réunifie au fur et à mesure qu'il trompe l'autre et se trompe lui-même sur sa castration.

Si le regard est vécu chez le phobique au niveau du sadisme oral et du viol et si le corps est en danger imaginaire d'éclatement, c'est lié sans doute à la situation du psychodrame, mais aussi au fait que le patient lui-même projette son désir et son angoisse sur les participants. Ainsi tant d'yeux arrachent à son corps des lambeaux que Sonia se sent plus menacée que flattée par les regards qu'on jette sur elle ; elle sent les places fortes de son corps, ses seins, ses reins, et jusqu'à son regard et sa voix, arrachées à son pouvoir dès lors qu'ils sont objets de convoitise pour les autres. Elle s'inscrit dans un rapport de perte par rapport aux traits dont son corps fournit les éléments.

De se regarder comme un autre vous voit constitue une épreuve. Ce sont le phobique et le psychotique qui nous font donc le mieux ressentir les raisons pour lesquelles le psychodrame prend cet aspect menaçant. Au niveau du moi idéal ne se reforme pas l'unité spéculaire protectrice contre la castration, la précipitation du discours du groupe empêche de reconstituer dans le miroir un corps entamé par le regard. Seule l'acceptation de la castration serait résolutive.

La présence ou l'absence de regard en psychodrame et en analyse constituent ainsi un moment décisif pour l'élaboration d'une névrose ; on a vu que c'est la façon dont l'autre renvoie au sujet son propre message qui accélère ou retarde pour lui le moment de conclure et que le discours de l'autre en psychodrame est marqué par des moments d'arrêt qui y tiennent lieu de repères.

C'est parce qu'il possède ce caractère actualisant que le psychodrame est aussi indiqué à des moments critiques de l'existence, que ceux-ci aient ou non des soubassements névrotiques ou psychotiques. Lors d'une rupture sentimentale ou d'un deuil par exemple, il peut être important pour un sujet de se représenter dans un jeu la situation. Le rôle de l'ego auxiliaire, du fait qu'il diffère du véritable antagoniste, est de permettre au protagoniste principal de se voir en situation.

Bien plus, même à propos d'un deuil ancien, le psychodrame peut réactualiser un drame non liquidé et donner, grâce à cette résurrection, une issue que l'analyse n'a pu donner.

C'est le cas de François, trente ans, qui a suivi une longue analyse ; malgré cela, quinze ans après, son père mort demeure un point passionnel non liquidé. Or, Antoine, un membre du groupe, lui ressemble de manière frappante. Quand, dans le jeu, il refuse la cigarette d'Antoine, il est évident que c'est le lien homosexuel qu'il refuse. Antoine n'est pas seulement le père, il incarne aussi la rémanence du deuil non fait de l'homosexualité. Au fur et à mesure de l'action c'est autant le souvenir qui resurgit qu'une relation homosexuelle qui s'actualise.

Bref, le psychodrame provoque, chez François, la reviviscence d'un affect trop enfoui pour émerger du seul récit : bien que cette résurgence soit possible aussi, en analyse, la présence du récit risque de créer une résistance qui la laisse enfouie, par contre la mise en acte d'une situation en psychodrame a ceci de particulier que les choses sont jouées avant d'être dites, au point que le sujet se surprendra lui-même. On saisit ici, sur le vif, la relation entre les deux modes de traitement, l'une donne la préférence à l'action et l'autre au récit.

Pour certains sujets cependant il est indispensable que l'analyse soit entreprise sans psychodrame. Il peut y avoir à cela de multiples raisons ; nous n'en indiquerons que trois :

1. L'une d'entre elles tient à la nature du transfert du sujet qui serait affecté par une relation trop proche avec l'analyste, ou encore quand le transfert tend à se situer sur un versant négatif.

2. Un autre est qu'il peut être préférable de privilégier l'analyse du transfert plutôt que de favoriser l'identification chez un sujet dont la structure (hystérique) fait qu'il n'y a que trop tendance.

3. Une troisième est, comme on l'a vu, le cas où il s'agit de privilégier la relation aspéculaire et de la faire prévaloir sur la relation au miroir. La liste de ces contre-indications pourrait, sans doute, être allongée.

La présence ou l'absence de regard porté sur celui qui parle conditionne la formulation de son discours et en particulier la hâte de conclure. Il y a continuité entre le rythme de la pensée qui s'énonce et celui du corps qui agit. Que le discours vienne en psychodrame à la place d'une angoisse provoquée par le regard d'autrui, nous est rendu plus sensible par l'expérience du phobique : sa crainte d'un retour de la jouissance prépubertaire engendre chez lui une crainte prépubertaire de l'autre qui, bien souvent, court-circuite la parole et est vécue comme danger de morcellement. Au contraire du phobique, les sujets atteints de névrose de transfert, mais aussi bien tout sujet dès lors qu'il est en groupe, se trouvent entraînés à une forme de discours collectif où l'anticipation de la parole d'autrui les modèle. Provoquée en fait par une question non formulée sur l'attribut dont le sujet est porteur, cette anticipation est une demande. Avant que la vérité n'advienne, parler est donc une défense ; la parole en psychodrame vise à soutenir le moi idéal et correspond à un niveau spéculaire tandis que celle de l'analyse cherche à restaurer l'idéal du moi, c'est-à-dire se situe à un niveau aspéculaire.

Psychodrame et psychanalyse, loin de s'exclure, peuvent donc se compléter l'un l'autre dans le traitement d'un même patient. En mimant le mouvement et son rythme, le psychodrame donne la prévalence au regard. L'analyse, par contre, met le corps entre parenthèses au profit du récit. Ce sont deux temps du discours logique qui ne s'excluent pas mais se succèdent ; on a vu que du fait de leur situation par rapport au miroir ils se complètent l'un l'autre.

Il n'est pas rare de voir certains participants des groupes entrer en analyse après deux ou trois ans de psychodrame. Dans ce cas le groupe est comme une propédeutique à l'analyse.

Fréquemment aussi d'anciens analysés viennent demander au psychodrame la résolution d'un nœud récalcitrant, tout de suite après ou plusieurs années après leur analyse.

L'HOMOSEXUALITÉ

S'il est vrai, comme nous l'écrivons plus haut [1], que ce qui agit en psychodrame c'est surtout l'identification, et en analyse le transfert, l'homosexualité doit pouvoir trouver dans le psychodrame un terrain thérapeutique approprié. En effet, nous pensons pouvoir souscrire à ces paroles de Fénichel : « Des caractères d'identification se mêlent à l'amour homosexuel et il est également admis qu'il y a un élément d'identification à l'objet dans tout amour homosexuel. » Il s'agit pour le sujet aimant ou d'avoir, ou, à défaut, d'être la personne aimée, par identification. On voit bien que l'identification, passant par la dévoration du stade cannibalesque, est encore un mode d'avoir. Entre avoir et être (cf. l'*habere* latin), il y a une vieille connivence.

C'est en ce point de connivence que se joue le destin de l'homosexuel. Identification à l'objet, dit Fénichel, c'est-à-dire mouvement qui va du même au même. Cela paraît clair. Ce ne l'est pas. L'homme qui aime un autre homme le choisit pour ses caractères secondaires les plus opposés aux siens, et de même fait la femme qui aime une femme. L'homosexuelle a peut-être horreur du membre viril mais elle a une haute idée de l'homme. Et l'homosexuel a sans doute horreur du trou vaginal mais il adore un autre trou et magnifie, on le sait, la femme à qui il rend un culte. C'est du culte phallique aussi qu'il s'agit dans ce qu'on peut appeler la religion homosexuelle virile. Il suffit de lire Jean Genet pour s'en convaincre. Le choix d'objet de l'homosexuel nie moins la différence des sexes qu'il ne la déplace, des organes génitaux sur

1. Cf. chap. I, p. 86.

les caractères sexuels secondaires. De toute façon, chacun aime son contraire ou son manque.

Ce que le psychodrame révèle aussitôt, c'est que l'homosexualité est aussi universelle que l'Œdipe et pour cause, et que l'amour d'un homme et d'une femme ne va pas de soi. Il révèle en outre que le caractère le plus voyant de l'homosexualité est la surestimation du phallus, toutes conclusions auxquelles Freud était arrivé bien avant nous.

Pour nous résumer disons que si l'amour parfait pour le parent de l'un ou l'autre sexe (car l'homosexuel peut avoir adoré sa mère et l'homosexuelle son père) n'aboutit pas à cette crise où le fils ou la fille mesurent leur impuissance à posséder ce parent, ils ne sont pas non plus mis en demeure d'accepter la castration qui s'ensuit. Cette non-résolution de l'Œdipe est à la racine du choix homosexuel, car il s'agit bien d'un choix et non d'une donnée génétique. L'homosexuel(le) évite la castration. C'est aussi un choix et c'est un choix qui lui ferme toute possibilité ultérieure de faire d'autres choix substitutifs. Il reste condamné à la répétition.

A ce propos — d'un choix homosexuel permettant d'éviter la castration (mais condamnant par là même le sujet à une castration définitive bien entendu) —, nous avons pu constater dans ces groupes à quel point demeure puissant chez l'homosexuel le rêve d'un bonheur total dans l'union parfaite (et non charnelle) avec l'élu.

Sur les mots d' « impossible bonheur » prononcés par le thérapeute à l'évocation d'un de ces moments parfaits, chacun a amené son rêve ou son souvenir, tous plus homosexuels l'un que l'autre. Le canevas est toujours le même et se réduit à ceci : le sujet se trouve seul avec le parent ou l'ami ou le frère. Il y a de la musique. On ne parle pas, on ne se touche pas, et dans cette atmosphère religieuse pour un temps qu'on ne mesure pas (un instant ou l'éternité), la communion est totale. Un instant pareil ne se retrouve pas.

Dès que pointe une évocation de ce type et la nostalgie qui lui est propre (et c'est presque à chaque séance), les thérapeutes détectent l'homosexualité latente. Il s'agit, bien évidemment, de l'union *dans* la mère, quel que soit le partenaire. Il n'y a pas de séance — ne serait-ce que par la place physique qu'occupe spontanément chacun, à côté de X et loin d'Y, par son regard ou son attitude, par sa façon de se grouper ou de s'isoler ou de se situer par rapport aux thérapeutes — où ne se rejoue le choix d'objet — le pari — en fonction du travail d'identification accompli dans le passé et de celui qui se fait actuellement dans le jeu.

S'il est vrai que le groupe est d'abord pour chacun ce parent mythique père et mère — sans différence de sexes —, il est vrai aussi qu'en contrepoint et d'entrée de jeu le tissu même du groupe se constitue à partir de l'alliance des hommes contre les femmes et vice versa. On y peut voir d'ailleurs l'un des éléments de la constitution des sociétés le plus camouflé. Le tissu conjonctif de la société est en fait homosexuel. Il n'est que de lire ce livre d'ethnographie sur *les Chambrettes* [1] par exemple. Ces communautés d'hommes méditerranéennes (mais qui existaient aussi, semble-t-il, dans toutes nos provinces) n'étaient ni politiques, ni religieuses, ni sociales. Leur seule raison d'être était l'exclusion des femmes. Le seul crime, puni d'exclusion, était l'admission — profanatrice sans doute — d'une femme dans le saint des saints. On peut en conclure que ces communautés avaient pour objet le renforcement des hommes dans leur statut d'hommes. Le même principe détermine nombre d'institutions unisexuées (elles le sont quasiment toutes), comme l'armée, ou le monastère. C'est la raison aussi de la coalition bipartite spontanée des membres d'un groupe psychodramatique. Sans doute le commerce de la femme comporte-t-il un danger de féminisation pour l'homme et vice versa.

Mais que dire alors de la tendance actuelle au mixage des sexes dans la société nouvelle ?

Quoi qu'il en soit, la bipartition agressive en deux blocs

1. Lucienne A. Roubin, *Les chambrettes des Provençaux*, Plon.

masculin et féminin est spontanée dans les groupes de psychodrame, ce qui n'empêche pas le jeu hétérosexuel, bien entendu. On voit ainsi se reconstituer le tissu conjonctif normal de toute société. Mais les thérapeutes y voient aussi se rejouer le choix, tel qu'il a été fait au moment de l'évitement de l'Œdipe et de la castration, et ils peuvent déclencher par leurs interventions une redistribution des cartes pour un remaniement libidinal.

CHAPITRE VII

LE MYTHE EN GROUPE ET LE GROUPE MYTHIQUE

LE FANTASME EN PSYCHODRAME

Avant d'en finir avec l'examen des deux thérapies analytiques (l'analyse individuelle et le groupe psychodramatique), nous voudrions revenir sur le fantasme.

En groupe, chacun se trouve évidemment au milieu des autres, face à face, à côté, parmi. C'est exactement l'inverse de la situation analytique. Il n'est pas dit que l'analyse permette de découvrir le fantasme originaire, c'est-à-dire ce mixte qui aurait le taux d'inconscient le plus élevé. Il n'est pas dit non plus que la mise au jour de ce fantasme (scène primitive, castration ou séduction) signifie la fin de l'analyse, aux deux sens de guérison et d'objectif. Mais le discours de l'analysant fait apparaître aisément son contenu fantasmatique pour l'analyste alerté et le fantasme s'y recompose à ses divers taux successivement et parfois dans le même temps si on « lit » le propos dans le sens de ses couches, comme on peut lire un rêve. Du fantasme originaire aux rêveries diurnes, tout est toujours dans tout. Qu'un tel discours puisse se décanter, que l'anamnèse permette l'émondage du discours fantasmatique, que le maniement du transfert permette un travail fantasmatique nouveau, avec un matériel nouveau, cela n'est pas douteux. Notre propos est de nous demander si le groupe permet aussi un tel travail ou un autre. Autrement dit, et dit en clair, si le groupe permet l'analyse du fantasme.

1. Qu'est-ce que le fantasme ?

Inutile d'en faire une description exhaustive. Nous voulons seulement relever ici le trait qui fait que le groupe ouvre une problématique nouvelle quant au fantasme. « Quand l'unité imaginaire de l'ego se désagrège, le sujet puise, dans ces premiers entendus (qui, dit Lacan, ont été reçus par une subjectivité morcelée), le matériel signifiant de ses symptômes. »

Avant la phase du miroir, si l'on peut ainsi parler — il serait plus juste de dire, dans la mesure où le sujet ne réussit jamais parfaitement cette assomption spéculaire —, le corps est morcelé. Il est pris tel quel dans le signifiant, comme dit Anne-Lise Stern. C'est la définition même du fantasme. Il ne peut y avoir circulation des signifiants si le fantasme, faute d'unité symbolique, ne passe pas dans le langage. Le sujet reste alors le jouet idiomatique du fantasme isolé. Il joue tristement avec ; tout seul, coupé des autres. On pourrait, en schématisant, dire que le fantasme date d'une étape préspéculaire. L'entendu, à ce stade, s'intègre dans un corps morcelé, mais où la vie libidinale est intense. C'est donc un mixte, un sang-mêlé, comme dit Freud, de désirs refoulés et de pensée consciente, le tout fixé en un scénario, remanié tout au long de la vie et qui pousse ses rejetons comme dit encore Freud, jusque dans la vie de tous les jours. Cet historique que nous venons de faire est naturellement tout théorique et nous demandons que, chaque fois que nous ferons référence au stade préspéculaire ou au stade du miroir, on veuille bien se rappeler qu'il n'y a pas de stades successifs, mais seulement des moments privilégiés. Avant comme après, il y a manque, morcellement, et désir d'unité.

C'est pourquoi, quand l'image dans le miroir apparaît, l'enfant s'y précipite. L'image unitaire vient à la place d'un manque d'objet, de la part manquante, comme dit Pujol. Quand cette opération a raté, dans la mesure où toujours elle rate, peu ou prou (si le regard de la mère s'est détourné pendant la rencontre), l'autre apparaît non pas comme une image de lui, support possible d'une identification, et d'autre part objet possible d'amour, c'est-à-dire en tant que miroir, mais comme cette part manquante elle-même, et le sujet l'intègre dans son fantasme en tant que manque.

2. Le groupe

Quand l'autre réel est là, dit Pujol, il voile de son ombre la vraie relation du sujet à son désir. Il résiste à ce désir en somme. Il ne se laisse pas manier, intégrer au fantasme aisément, sauf à être nié complètement en tant qu'autre. Le propre du fantasme est de conduire, comme on le voit dans l'analyse de Freud « On bat un enfant », à l'auto-érotisme ; l'autre objet y est halluciné. On peut donc s'attendre que, dans un groupe, les autres pèsent si lourd que le fantasme y est étouffé. C'est pourquoi la tradition place saint Antoine dans un désert. Tous ses fantasmes s'y déploient et envahissent la terre. Si un autre réel était là, il ferait fuir la meute des fantasmes, représentés d'ailleurs par des fauves.

Le groupe serait donc à cet égard essentiellement négatif. Il annulerait plutôt ce clivage dont parle Freud dans sa métapsychologie ; il réduirait la vie fantasmatique au silence en fonction du principe de réalité.

3. Le cas Isidore

Oui, mais le groupe psychodramatique n'est pas un groupe

réel. Nous l'avons défini comme groupe imaginaire, c'est-à-dire comme un groupe où les relations sont d'ordre fantasmatique précisément. L'autre ne résiste pas au fantasme ; il y entre ; il le suscite. Nous allons prendre un exemple, celui d'Isidore.

Isidore ne parle pas, il attaque ; il n'entend pas les mots ; il les sent comme autant de *fléchettes*. Il arrive lui-même, ou pas, à placer ses fléchettes. Le contenu des mots, leur sens, n'est pas retenu par lui, il n'est même pas saisi ; les mots, tels des objets, frappent trop fort. C'est au point qu'on peut l'injurier sans qu'il l'entende, si l'injure est dite sur le ton du compliment. Par exemple, il aime bien Simon qui a pour vocation de se donner à la communauté dans le lieu de son travail et qui parle doucement, avec onction, avec amour. C'est sur ce ton qu'il a déclaré à Isidore que ce qu'il racontait sur sa femme était *sordide*. Le mot est sévère. L'intention sous-jacente extrêmement agressive. Isidore n'a saisi ni le sens du mot ni l'intention. On peut en donner deux raisons : la première, déjà donnée, c'est qu'Isidore n'est sensible qu'au poids physique du mot reçu comme objet ; la seconde, que cet impact est reçu favorablement quand le mot est émis par un homme.

En effet, quelques séances plus tôt, un drame s'est joué entre Odile et Isidore. Odile offre à autrui un personnage de femme adorable. Elle a toujours été aimée et y tient. Fidèle à ce personnage, elle s'est penchée une fois sur le cas d'Isidore avec sollicitude. Isidore a entendu les mots d'Odile (peu importe lesquels, on les a recherchés vainement) comme des attaques virulentes. Il a riposté en lui déclarant qu'elle était haïssable. Et comme il est violent, il a crié. Odile a reçu un coup. Dirons-nous qu'elle est entrée dans le jeu d'Isidore et lui a permis de nouer une relation réelle qui serait une répétition non analysable ? Non.

La douleur qu'a ressentie Odile, au lieu d'être une réponse à Isidore, a été vécue par elle, pour son compte personnel, comme un éclatement de sa personnalité (bonne) d'emprunt et une délivrance. En fait Odile, qui faisait partie du groupe depuis deux ans, n'avait pas encore fait la rencontre susceptible de faire éclater ce personnage encombrant. Mais cela, c'est son affaire.

Et Isidore, du coup, a vu se désarticuler son scénario :

Une femme parle,
Elle me menace.

Non, Odile ne lui parlait pas nommément à lui et ne le menaçait pas. Elle vivait ses propres fantasmes de restauration. Isidore résout le sien par là même. Son fantasme n'a pas été utilisé. Odile a fait un pas en avant en lui laissant son fantasme pour compte, comme un corps chimiquement rejeté. C'est cela le groupe. Il y a, comme on dit, retour à l'envoyeur.

Poursuivons. A une séance ultérieure, il s'agit de couples. Alice se plaint d'avoir à parler à la place de son mari, jusqu'à lui dire ce qu'il doit aller raconter à son thérapeute. Elle s'exécute de guerre lasse. Bien sûr, elle a un rôle dominant ; mais elle est une gagnante malheureuse. Elle perd un homme.

Or, Isidore a déclaré, en une autre occasion, que dans le dialogue, il n'arrivait pas à supplanter sa femme. Elle le maîtrise complètement. Ce n'est pas étonnant puisque, comme nous l'avons vu, les mots n'ont pas de sens pour lui. Ce sont les mots qu'il ne maîtrise pas. Alors, que fait-il ? il répond par des agressions à cette femme dont la parole le castre. Il n'a pas la parole.

Autrement dit, il ne peut échapper à la castration que par la violence.

Dans une séance beaucoup plus ancienne, il y a plus d'un an, Isidore a raconté que sa mère l'avait amené dès l'âge de six ou sept ans chez un psychologue pour lui faire passer des tests. Il ne le lui pardonne pas. La parole entendue ce jour-là par Isidore, comme il ressort de ses commentaires, c'est : Tu es fou. Ce souvenir n'est pas un souvenir-écran, puisqu'il est le souvenir d'un fait bel et bien advenu, mais le souvenir d'un fait réel remanié fantasmatiquement. Le test ayant poussé un

« rejeton » sur ce terrain favorable qu'était ce fantasme de la condamnation maternelle. On comprend alors, l'effet foudroyant, le mot n'est pas trop fort, de la sollicitude d'Odile, psychologue de son état (Isidore le savait). La parole maternelle entendue : tu es fou, a résonné aux oreilles d'Isidore, quels qu'aient été les mots réellement prononcés. Freud a mis l'accent sur la chose *entendue* et Lacan, à son tour, dans la définition que nous avons donnée au départ. Cette parole entendue est comme entrée dans le corps morcelé de l'enfant et a pris cette place manquante, qui appelait le miroir. Elle est réactivée par un test et en psychodrame par Odile.

Ici, nous commençons à voir le fantasme d'Isidore : un mot entendu de la bouche d'une femme est entendu comme un coup. C'est la femme qui parle. Isidore n'a pas la parole. Il est fou. Il n'a que la violence. Alors il agresse. En tant que *fou*, il ne peut pas faire droit à son désir, il est castré de son pouvoir. En effet, avec sa femme, en amour, il est, dit-il, passif. Il fait l'amour quand elle le veut. Le reste du temps, il attaque, d'ailleurs à contretemps et se fait rabrouer. Il reporte alors sa violence sur le reste de l'humanité : la guerre, les fléchettes. C'est le seul mode de relation qu'il connaisse. A l'imitation de Freud dans « On bat un enfant », nous pourrons décomposer le fantasme comme suit :

1. On s'envoie des flèches : impersonnel.
   Le sujet est « nous ».
2. Une femme me blesse :
   entrée du Je dans le fantasme.
3. Ma mère me blesse : passivité, masochisme.
4. Je blesse une femme : sadisme.

Les hommes sont absents jusqu'ici du fantasme, on ne peut rien en conclure : attendons.

Commentaires

D'après cette analyse, il semble évident que le fantasme

se déploie à l'aide du groupe et immédiatement. En groupe, il y a le regard, le geste, l'échange de mots et même le toucher, enfin la proximité de l'autre qui précipitent le fantasme et le rendent visible.

Les autres membres du groupe sont pour un sujet des révélateurs et des analyseurs, quoi qu'ils fassent et disent. Isidore a trouvé en eux des supports à son transfert, des supports tout à fait analytiques. Comme Odile par exemple. Isidore est évidemment aussi son propre analyste, les thérapeutes n'étant là que pour faire le travail que nous rapportons ici, tandis que l'observatrice donne en fin de séance quelques repères interprétatifs prudents qui ont le même rôle que les interprétations en analyse classique.

On peut dire que les éclats d'Isidore (il a quitté une fois brusquement la séance parce qu'une femme l'exaspérait : pas un homme bien sûr !) sont des passages à l'acte directement greffés sur le fantasme.

Certains analystes orthodoxes ont même pensé qu'ils devaient se féliciter de l'existence des groupes où leurs patients (quand ils font l'une et l'autre : analyse et psychodrame) vont commettre leurs passages à l'acte, qui deviennent ainsi inoffensifs. Il y a lieu de se féliciter, pensent-ils, que le psychodrame existe pour recevoir les passages à l'acte que l'analyste ne peut suivre au-dehors, et que l'analyse pourtant suscite. C'est donner au psychodrame un rôle utile mais secondaire. Il est plus que cela. Le passage à l'acte fait en groupe n'a évidemment pas la même issue que le passage à l'acte accompli dans la vie quotidienne. Nous avons vu qu'il y avait dans le groupe un retour à l'envoyeur, et un effet en chaîne chez tous les autres. La vie de groupe peut ainsi se définir comme un enchaînement de fantasmes, ponctué de passages à l'acte jusqu'au moment où ils sont les uns et les autres transposés symboliquement dans des jeux. C'est le lieu où les passages à l'acte se désamorcent.

Toutes les combinaisons de ce mixte qu'est le fantasme, tout ce travail de sang-mêlé à des taux divers, ce mélange de conscient et d'inconscient frappé du signe, du sceau de chacun, se fait dans le groupe au hasard des rencontres, par le moyen du transfert. Or, en groupe, les rencontres sont multiples et pressantes.

L'occasion de parler son fantasme plutôt que de le subir est multipliée elle aussi et plus contraignante. Chacun se trouve parfois comme acculé à son fantasme dont il n'a plus l'emploi ancien.

Le jour où Isidore se sentira en possession de mots pour parler, et non plus pour frapper, il ne sera plus *fou*, au sens que ce mot a pour lui ; peut-être sera-t-il sexuellement actif — par surcroît. Il racontera alors sa guerre et il sera réconcilié.

Son récit portera toujours le sceau ancien propre à Isidore et qui est son fantasme originaire. C'est ainsi qu'on pourrait définir le fantasme comme ce noyau qui fait qu'un langage est toujours idiomatique, jamais universel, toujours un patois maternel qui porte la charge du « roman familial » dont les bribes ont été entendues dès la naissance par l'enfant en deçà du sens.

C'est pourquoi il est donné dans le groupe dès les premiers mots prononcés par un participant que nous avons dits susceptibles d'être analysés à tous les niveaux (dans la mesure où l'auteur nous donne successivement les éléments nécessaires) comme un rêve.

Les premiers mots qui signent l'entrée de tel ou tel dans le groupe sont à retenir comme contenant dès l'abord toute l'analyse qui suivra.

C'est ainsi qu'Angèle se jette dans le groupe comme on plonge et qu'elle parle comme on nage, après le plongeon, pour faire surface (Bertand — on s'en souvient — sautait en parachute). Dès la première séance et en début de séance à chaque fois elle fait le même plongeon. Peu importe ce qu'elle dit. Elle ne demande pas de réponse. Il est même tout à fait impossible d'amorcer un dialogue quelconque. Il faut attendre qu'elle ait fini. Et que dit-elle en vérité et, en substance, quel que soit le discours ? Elle dit : Je plonge parce que j'ai peur de vous. Et puis voilà que je me noie. Les autres savent nager. Pas moi. Moi j'ai été *flouée* par ma mère, mon père et M. le curé et puis par la société coalisée. Ne frappez pas. Laissez-moi finir. Laissez-moi m'expliquer.

Ce perpétuel plaidoyer la pose d'emblée comme une accusée. Elle continuera à plaider jusqu'à résolution du fantasme dans le groupe. Le psychodrame peut aussi se définir comme la mise en scène du fantasme.

Nous sommes même tentés de dire qu'il en est l'*incorporation,* selon la forte expression d'Ada Abraham [1]. Cela signifie qu'il y prend corps. Il n'est donc pas juste de dire que le psychodrame ne va pas au-delà de l'Œdipe, sous prétexte que l'identification en est le rouage essentiel. Au contraire : ce fantasme, qu'il est souvent difficile de cerner dans la parole, apparaît, devient visible dans le psychodrame. On peut le saisir et le reprendre pour le faire circuler dans le groupe où il est entré dans le langage commun.

DYNAMIQUE DE GROUPE

Nous avons défini le psychodrame par rapport à l'analyse mais à aucun moment nous n'avons entendu les opposer. Par contre nous pensons que psychodrame et dynamique de groupe sont inconciliables.

Il est peut-être intéressant de noter que le psychodrame japonais nie l'inconscient et se tourne volontiers vers le théâtre et l'expression corporelle qui sont la grande vocation japonaise. Il se veut d'ailleurs non thérapeutique. Est-ce une forme de résistance nationale ?

Notre question est celle-ci : pourquoi appeler cette forme

1. Cf. Ada Abraham, *Le monde intérieur des enseignants,* à paraître en septembre 1972. Ed. de l'Epi.

d'exercice, psychodrame ? Tout exercice est par définition antipsychodramatique, même s'il tend à la spontanéité. Les trébuchements dramatiques de nos séances excluent tout exercicc.

Il reste que le psychodrame morénien était gros de toutes ces formes divergentes, behaviouristes ou théâtrales. Nous avons quant à nous choisi le retour à Freud parce que c'est aussi le retour à la thérapie. Il n'y a d'analyse possible (individuelle ou psychodramatique) qu'à partir d'une demande thérapeutique, explicitant un désir.

D'une ligne plus proche de celle de Moreno est issue en effet la dynamique de groupe, voisine de la sociométrie, et que l'attention accordée par Moreno au comportement devait favoriser. Le but du « T Group » est en effet de permettre l'expérimentation par les sujets d'autres modes de comportement qui les fassent se sentir libres d'être comme ils ont envie d'être, mais sans toucher toutefois au « jardin secret » — dans lequel nos participants se promènent comme chez eux.

Nombreux sont les participants des « T Group » qui viennent dans nos groupes de psychodrame, « pour voir » prétendent-ils. En effet on leur a parlé « d'autre chose » et ils en sont « curieux ». Mais dès l'abord, ils refusent d'entrer dans le jeu. Dès que les thérapeutes s'écartent tant soit peu de l'attitude habituelle de leurs animateurs, ils se récrient au nom du sacro-saint principe de non-directivité. Ils ont d'ailleurs beaucoup de principes issus de mai 68 et tous parfaitement stéréotypés depuis : principes démocratiques, droit à la parole, droit à l'amour, etc. Refusant la règle du jeu, ils empêchent le jeu. Pour sauver le droit à la parole, ils finissent par la prendre et ne plus la lâcher. En fait ils fonctionnent comme de parfaits saboteurs.

Bien évidemment s'ils commençaient par accepter la règle du jeu (ne donner que le prénom, se placer au niveau imaginaire, accepter de ne pas résoudre telle ou telle tension actuelle sur le plan du réel mais de la reporter sur une autre scène avec un autre personnage) et les indications des thérapeutes en ce sens, il serait trop tard ensuite pour refuser. Ils seraient pris dans le jeu. Ils font donc opposition au départ mais se trouvent alors dans une position *perverse* et *pervertissante*. La perversité, en effet, consiste en ceci que la participation au psychodrame est à la fois demandée *et* refusée, demandée *pour* être refusée. Ce qui est nié ici, c'est la nécessité du choix et la loi même de la vie du groupe. Si nous parlons de perversion, c'est que les pervers n'ont pas une attitude différente au regard de la loi qu'ils provoquent jusqu'au scandale. Dans un travail inédit sur un cas de perversion, Clavreul dit que le pervers vient demander une analyse quand il s'est fait prendre sur le fait : en train de transgresser la loi (sur la voie publique par exemple). De même ces dynamiteurs de groupe (qu'on nous pardonne ce jeu de mots) viennent au psychodrame pour l'empêcher.

Mais les thérapeutes ne les excluent pas pour autant. Cette motivation en vaut une autre et nous ne choisissons pas, parmi nos candidats psychodramatistes, les préconsentants. Nous ne choisissons pas non plus entre les formes névrotiques ; nous n'avons pas de préférence. L'entrée perverse des membres des « T Group » s'analyse tout comme une autre et il appartient aux thérapeutes de manier cette résistance au même titre qu'une autre. Du moment qu'ils sont là, nous considérons qu'ils formulent — par leur venue — une demande. Cette demande est d'ordre thérapeutique. C'est notre postulat. En tant que telle, elle détermine un transfert, fût-ce un transfert négatif. Et la machine est mise en branle.

Il reste que le clivage entre groupes dits réels (dynamique de groupe) et nos groupes imaginaires (psychodramatiques) est étanche et qu'ils ne se mélangent pas plus que l'eau et l'huile.

Nous regrettons d'autant plus que le même mot recouvre souvent pour les non-initiés l'une et l'autre activité de groupe.

De même que nous n'avons pas inventé le psychodrame, nous ne sommes pas les seuls à le pratiquer.

Mais il convient évidemment de mentionner au moins qu'il

existe plusieurs autres formes de psychodrames très différentes.

Il y a, par exemple, le psychodrame analytique français. Plusieurs thérapeutes y soignent un seul patient. Les thèmes de jeux imaginaires y sont proposés par l'enfant. C'est lui qui répartit les rôles. Le jeu est interprété au niveau du transfert comme dans une psychanalyse.

Dans la même ligne, mais avec des adultes, Lebovici, Diatkine, les Kestenberg pratiquent le psychodrame individuel avec des thèmes qui ne sont plus imaginaires mais pris sur la vie réelle.

Enfin, il y a la psychanalyse dramatique française où l'on demande aux patients de se mettre d'accord sur un thème. Le groupe se partage les rôles, le couple des thérapeutes joue et observe en même temps et il arrête le jeu lorsqu'il estime que la situation est à interpréter immédiatement. L'interprétation porte à la fois sur le groupe et sur le patient qui a polarisé l'attention.

Dans ces trois formes de psychodrame, on est plus axé sur le transfert que sur la dynamique de groupe.

Ce n'est pas le cas par contre dans la méthode qu'utilise Henri Bour avec les psychotiques et tous les patients chez qui la parole n'est pas d'un maniement aisé. Dans son psychodrame collectif (qui groupe jusqu'à une vingtaine de patients), une relation symbolique se joue grâce à l'utilisation comme médiateur d'un objet tiers symbolique (un anneau, un ballon, par exemple).

LE PÉCHÉ ORIGINEL, UN MYTHE EN PSYCHODRAME

Dans la tradition chrétienne, Marie conçoit sans péché. Dans la *Genèse*, il est écrit : « Voilà que l'homme est devenu l'un de nous pour connaître le bien et le mal. Qu'il n'étende pas maintenant la main, ne cueille aussi l'arbre de vie, n'en mange et ne vive pour toujours. » Ce sont les paroles de Iahvé-Dieu au jardin d'Eden. Pourquoi la connaissance du bien et du mal est-elle devenue connaissance de la chair ? Sans nul doute à cause de la parenté entre la vérité et la jouissance qui en représente la prime — la plus-value (ce que Lacan appelle le plus de jouir).

Avec elle, nous sommes déjà au niveau du corps, puisque la jouissance est au rendez-vous.

C'est à cette tradition reprise et non au texte biblique lui-même que le patient dont nous allons parler, Jean-Marie, se réfère pour étayer son symptôme corporel — sa douleur. On verra qu'elle est l'envers du mythe, qu'elle accomplit ce que le mythe veut éviter et qu'elle le livre à la malédiction du péché et de la mort.

Jean-Marie [1] (c'était un prénom prédestiné) était atteint d'une colite spasmodique dont la souffrance obéissait aux fluctuations de son humeur et aux tensions qu'il affrontait dans la vie. Jusque dans la séance de psychodrame, ses spasmes s'accroissaient lorsque le groupe témoignait, même à un autre de ses membres, de l'agressivité. Nous apprîmes peu à peu la signification de son intolérance ; il portait fantasmatiquement un enfant mort, et cet enfant, celui de son père, il l'expulsait douloureusement durant la séance.

Nous ne connaissions pas, à cette époque, la théorie de J.P. Valabrega, selon laquelle entre le mythe et le symptôme physique un fantasme qui a été sauté est à rechercher. Et cependant, nous nous sommes aperçus après coup que nous ne fîmes rien d'autre que de le retrouver. C'est avec la découverte du fantasme, et grâce aux remaniements que lui fit subir le groupe, que Jean-Marie guérit en effet de son symptôme ; mais il renonça aussi à la religion.

1. Il s'agit d'un autre Jean-Marie que celui dont il est parlé au chapitre II dans le discours du groupe.

On remarqua assez vite dans le groupe que sa religion était une défense et que le mythe du péché de chair lui cachait son désir du père. L'important était le lien incestueux. C'est à lui que se rapportaient les interdictions qui pesaient sur sa virilité.

Renoncer à ce lien signifiait, pour Jean-Marie, désacraliser le père et renoncer à la relation œdipienne nouée dans l'enfance. Les traces de ce vécu archaïque ne s'effacent pas facilement.

Jean-Marie avait fait un Œdipe féminin, un Œdipe inversé. Toute fille souhaite recevoir du père un enfant. Dans l'enfance, l'enfant du père est conçu sans péché et l'enfantement se passe dans l'imaginaire. La visitation, c'est l'aventure œdipienne de la jeune fille. Enfant du père et visitation sont liés. Mais Jean-Marie étant un garçon et non une fille (en dépit de son prénom à moitié féminin), ce lien incestueux lui était doublement interdit.

Que l'Œdipe chez Jean-Marie s'exprimât sous la forme religieuse et mythique du péché originel ou du mythe dérivé de la visitation n'était pour lui que déplacement. Il s'agissait de la transformation d'un vœu inconscient. Mais à son passage au plan de l'universel, le mythe changeait de niveau : il s'agissait d'une défense particulièrement efficace et résistante, proportionnelle au danger encouru.

Tout aussi énigmatique était son fantasme d'enfant mort, mais ici la reconnaissance par d'autres ne pouvait jouer : on restait au niveau de l'imaginaire. Quant à sa colite, elle était à situer au niveau d'un réel problématique.

Ainsi son histoire évoluait sur trois plans parallèles qui se chevauchaient l'un l'autre et qu'il s'agissait de faire communiquer entre eux.

De cette histoire, dont le fantasme fut reconstitué peu à peu comme un puzzle, nous ne connaissions, au début, que le mythe et le symptôme.

Dans le groupe, Jean-Marie redoutait par-dessus tout que l'agressivité exprimée contre lui ou contre un autre ne vînt éveiller sa douleur. On s'aperçut bientôt qu'il ne redoutait rien tant que de devoir revivre sa relation avec ce père qu'il craignait et aimait par-dessus tout : il vivait encore chez lui à trente-sept ans, bien que celui-ci ne cessât de le menacer ou même de le battre. On apprit aussi que, dans son enfance, les scènes de leçons s'accompagnaient toujours de reproches et de coups si violents que, terrifié, il craignait bien souvent pour sa vie. Se trompait-il d'ailleurs ? N'y avait-il pas effectivement caché, sous l'attitude enseignante, le vœu inconscient de séduction et de meurtre du pédagogue que Ionesco a si bien mis à jour dans *La leçon*. Le psychodrame lui fit revivre ces séances où le sadisme de son père et sa folie furent malgré tout pour lui le seul contact affectif qu'il connût, car sa mère ne l'aimait guère. Il lui fit prendre le recul nécessaire pour rompre enfin cette relation. Quand il joua la scène de rupture où, fou de colère, le père fit mine de le tuer, il s'enfuit devant l'ego auxiliaire comme si le jeu était réel. Nous découvrîmes ce jour-là que *l'enfant mort, c'était lui.*

Les coups reçus ou les menaces expliquent sans doute que le symptôme ait pris ancrage dans le corps : dans l'angoisse des viscères. Le caractère de la douleur se précisait au fur et à mesure qu'on jouait des scènes de poursuite : réfugié aux toilettes, il passait des heures sur le siège à se vider de sa peur. On comprit alors pourquoi l'évacuation érotisée devint accouchement ou, aussi, expulsion d'un enfant mort. Sa douleur dans la séance reproduisait la scène des toilettes, avec son double aspect de souffrance et de jouissance, de même que l'accouchement est en même temps expulsion.

On ne retrouva pas, en psychodrame, la séduction originelle, mais on joua une scène où le fantasme d'agression sexuelle par le père fut revécu à la puberté. Il voyageait à l'époque avec lui en Indonésie et, comme ils avaient ce soir-là trop peu de devises pour prendre deux chambres, ils passèrent la nuit dans le même lit. Il se demanda par la suite si, profitant de son sommeil, il ne l'avait pas violé.

L'enfant de l'inceste est une jeune sœur torturée par le

père dont il prit en charge les études et l'éducation pour la soustraire au même traitement que celui qu'il avait subi. Avec elle, il s'identifiait à l'enfant mort, mais aussi à l'éducateur de son enfance dont il redressait les torts.

Enfant mort d'un père qui a voulu le tuer et dont il garde et expulse à la fois le produit, tel apparaît son *fantasme* au bout de la cure.

En refusant l'énigme de ses attitudes, le groupe l'obligea peu à peu à substituer à la jouissance solitaire de sa douleur et au mythe du péché originel, un fantasme.

L'abandon de son homosexualité représenta dans le traitement un point nodal. Il se maria. Au niveau symbolique du mariage, il renonçait à répéter imaginairement et inconsciemment le passé, il renonçait au fantasme de l'enfant du père mort à cause de la possibilité pour lui d'enfanter un enfant vivant, et au symptôme, à cause de l'investissement par l'acte sexuel qui déplaçait le lieu de plaisir qu'était l'intestin, vers le sexe.

Ce sur quoi nous voulons insister ici, c'est sur le fait qu'une chaîne unique relie les trois étages, symbolique mythique, imaginaire fantasmatique, réel symptomatique. Mythe et symptôme supposent qu'un fantasme a été sauté et ce fantasme est la vérité du sujet ; il est à rechercher en psychodrame.

Nous voudrions, avant de conclure, éviter une confusion entre la foi religieuse et le mythe. La religion n'est pas un mythe, mais certains de ses récits ont pris une forme mythique grâce à laquelle ils nous touchent ; il n'est pas de mots pour dire la foi.

Le mythe lui-même apparaît comme une défense contre le fantasme. Du fantasme, il a la structure de fable, mais il raconte à qui veut l'entendre l'histoire inverse ; le péché originel et son corollaire, la visitation, cachent un fantasme œdipien de grossesse.

Le symptôme est le témoin d'un moment du passé individuel auquel le sujet est resté fixé en oubliant le scénario.

Témoin de l'inconscient, il en a le caractère intemporel ; le temps ne peut l'altérer, à moins de retrouver la fable qu'il tient enfermée. On a vu que le symptôme et le fantasme sont tous deux pris dans le court-circuit du réel et de l'imaginaire.

C'est en retissant fil à fil l'imaginaire que l'on retrouve le scénario et son message ; il devient présent dans les regards des témoins et le discours du groupe, c'est de ces regards et des réponses du groupe qu'il tire sa consistance. Si donc on veut retrouver en psychodrame le sens d'un symptôme psychosomatique, on doit rechercher le mythe qui, s'il existe, raconte à l'envers et sous forme d'énigme le fantasme œdipien sauté.

LE MYTHE DU RECOMMENCEMENT EN PSYCHODRAME OU L'ARCHE DE NOÉ

Le travail du groupe permet de retracer le mythe jusqu'au repérage du fantasme. Mais le groupe lui-même n'est-il pas en quelque sorte mythique ? Nous avons pu relever certains traits qui nous autorisent à y voir une répétition moderne d'un mythe du recommencement dont le modèle serait l'arche de Noé. Le cas d'Edouard est particulièrement clair à cet égard.

Le cas d'Edouard

Pour lui, le monde du dehors est méchant. C'est le monde de la destruction. Il ne peut pas y vivre. Il trouve dans le groupe des gens qui semblent avoir été choisis pour lui. Choisis par les thérapeutes évidemment qui, eux, savent bien ce qu'ils font... Ils ont laissé les méchants dehors : qu'ils y périssent.

Pourvu que le groupe se sauve, qu'importe le reste de la création, y compris les père et mère qui l'ont engendré et qui manifestement ne savent pas ce qu'ils font. La mère est muette, tout à fait muette. Nous dirions, nous, mutique. Le frère de sa mère est idiot (dit-il). La seule personne qu'Edouard aime est son petit frère. Il voudrait bien l'amener au groupe. Son père est assez gentil mais nul, semble-t-il. Lui, le père, il parle ; mais il est toujours hargneux.

Dans son lieu de travail, Edouard est tombé sur un chef de service sadique qui — c'est bien sa veine ! — fait tout pour lui rendre à lui, Edouard, la vie insupportable. Il ne lui explique jamais rien, exprès. Il lui en veut. Pourtant Edouard n'a rien fait pour mériter cette injustice. Il est ponctuel et il fait de son mieux. Le chef de service (un « Boche » — enfin un type d'origine allemande ou alsacienne !) s'est arrangé pour que personne n'adresse la parole à Edouard, et dernièrement il y a eu une fête (quelqu'un se mariait) et Edouard n'a pas été invité. Ça s'est passé sous le nez d'Edouard. On parlait bas. Il a bien vu qu'il se tramait quelque chose, etc.

Edouard fait même, on le voit, un délire de persécution. Il apparaît vite dans les jeux que c'est lui qui se met à part, exclut les autres et leur déclare la guerre. Il n'adresse la parole à personne : « Je n'ai même pas envie de dire bonjour, dit-il. Et puis ils ne parlent que de politique ou de femmes, ça ne m'intéresse pas. » Il refuse de rendre tout service. Offrir des fleurs, inviter à boire un verre, cela lui paraît ridicule, inutile. D'ailleurs toute manifestation lui paraît toujours inutile. « C'est des simagrées », dit-il. Pourtant Edouard n'est pas psychotique. Où l'on voit que cette tendance manichéenne à la dichotomie, au conflit et à la projection, parfaitement dégagée par l'école kleinienne, n'est tout de même pas propre aux seuls psychotiques [1].

Dans le groupe oui, là on parle, dit-il. Et puis dans le groupe

1. Cf. P.C. Racamier, « A moins que nous ne soyons tous psychotiques », *Le psychanalyste sans divan*, Ed. Payot.

il est admis qu'on est malade. Edouard ne voit pas qu'il ne peut supporter de ne parler ou de n'entendre parler que de sa maladie, à la rigueur de *la* maladie. Au-dehors, ce n'est pas possible. Et puis ce serait la fin de tout (de quoi ?). Il se ferait alors — croit-il — irrémédiablement exclure. Or, aucun autre sujet de conversation ne l'intéresse. Où l'on voit que la « maladie » passe d'abord dans le discours. Quand le discours change, dit le docteur Dumézil, c'est que peut-être la cure est terminée.

Où l'on voit aussi la valeur bien précise de la maladie dans l'économie du patient : il est nécessaire d'être malade pour s'enfermer dans un groupe. Si l'on guérit, alors toute barrière saute et l'on est perdu. Aussi le malade tient-il énormément à sa maladie. C'est le cercle fatal de la névrose, qu'il faut rompre. S'il appartient à un groupe dit « de malades », il est particulièrement satisfait, en même temps qu'inquiet, bien sûr. L'une des attaques les plus habituelles porte contre les psychologues qui se prétendent non malades par vocation et viennent au groupe pour des raisons professionnelles, même s'ils se gardent bien de les afficher. Nous avons eu un exemple d'agressivité de cet ordre d'une telle violence que tout le groupe et la victime l'ont vécu comme un désir de meurtre.

Et pourtant ? Si cette maladie n'était qu'un alibi, un postulat commode ? Mais, c'est que ça ne leur plaît pas du tout, aux « malades », qu'on les rassure ainsi. Ce n'est pas une réponse à faire auxdits malades que de leur dire qu'ils ne le sont pas.

En même temps toutefois ils ne s'acceptent pas comme infériorisés. Ils sont malades certes. Mais tout le monde est malade. C'est même cela qu'on apprend au groupe. Ceux du dehors ne le savent pas, c'est tout. C'est ce qui les rend encore plus insupportables.

Nous venons de parler d'Edouard ; mais nous aurions pu parler de Xavier qui fait des prouesses pour que ses parents « ne sachent pas » (il a trente ans) ; de Bernadette qui ne veut pas déménager, qui ne supporte pas de voir un couple se disputer, ni de voir un nouveau arriver dans le groupe, ni que son mari change de situation, ni de partir en voyage. Or, elle a toujours vécu en exil.

Le cas d'Edouard est particulier, comme le sont les cas de Bernadette et de Xavier. Mais ils se rencontrent tous pour refuser qu'on leur change leur groupe. Tout ce que nous venons de rapporter dans une sorte de discours à double fond, c'est ce qui est exprimé dans les séances. C'est le contenu manifeste.

Nous allons maintenant essayer d'en dégager les traits essentiels et nous verrons se dessiner les premiers éléments du mythe qu'Edouard a repris selon l'optique propre à son cas ; mais que les autres ont repris également en fonction de leur histoire particulière.

La première conséquence de cette façon d'aborder le groupe, c'est que tous les membres, à la quasi-unanimité, sont d'accord pour qu'il ne soit pas ouvert aux gens du dehors. Il faut le protéger contre toute intrusion. Une fois formé, il ne doit plus changer. Les thérapeutes sont garants de cette *identité*. Nous reprenons ce terme parce qu'il est admis dans le langage psychiatrique pour traduire *the sameness* : la qualité de ce qui reste semblable [1]. Les thérapeutes, eux, ne changent pas. Ils n'ont ni caprice ni humeur ; ils n'ont jamais été jeunes et ils ne seront jamais vieux. Qu'il arrive que l'un d'eux meure, c'est un vrai scandale. Il n'a même pas le droit d'être malade. Le lieu de rassemblement non plus ne change pas, ni le décor, chacun retrouve volontiers sa place habituelle, son siège, son coin.

Si l'un des membres disparaît, l'événement est difficile à digérer. Mais que dire quand des nouveaux débarquent. On ne sait qui des nouveaux ou des thérapeutes reçoit la plus grosse charge d'agressivité de la part des anciens qui pourtant acquièrent, de ce fait seul que des nouveaux arrivent, leur

1. Cf. *La Forteresse vide*, par Bruno Bettelheim, Ed. Gallimard.

qualification d'anciens. On leur change leur groupe ! Or, c'était le meilleur, l'unique.

Tout changement ne peut être qu'inopportun et le signe d'une volonté mauvaise. On sait que ce désir de ne rien changer à l'environnement est l'un des traits de l'autisme. Mais point n'est besoin d'être autistique pour l'éprouver. Parallèlement se développe le mythe du monde extérieur, méchant, dangereux, mortifère, en éclatement perpétuel. Le groupe devient l'abri contre un tel monde. Abri et monde ennemi sont deux mythes complémentaires : la bonne et la mauvaise mère, en langage kleinien.

La fiction qui soutient le plus efficacement ces mythes est évidemment le *je* perçu comme construction permanente. Permanent, identique à lui-même, continu et autonome, le groupe est cette île d'identité au milieu du monde de la mort.

La maladie est comme un mur dressé contre le monde dangereux, contre le chaos, contre le déluge envahissant. C'est ce qui sépare, comme une digue — ou un pont —, en un mot l'arche.

Donc la fonction mythique de chacun trouve son aliment dans un groupe qu'il entend faire vivre, comme lieu séparé, permanent, identique à lui-même, lieu de la *sameness*. Le fait qu'il est imaginaire et coupé du monde, par convention, favorise l'exercice de cette fonction. Nous avons dit ailleurs que le ventre maternel et la maison paternelle s'y résument. Il s'agit donc de le perpétuer et d'y répéter dans une régression massive une situation primordiale mythique. C'est le transfert. La solidité du transfert (en psychodrame comme en analyse) est un fait d'expérience, toujours étonnant. Le premier support est le bon ; le premier groupe est le bon (sauf exceptions). Il n'est pas question d'en changer. Certes, il y a des transferts parallèles et des transferts négatifs et, comme en analyse, le transfert quel qu'il soit est une résistance puisqu'il se traduit par le maintien de la situation et de la maladie. Mais nul n'y manque jamais.

Si, à brûle-pourpoint, on demande aux membres du groupe

en quoi consiste leur maladie, on les voit vaciller. Oui, au fait, qu'est-ce que j'ai ? Timidité, difficulté de communication... Comme s'il était facile de communiquer et comme si les gens qui communiquent s'en trouvaient beaucoup mieux ! Et puis, est-on malade parce que timide ? Il ne faut rien exagérer.

En vérité, être malade, c'est seulement se déclarer malade. Le premier geste de ségrégation est ainsi consommé. Le deuxième consiste à entrer dans un groupe thérapeutique, et le troisième à essayer de le perpétuer pour qu'il supplante la vie réelle. Nous sommes en plein mythe.

D'aucuns pensent vraiment que le groupe, en tant qu'unité constituée (c'est là qu'on voit naître le mythe, le groupe devenant une personne), progressait, était sur le point de découvrir une vérité. Parti de zéro, il était appelé à une sorte de plénitude, de perfection, d'apothéose, que l'entrée du nouveau compromet à jamais.

Mais les thérapeutes interviennent. Ils sont là pour veiller à ce que le groupe reste imaginaire et ne devienne jamais réel. Nous l'avons dit ailleurs. L'entrée de chaque nouveau est une occasion éminemment favorable de rupture.

Tout changement interne est aussi une occasion de rupture. Enfin, les thérapeutes ont à analyser leur propre « permanence », loin de l'assurer, comme on dit « assurer une permanence ».

Il faut montrer que la séparation joue à l'intérieur du groupe et non entre le groupe et l'extérieur et qu'il y a un trou ouvert à la place du groupe. Les jeux explicitent la division du sujet lui-même. La fiction alors n'est plus là où on la croyait. Elle n'est pas dans les jeux qui, au contraire, sont la vérité ; elle bascule pour périr, du côté des fausses réalités, des réalités mythiques que sont je *et* le groupe, je *dans* le groupe.

Bien évidemment, cette fausse réalité est celle de la mère, comme pôle d'une relation parfaite. La mère mythique. C'est si vrai qu'un groupe, pour chaque membre, n'est ni père ni mère, il est ce parent unique, indissociable, et sans réalité, que l'enfant se crée pour sa jouissance ; c'est contre ce danger qu'en contrepoint se créent deux blocs sexués, pour l'affirmation du sexe propre.

On vient découvrir dans le groupe que cette mère est un mythe, que le groupe vécu comme mère est mythique, et la société, vécue comme une autre mère mauvaise, mythique aussi. La bonne et la mauvaise mère que le malade projette sur le groupe thérapeutique et le monde sont par ailleurs vécues à l'échelle nationale et même mondiale. Ce sont ces mythes qui soutiennent les idéologies et les guerres.

Le passage au réel se fait par une crise d'agressivité, une petite guerre que le patient mène seul et pour son propre compte, contre les thérapeutes et surtout contre tel ou tel membre du groupe. Alors il noue des relations différenciées dans des jeux divers : il entre dans le monde ludique de la parole et de l'amour, et sort de l'alternative, tout ou rien, vie ou mort, où il était enfermé.

Ce que le mythe véhicule de vérité, c'est le besoin de se séparer pour être, et le besoin d'identité contre la mort. Chacun recommence ainsi la genèse pour son propre compte. Il *sépare d'abord...* Mais dans la Bible, quand la femme est formée de la côte de l'homme, l'homme perd quelque chose, une partie de lui-même. C'est seulement alors qu'il devient Adam pour Eve, un homme pour une femme. Il est nommé, mais à jamais mutilé. Tout le mal vient pour lui-même de ce qu'il est soit séparé de la totalité, soit confondu dans le chaos. Le mur le sauve du chaos originel, mais le frustre de la totalité. C'est ce dilemme qu'il ne peut vivre. La maladie, comme mur, a donc la fonction économique de l'arche.

Le « trop tard », qui est l'expression constante de la névrose, signifie que le patient ne peut plus recommencer ailleurs que dans ce lieu privilégié qu'est le groupe. A ce propos, Christian a apporté au même groupe que celui d'Edouard, un rêve significatif. On lui montrait une vieille maison et une neuve. Dans la vieille, il y avait son frère, des voisins, etc., qui lui expliquaient qu'il y aurait des tas de travaux à faire. Mais Christian se sentait plein de courage pour rebâtir la maison.

Or, dans sa vie, il n'a pas de courage. Il ne peut pas travailler. Il passe sa journée au lit. S'il vient au groupe, c'est qu'il y puise l'illusion de recommencer quelque chose, de rebâtir la vieille maison.

Depuis le meurtre de Caïn, l'humanité n'a cessé de se corrompre jusqu'au déluge. De même, toute vie individuelle glisse de la naissance à la mort vers le chaos. Du moins c'est ainsi qu'elle paraît vécue. *Il s'agit de recommencer à naître une deuxième fois pour arrêter* ce fatal glissement. La névrose est le fait de celui qui est impuissant à assumer cette loi dans ce qu'elle a de positif *et* de négatif. Car s'il est vrai que tout homme doit se remettre au monde, il est non moins vrai que c'est, pris au pied de la lettre, impossible. Le névrosé est peut-être celui qui vit le mythe au pied de la lettre.

Il est d'ailleurs particulièrement incapable d'obéir à l'injonction : Allez, soyez féconds et multipliez. Il s'accroche à l'arche. Aucune colombe pour lui n'a ramené le brin d'olivier dans son bec. Au-dehors, le déluge ne s'arrête pas. Sortir de l'arche, c'est mourir.

Comment l'amener à quitter le groupe ? Car il n'y est venu que pour se rendre capable de le quitter, bien évidemment, même s'il veut l'oublier. On l'y amène par un travail de démythification, qui passe par le jeu. Tous les drames de la séparation, tels qu'ils ont été vécus sur un mode particulier par chacun, et tels qu'ils sont vécus encore par lui, à l'extérieur, sont joués dans le groupe : meurtres multiples plus ou moins camouflés, fratricides, parricides, infanticides et homicides, consommés ou pas. Chaque histoire, vécue personnellement, redevient aussi, par le jeu, celle de plusieurs. C'est ainsi que le mythe circule, de l'ensemble des hommes à l'individu et de l'individu au groupe, de chaque homme au premier homme et du premier homme aux membres du groupe actuel, forçant chacun à se remettre au monde, comme Dieu força Noé. L'arche, avons-nous dit, c'est mythiquement le groupe où se donnerait la promesse du renouvellement dans la paix, grâce à la loi : Tu ne tueras point.

Mais il reste à chacun sa propre mort à consommer et à accepter. Il est illusoire de s'imaginer qu'on se sauve en tuant l'autre. Mais il est non moins illusoire de penser qu'en ne tuant pas, on supprime la mort.

Cette histoire de sauvetage est mythique. En effet, elle n'est jamais dite et c'est ce qui la distingue de la fable. C'est une histoire sans auteur ; aucun membre du groupe n'en est l'auteur ; elle est sans paternité. C'est la définition, croyons-nous, d'Aristote. En outre, elle n'est ni vraie ni fausse, elle est en dehors du registre de la vérité. Elle n'est pas rationnelle ; la maladie non plus n'est pas rationnelle, ni la santé. La maladie et la santé, non plus, ne peuvent être dites vraies ou fausses. Non plus que la vie et la mort. Le discours mythique (car c'est tout de même un discours, même non dit) est celui qui fait surgir une histoire qui est l'envers d'une vérité : l'homme s'invente un ennemi pour pouvoir le tuer et nier ainsi sa propre mort. Telle est la matière première du groupe.

Mais personne, dans le groupe, ne croit vraiment en la réalité de son invention. A aucun moment, personne ne se croit définitivement sauvé, élu. La preuve en est qu'à chaque fin d'année, et même à chaque départ, le thème de la mort immédiatement réapparaît. La vieille peur guette. Il n'appartient pas aux thérapeutes d'entretenir la peur. Mais il ne leur appartient pas non plus de répondre à la demande du groupe en faisant le jeu du mythe. A aucun moment ils ne doivent se donner comme des garants de l'alliance divine contre la mort : comme des papa et maman Noé, mis à la place des parents véritables : nouveaux parents, mis à la place des vrais, mortifères, tandis qu'eux se porteraient garants contre la mort.

Des fables mythologiques pourraient naître dans ce cas avec des héros et des dieux (les thérapeutes, les vedettes, etc.) au sein du groupe si, précisément, le travail qui s'y fait ne consistait pas à mettre le mythe à l'envers pour faire apparaître et accepter la séparation, la mutilation, la mort propre, c'est-à-dire une certaine vérité à travers le fantasme.

Mais cette vérité n'est jamais atteinte, ni établie, et nul ne peut empêcher que le groupe auquel Edouard ou Christian ont appartenu n'ait été exceptionnellement et tout particulièrement ceci ou cela, et qu'ils n'aient vécu quelque chose d'unique dont ils se prévalent. C'est une satisfaction narcissique, qui reste difficile à éliminer. Aussi le travail de groupe ne finit-il pas. L'arche est à reconstruire ailleurs et nul n'y manque. Simple passage de la vie à la mort et de la mort à la vie, le temps d'un jeu où se renverse le mythe.

Plus explicitement d'ailleurs, on peut figurer la fonction mythique dans le groupe en disant que chacun y vient revivre mythiquement le monde d'avant la genèse où la création s'engendrait par simple séparation. En venant au groupe, chacun se sépare et se donne le sentiment de naître autrement que d'un homme et d'une femme unis sexuellement. Cette union sexuelle des deux personnes, le père et la mère, est ainsi niée comme mortifère. Dans un groupe, chacun arrive comme né ailleurs (ce qui est conforme à tous les mythes d'origine). Chacun arrive dans un groupe où il se donne de nouveaux parents sans qu'il y ait copulation. L'individu existe de par son entrée dans le groupe, ayant laissé dehors le monde de l'inexistant et de la confusion. Il existe aussi en fonction de parents-héros (ni hommes ni dieux) qui ne se sont pas accouplés pour le mettre au monde.

Nous avons eu une patiente qui niait tout simplement l'acte sexuel. Son délire, fort poétique du reste, consistait en cette négation même. Elle pensait qu'avant la naissance du Christ, l'homme et la femme étaient identiques. Elle donnait pour preuve la statuaire grecque et en particulier *La Victoire de Samothrace* qui nous paraît pourtant à nous suffisamment pourvue d'attributs féminins. C'est au point que nous nous sommes demandés si la maladie ne pouvait pas être considérée comme un signe différentiel, mis à la place de la différence des sexes niée ; puisque, nous l'avons vu, il faut qu'il y ait quelque part un mur, une barre, et que si ce mur saute ici, il doit réapparaître forcément là. On peut donc dire que la vie du groupe participe encore de cette pensée mythique de la séparation, exploitée névrotiquement. Mais que le travail du groupe doit consister dans l'effacement des parents mythiques. Il s'agit pour chacun de retrouver son père et sa mère, de retracer l'arbre généalogique. C'est cela comprendre, dit J.-P. Vernant quelque part.

Nous avons dégagé la fonction mythique du groupe suivant un certain nombre de lignes de forces : le désir d'identité, les deux mères mythiques, la méconnaissance de la différence des sexes, la séparation et le recommencement. Il nous reste à distinguer mythe et illusions.

Le mythe du recommencement, tel qu'il se lit dans l'arche de Noé, se complète de la foi en un dieu sauveur. Au niveau du groupe, le mythe vécu individuellement et collectivement nourrit un certain nombre d'illusions. Nous prenons ce terme au sens freudien. Il n'est pas question ici de discuter de la foi, mais il est évident que si les membres du groupe nous prennent pour des dieux ou seulement des héros, des êtres à part (nous sommes des intermédiaires, nous ne sommes pas des êtres à part), ils se font des illusions. S'ils s'imaginent (et ils s'imaginent) aller vers un stade de perfection et d'achèvement du groupe, ils se font aussi des illusions et de même s'ils s'imaginent privilégiés du seul fait qu'ils sont sur l'arche. Ces illusions sont les conséquences repérables, exprimées dans le langage de chacun, du mythe vécu, lui, comme un non-dit.

Quant à l'histoire mythique du groupe, dont les quatre termes sont la naissance, la séparation, l'identité et la mort, elle est filée à l'envers des histoires dites et jouées explicitement, et c'est nous, les thérapeutes observateurs, qui en écrivons la fable toujours différente.

CONCLUSION

Le travail du groupe ne consiste pas à extraire le modèle mythique ou l'archétype d'une pluralité de versions mythiques individuelles. C'est en quoi nous nous séparons radicalement d'un certain jungisme. Loin de nous attacher à réduire toutes les séances à un embarquement sur l'arche — ce que nous jugeons antithérapeutique et ce qui serait en outre effroyablement monotone —, nous tâchons de montrer dans chaque observation quel a été le chiffre particulier, l'hypogramme unique de la séance. Cet hypogramme, c'est le plus petit commun dénominateur des jeux effectivement représentés. L'observation ainsi conçue a pour fonction d'aider le groupe à passer sur le plan symbolique et d'achever le mouvement amorcé dans les jeux. Elle fait plus aisément circuler ce qui pouvait rester enveloppé dans les jeux, en dépit de leur pouvoir de révélation.

L'hypogramme s'éloigne donc du mythe pour atteindre le singulier, l'unique, le toujours différent. Il confirme le troisième pas de la démythification. En somme, on peut figurer schématiquement l'ensemble du processus en disant qu'à l'extrémité l'individu plonge dans l'universel du mythe ; à l'autre, il atteint l'universel du symbolique. Entre les deux, la maladie le sépare.

Nous allons jusqu'à penser que le délire peut se définir comme l'absorption d'un sujet dans le mythe commun, sans auteur. Guérir, c'est déjà se construire un mythe personnel névrotique d'abord et, dans un second temps, accepter la castration et la division du sujet. Pour Edouard, il s'agit soit de retrouver son propre désir de tuer, son refus de l'acte sexuel et même sa dénégation à l'égard de la différence des sexes. Il n'y a pas de papa et maman Noé. Le bateau fait eau de toute part. La méchanceté est à l'intérieur du groupe, à l'intérieur d'Edouard. Il n'a pas mis le pied sur un pont mais dans la flotte, et il doit apprendre à nager à la rencontre de son père réel et de sa mère réelle.

Mais, d'autre part, le travail de groupe montre bien que la pensée mythique n'est pas morte avec l'avènement de la raison, comme le voudrait J.-P. Vernant, ni avec la maîtrise de la nature, comme le voudrait Marx. Elle est toujours à l'œuvre dans l'homme, muant en un ennemi, l'autre, parce qu'il est différent de lui et fabriquant dans le même temps des fantasmes de réconciliation éternelle, totale et asexuée. C'est l'origine de la guerre, d'une part, et de l'utopie d'autre part. Au niveau de l'individu, c'est la névrose. Il s'agit donc pour nous de travailler à contre-courant. En psychodrame, la guerre est jouée individu contre individu, et la réconciliation se fait au niveau symbolique par l'acceptation commune de la division du sujet propre.

Croire en une démythification totale et définitive serait encore participer à un mythe, celui du triomphe de la raison qui met la vérité du côté de la raison et le mensonge du côté du mythe. Incurable séparatisme.

L'arche de Noé n'est pas l'unique modèle du mythe de recommencement que nous avons cru reconnaître dans le groupe psychodramatique. Si nous l'avons choisi comme mythe de référence, ce n'est pas dans un esprit rigoureusement scientifique. Nous ne pensons d'ailleurs pas qu'on puisse parler de référence unique. Mais c'est le mythe qui nous a paru le plus proche de nous, Occidentaux, et le plus loin dans le temps.

Le recommencement sans péché originel est un fantasme universel et il vivra aussi longtemps que l'homme sans doute. Ce n'est pas pour des raisons morales que nous travaillons, en psychodrame, à contre-courant du mythe. Nous ne le condamnons nullement en tant que racine de l'utopie. Mais il se trouve que le névrosé qui vient dans un groupe l'exploite négativement. La cure consiste à opérer une sorte de retournement. Il s'agit, en somme, de retirer aux membres du groupe le plancher de l'arche de dessous leurs pieds, parce que, se servir du groupe pour donner corps au fantasme du recommencement, c'est se séparer à jamais du monde des vivants. Ce monde où l'on tue et où on fait l'amour.

Imprimé aux Etats-Unis, 1982